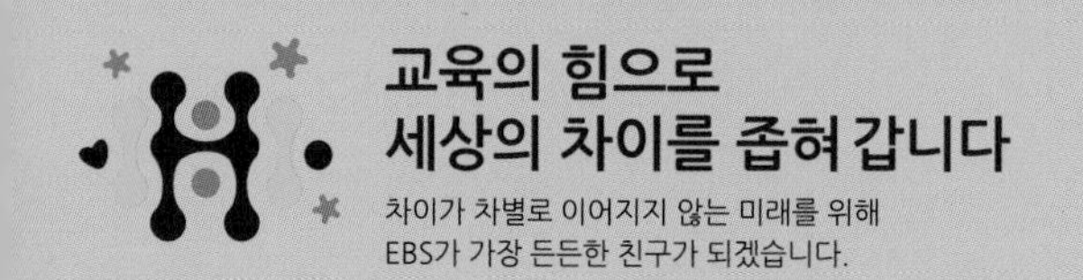

모든 교재 정보와 다양한 이벤트가 가득!
EBS 교재사이트 book.ebs.co.kr

본 교재는 EBS 교재사이트에서
eBook으로도 구입하실 수 있습니다.

2025학년도 수능 연계교재 수능완성

사회탐구영역 경제

기획 및 개발
김은미
박 민
박빛나리
여운성

감수
한국교육과정평가원

책임 편집
원숙희

본 교재의 강의는 TV와 모바일 APP, EBSi 사이트(www.ebsi.co.kr)에서 무료로 제공됩니다.

발행일 2024. 5. 20. **1쇄 인쇄일** 2024. 5. 13. **신고번호** 제2017-000193호 **펴낸곳** 한국교육방송공사 경기도 고양시 일산동구 한류월드로 281
표지디자인 ㈜무닉 **내지디자인** 다우 **내지조판** 신흥이앤비 **인쇄** 팩컴코리아㈜
인쇄 과정 중 잘못된 교재는 구입하신 곳에서 교환하여 드립니다. 신규 사업 및 교재 광고 문의 pub@ebs.co.kr

정답과 해설 PDF 파일은 EBS*i* 사이트(www.ebs*i*.co.kr)에서 내려받으실 수 있습니다.

교재 내용 문의
교재 및 강의 내용 문의는
EBS*i* 사이트(www.ebs*i*.co.kr)의 학습 Q&A 서비스를
활용하시기 바랍니다.

교재 정오표 공지
발행 이후 발견된 정오 사항을
EBS*i* 사이트 정오표 코너에서 알려 드립니다.
교재 → 교재 자료실 → 교재 정오표

교재 정정 신청
공지된 정오 내용 외에 발견된 정오 사항이 있다면
EBS*i* 사이트를 통해 알려 주세요.
교재 → 교재 정정 신청

2025학년도

수능 연계교재

수능완성

사회탐구영역

경제

이 책의 차례 CONTENTS

이 책의 **구성과 특징** STRUCTURE

테마별 교과 내용 정리

주제별 핵심 개념을 쉽게 이해할 수 있도록 표, 그림 등을 활용하여 체계적이고 일목요연하게 정리하였습니다.

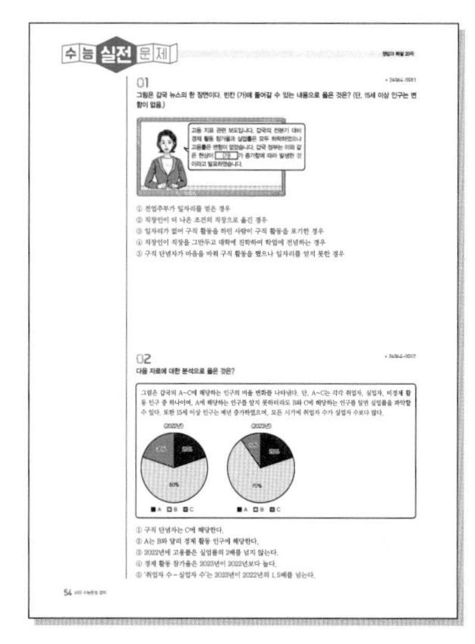

수능 실전 문제

수능에 대비할 수 있는 다양한 유형의 문항들로 구성하여 응용력과 탐구력 및 문제 해결 능력을 향상시킬 수 있도록 하였습니다.

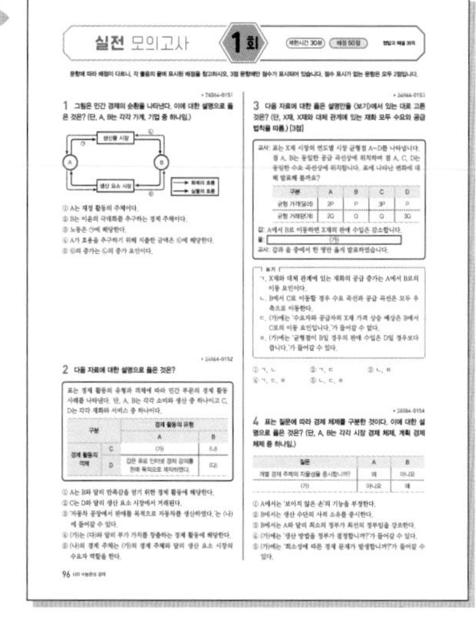

실전 모의고사

학습 내용을 최종 점검하여 실력을 테스트하고, 수능에 대한 실전 감각을 기를 수 있도록 수능 시험 형태로 구성하였습니다.

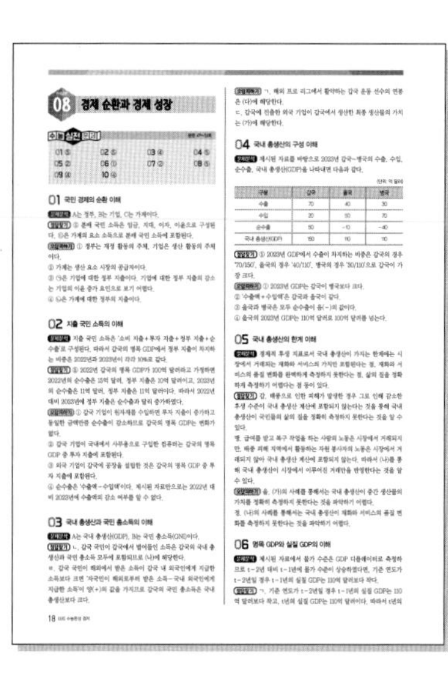

정답과 해설

정답의 도출 과정과 교과의 내용을 연결하여 설명하고, 오답을 찾아 분석함으로써 유사 문제 및 응용 문제에 대한 대비가 가능하도록 하였습니다.

학생

인공지능 DANCHOQ
푸리봇 문|제|검|색

EBS*i* 사이트와 **EBS*i* 고교강의 APP** 하단의 **AI 학습도우미 푸리봇**을 통해 문항코드를 검색하면 푸리봇이 해당 문제의 해설과 해설 강의를 찾아 줍니다. **사진 촬영으로도 검색**할 수 있습니다.

선생님

EBS 교사지원센터
교재 관련 자|료|제|공

교재의 문항 한글(HWP) 파일과 교재이미지, 강의자료를 무료로 제공합니다.

한글다운로드 교재이미지 강의자료

- 교사지원센터(teacher.ebsi.co.kr)에서 '교사인증' 이후 이용하실 수 있습니다.
- 교사지원센터에서 제공하는 자료는 교재별로 다를 수 있습니다.

희소성과 합리적 선택

1 경제 활동과 그 주체 및 객체

(1) 경제 활동의 유형

① 생산: 생산 요소를 이용해 재화나 서비스를 만들어 내거나 이미 만들어진 재화와 서비스의 가치를 증대시키는 활동

② 분배: 생산 요소의 제공을 통해 생산 과정에 참여한 대가를 주고 받는 활동

③ 소비: 만족감(효용)을 얻기 위해 생활에 필요한 재화나 서비스를 구매하거나 사용하는 활동

(2) 경제 활동의 주체 및 객체

① 경제 활동의 주체: 경제 활동을 수행하는 개인 혹은 집단

가계	• 소비 활동의 주체로, 효용의 극대화 추구 • 생산물 시장의 수요자, 생산 요소 시장의 공급자
기업	• 생산 활동의 주체로, 이윤의 극대화 추구 • 생산물 시장의 공급자, 생산 요소 시장의 수요자
정부	• 재정 활동의 주체로, 사회적 후생의 극대화 추구 • 시장의 자원 배분 기능 보완, 경제 성장과 안정 추구
외국	• 교역의 주체로, 각국 경제 주체의 이익 극대화 추구 • 다른 나라의 가계, 기업, 정부를 포괄함.

② 경제 활동의 객체: 경제 활동의 대상

생산물	재화	만족감을 주는 유형의 물질
	서비스	만족감을 주는 무형의 인간 활동
생산 요소	토지	자연으로부터 획득한 자원
	노동	생산을 위한 인간의 육체적·정신적 활동
	자본	인간이 만들어 낸 물적 생산 요소

2 희소성과 경제 문제

(1) 희소성

① 의미: 인간의 욕구에 비해 이를 충족시켜 줄 수 있는 자원이 상대적으로 부족한 상태

② 특징: 경제 문제(선택의 문제) 발생의 근본 원인, 시·공간적 상대성을 가짐.

③ 희소성의 유무에 따른 재화의 구분

무상재(자유재)	경제재
• 희소성이 없음. • 인간의 욕구보다 많이 존재하여 무상으로 소비할 수 있는 재화	• 희소성이 있음. • 인간의 욕구보다 적게 존재하여 대가를 지불해야 소비할 수 있는 재화

(2) 기본적인 경제 문제

① 발생 원인: 자원의 희소성

② 기본적인 경제 문제의 세 가지 유형

생산물의 결정	• '무엇을, 얼마나 생산할 것인가'를 결정하는 문제 • 생산물의 종류와 수량을 결정하는 문제
생산 방법의 결정	• '어떻게 생산할 것인가'를 결정하는 문제 • 생산 요소의 선택과 결합 방법의 문제
분배 방식의 결정	• '누구에게 어떻게 분배할 것인가', '누구를 위하여 생산할 것인가'를 결정하는 문제 • 생산된 가치의 분배 방식을 결정하는 문제

③ 해결 기준: 효율성, 분배 방식 결정의 경우 형평성(공공복리와 사회 정의 실현)을 함께 고려해야 함.

3 기회비용과 합리적 선택

(1) 기회비용

① 의미: 선택 가능한 여러 대안 중 하나의 대안을 선택함으로써 포기하게 되는 대안들 중 가장 가치가 큰 것

② 기회비용의 구성: 명시적 비용+암묵적 비용

• 명시적 비용: 대안을 선택함으로써 실제 지출하는 회계적 비용

• 암묵적 비용: 다른 대안 선택으로 얻을 수 있었으나 포기한 가치

(2) 합리적 선택

① 합리적 선택: 여러 대안 중 순편익(편익−기회비용)이 가장 큰 대안을 선택하는 것

② 편익: 선택으로 얻게 되는 이득이나 만족

③ 매몰 비용: 이미 지출하여 회수가 불가능한 비용으로, 합리적 선택 과정에서는 매몰 비용을 고려하면 안 됨.

(3) 합리적 의사 결정 과정(Ⅰ−Ⅲ−Ⅱ−Ⅳ−Ⅴ 단계의 순서도 가능)

단계	내용
Ⅰ. 문제 인식	• 문제의 내용과 성격 파악 • 문제 해결의 필요성 인식
Ⅱ. 대안 나열	• 문제와 관련된 자료와 정보 수집 • 선택할 수 있는 대안들을 탐색
Ⅲ. 평가 기준 설정	• 대안을 평가하기 위한 다양한 평가 기준 제시 • 각 평가 기준에 가중치 부여 가능
Ⅳ. 대안 평가	• 각 대안의 비용과 편익 비교·분석 • 비용 분석 시 기회비용 고려
Ⅴ. 최종 선택 및 실행	• 대안 중 가장 합리적인 대안 선택 • 선택한 대안의 검토 및 평가

4 경제적 유인

(1) 의미: 사람들이 어떤 행동을 하거나 하지 않도록 동기를 부여하는 요인이나 제도 → 금전적·물질적 혜택이나 손실을 의미함.

(2) 유형

긍정적 유인	• 해당 행동을 더 하도록 유도(강화)하는 유인 • 행위자에게 편익 증가·비용 감소 요인으로 작용함.
부정적 유인	• 해당 행동을 덜 하도록 유도(약화)하는 유인 • 행위자에게 편익 감소·비용 증가 요인으로 작용함.

01

▸ 24064-0001

밑줄 친 ㉠~㉤에 대한 설명으로 옳은 것은?

> 아나운서: 최근 화제가 되고 있는 기업이 있다고 합니다. ○○기자, 자세한 소식 말씀해 주시죠.
> ○○기자: 네, 제가 지금 나와 있는 곳은 △△도에 위치한 갑 기업입니다. 갑 기업은 ㉠전국에서 폐타이어를 구입한 뒤, 이를 재활용하여 ㉡가방이나 모자와 같은 제품을 생산하여 판매하는 기업입니다. 이 기업은 매년 ㉢신규 채용 인원의 50%를 취약 계층의 고령자로 채용하고 있습니다. 갑 기업의 직원 구성 비율을 살펴보면 취약 계층의 고령자가 차지하는 비중이 높습니다. 또한 연간 매출액의 30%를 ㉣직원들에게 성과급으로 지급하거나 ㉤사회 공헌 차원에서 취약 계층 청년들의 학비로 지원하고 있어 동종 산업 내에서 큰 화제가 되고 있습니다.

① ㉠은 효용의 극대화를 추구하는 활동이다.
② ㉡은 재화가 아닌 서비스를 생산하는 활동이다.
③ ㉢은 생산 요소 시장에서 나타나는 활동이다.
④ ㉣은 자본 공급에 대한 대가를 지급하는 활동이다.
⑤ ㉤은 노동 공급에 대한 대가를 지급하는 활동이다.

02

▸ 24064-0002

표는 질문에 따라 경제 주체 A~C를 구분한 것이다. 이에 대한 설명으로 옳은 것은? (단, A~C는 각각 가계, 기업, 정부 중 하나임.)

질문	A	B	C
이윤의 극대화를 목적으로 경제 활동을 합니까?	아니요	아니요	예
(가)	아니요	예	아니요
(나)	㉠	㉡	아니요

① A, B는 모두 민간 경제 주체에 해당한다.
② C는 A, B로부터 조세를 걷는 경제 주체이다.
③ (가)가 '효용의 극대화를 추구하는 경제 주체입니까?'라면, B는 재정 활동의 주체이다.
④ (나)가 '생산물 시장에서 수요자 역할을 합니까?'라면, ㉠, ㉡에는 모두 '예'가 들어갈 수 있다.
⑤ (나)가 '생산 요소 시장에서 공급자 역할을 합니까?'라면, ㉠, ㉡에는 모두 '아니요'가 들어갈 수 있다.

03

▸ 24064-0003

그림은 민간 경제의 순환을 나타낸다. 이에 대한 설명으로 옳은 것은? (단, (가), (나)는 각각 생산물 시장, 생산 요소 시장 중 하나임.)

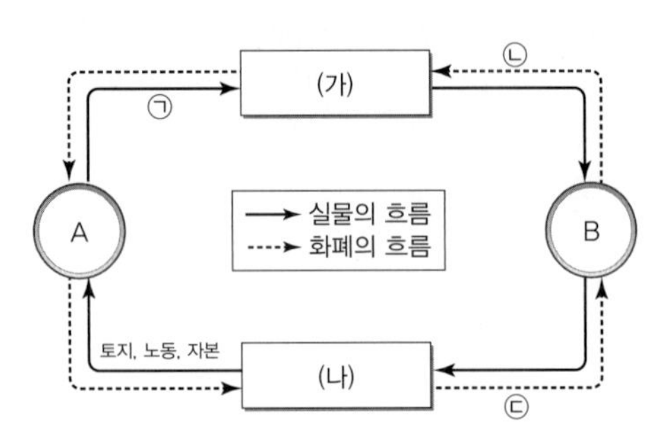

① (가)는 생산 요소 시장, (나)는 생산물 시장이다.
② 개업 의사의 유료 진료 행위는 ㉠에 해당하지 않는다.
③ ㉢의 증가는 ㉡의 감소 요인이다.
④ B는 A와 달리 이윤의 극대화를 위해 경제 활동을 하는 주체이다.
⑤ 보리 음료를 제조 및 판매하기 위해 보리를 구입한 경제 주체는 A에 해당한다.

04

▸ 24064-0004

다음 자료에 대한 옳은 설명만을 〈보기〉에서 있는 대로 고른 것은?

교사: 오늘 수업 주제는 사례를 통해 살펴보는 경제적 유인입니다. 〈사례 1〉~〈사례 3〉을 통해 알 수 있는 경제적 유인에 대해 발표해 볼까요?

〈사례 1〉	A 백화점은 매출액 증가를 위해 대대적인 가격 할인 행사를 진행하여 판매 수입이 증가하였다.
〈사례 2〉	B국 정부는 지난 3년간 국민 건강 증진을 위해 ㉠담배 소비세를 5배 인상하였으며, 이에 ㉡흡연자들의 담배 소비량이 급감하였다.
〈사례 3〉	배달 전문점인 C 냉면집은 ㉢동네 주민들을 대상으로 ㉣냉면 가격 할인 행사를 진행하여 매출액이 급증하였지만, 얼마 후 ㉤동네 주민들이 부담하는 배달료 상승으로 인해 배달 주문이 급격히 줄어들어 고민이다.

갑: 〈사례 1〉에서 가격 할인 행사는 구매 고객의 비용 (가) 요인입니다.
을: (나)
교사: 갑과 을 중에서 한 명만 옳게 발표하였습니다.

보기

ㄱ. ㉠은 ㉡의 비용 감소 요인이다.
ㄴ. ㉣은 ㉠과 달리 긍정적인 유인에 해당한다.
ㄷ. (가)가 '감소'라면, (나)에는 '㉤은 ㉢의 비용 감소 요인입니다.'가 들어갈 수 있다.
ㄹ. (가)가 '증가'라면, (나)에는 '㉠, ㉣ 모두 인간의 행동은 합리적이라는 것을 전제로 한 행위입니다.'가 들어갈 수 있다.

① ㄱ, ㄴ ② ㄱ, ㄷ ③ ㄷ, ㄹ
④ ㄱ, ㄴ, ㄹ ⑤ ㄴ, ㄷ, ㄹ

05

▸ 24064-0005

다음 자료에 대한 설명으로 옳은 것은?

그림의 A~D는 (가), (나)에 따라 재화를 구분한 것이다. (가)는 인간의 욕구에 비해 자원의 양이 상대적으로 부족한 상태를 의미하고, (나)는 인간의 욕구와 관계없이 자원의 양이 절대적으로 부족한 상태를 의미한다.

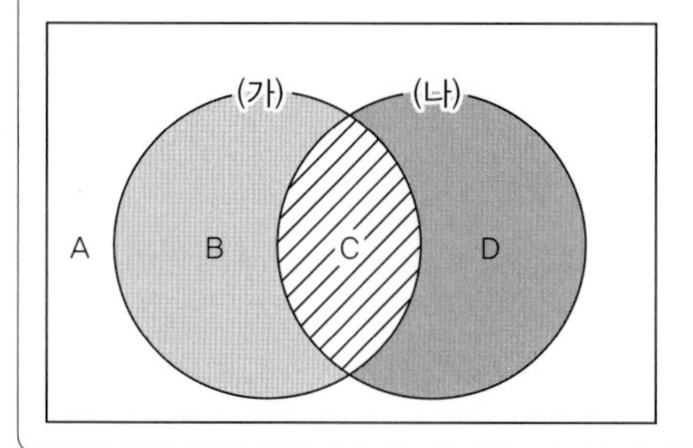

① 재화의 경제적 가치는 (가)가 아닌 (나)의 유무에 의해 결정된다.
② A는 경제적 가치를 가지는 재화에 해당한다.
③ 문구점에서 판매하는 학용품은 B에 해당하지 않는다.
④ 경매 시장에서 낙찰 받은 유명 화가의 유일한 유고작*은 C에 해당한다.
⑤ 강가를 비추고 있는 햇빛은 D에 해당한다.

* 유고작: 죽은 사람이 생전에 남긴 작품

06

▸ 24064-0006

다음 자료에 대한 설명으로 옳은 것은? (단, 제시된 조건 외에 다른 내용은 고려하지 않음.)

갑은 방학 때 인터넷 경제 강의 A~C 중에서 한 가지만 선택하여 수강하려고 한다. 표는 인터넷 경제 강의 A~C 각각의 편익, 가격, 기회비용을 나타낸다. 단, 갑은 편익과 기회비용을 고려하여 합리적 선택을 한다.

(단위: 달러)

구분	A	B	C
편익	200	300	100
가격	30	150	50
기회비용	180	320	㉠

① ㉠은 '200'이다.
② C를 선택할 경우의 암묵적 비용은 180달러이다.
③ 암묵적 비용은 A를 선택할 경우보다 B를 선택할 경우가 작다.
④ A를 선택할 경우 B나 C를 선택할 경우와 달리 순편익은 양(+)의 값이다.
⑤ B를 선택할 경우 A나 C를 선택할 경우와 달리 순편익은 명시적 비용보다 크다.

07

▸ 24064-0007

교사의 질문에 대한 학생의 발표 내용으로 옳은 것은?

교사: 어느 사회에서나 ㉠기본적인 경제 문제에 직면하게 됩니다. 기본적인 경제 문제는 세 가지 유형으로 구분할 수 있는데 첫 번째는 ㉡'무엇을 얼마나 생산할 것인가', 두 번째는 ㉢'어떻게 생산할 것인가', 세 번째는 ㉣'누구를 위해 생산할 것인가'입니다. 이를 다음 자료와 연관지어 발표해 볼까요?

- A 영화사는 올여름에 액션 영화 대신 공포 영화를 제작하려고 한다.
- B 회사는 공장의 모든 생산 설비를 자동화 시스템으로 교체하려고 한다.
- C 회사는 기대 이상의 매출액을 기록하여 전 직원들에게 작년보다 높은 성과급을 지급하려고 한다.

① ㉠은 자원의 희소성이 아닌 희귀성에 의해 발생합니다.
② ㉡의 해결 기준으로 효율성이 아닌 형평성을 중시합니다.
③ A 영화사는 ㉡의 경제 문제와 관련된 의사 결정을 한 것입니다.
④ B 회사는 ㉣의 경제 문제와 관련된 의사 결정을 한 것입니다.
⑤ C 회사는 ㉢의 경제 문제와 관련된 의사 결정을 위해 효율성만을 고려한 것입니다.

08

▸ 24064-0008

그림은 갑국의 연도별 생산 가능 곡선을 나타낸다. 이에 대한 분석으로 옳은 것은?

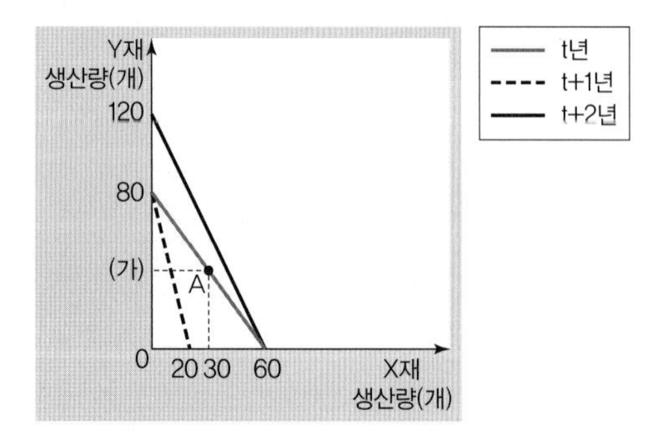

① (가)는 '50'이다.
② t+1년에 X재 10개와 Y재 30개를 동시에 생산할 수 없다.
③ X재 1개 생산의 기회비용은 t+2년이 가장 크다.
④ Y재 1개 생산의 기회비용의 크기는 t년>t+2년>t+1년 순이다.
⑤ X재 생산 기술만 발전하는 것은 t년 대비 t+1년과 달리 t+1년 대비 t+2년의 변화 요인이다.

09

▶ 24064-0009

그림에 대한 옳은 설명만을 〈보기〉에서 고른 것은? (단, A~D는 각각 재화, 서비스, 지대, 임금 중 하나임.)

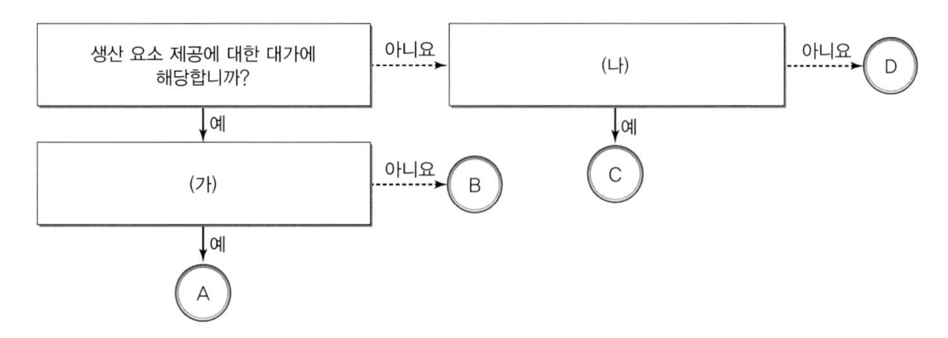

보기

ㄱ. A는 C와 달리 가계가 만족감을 얻기 위해 구입하는 경제 객체에 해당한다.
ㄴ. D는 B와 달리 생산 요소 시장에서 거래된다.
ㄷ. (가)가 '가계가 토지를 제공하고 받은 대가입니까?'라면, 회사원이 받는 월급은 B에 해당한다.
ㄹ. (나)가 '학생이 용돈으로 구입한 게임기가 해당됩니까?'라면, 영어 학원 유료 강의는 D에 해당한다.

① ㄱ, ㄴ ② ㄱ, ㄷ ③ ㄴ, ㄷ ④ ㄴ, ㄹ ⑤ ㄷ, ㄹ

10

▶ 24064-0010

다음 자료에 대한 설명으로 옳은 것은?

교사: 〈자료 1〉은 갑이 X재와 Y재를 각각 1개씩 추가로 소비할 때 얻는 편익의 증가분을 나타내고, 〈자료 2〉는 갑이 용돈 300달러를 모두 사용하여 소비할 수 있는 X재와 Y재의 조합을 나타냅니다. 갑의 합리적 선택과 관련하여 발표해 볼까요? 단, 갑은 자신의 용돈을 모두 사용하여 재화를 구입합니다.

〈자료 1〉

구분	1개째	2개째	3개째
X재(달러)	350	250	150
Y재(달러)	340	260	170

〈자료 2〉

구분	A 조합	B 조합	C 조합	D 조합
X재(개)	0	1	2	3
Y재(개)	3	2	1	0

을: A 조합을 선택할 경우의 암묵적 비용은 C 조합을 선택할 경우와 같습니다.
병: (가)
교사: 을과 병 중에서 한 명만 옳게 발표하였습니다.

① X재 가격은 Y재 가격의 0.5배이다.
② 기회비용은 A 조합을 선택할 경우가 D 조합을 선택할 경우보다 크다.
③ B 조합을 선택할 경우의 순편익은 C 조합을 선택할 경우와 달리 음(−)의 값이다.
④ (가)에는 'X재 1개와 Y재 2개를 선택하는 것이 합리적입니다.'가 들어갈 수 있다.
⑤ (가)에는 '순편익은 D 조합을 선택할 경우가 B 조합을 선택할 경우보다 작습니다.'가 들어갈 수 없다.

THEME

02 경제 체제 및 시장 경제의 원리

1 경제 체제의 유형

(1) 기준에 따른 경제 체제의 유형

① 경제 문제의 해결 방식에 따른 분류: 전통 경제 체제, 계획 경제 체제, 시장 경제 체제, 혼합 경제 체제

② 생산 수단의 소유 형태에 따른 분류: 사회주의 경제 체제, 자본주의 경제 체제

(2) 전통 경제 체제

① 특징: 전통, 관습, 종교 등에 의한 경제 문제 해결

② 장점: 경제생활의 안정, 사회의 안정성 및 지속성 보장 등

③ 한계: 전통과 관습에 의한 경제 활동의 제한, 사회 변화 및 발전의 제약, 외부 변화에 신속한 대처 능력 부족 등

(3) 계획 경제 체제

① 특징: 정부의 결정과 통제에 의한 경제 문제 해결, 사회주의와 결합하여 사유 재산권이 원칙적으로 부정되어 생산 수단의 국유화, 개별 경제 주체의 경제 활동 자유 제한

② 장점: 부와 소득의 불평등 완화 추구, 정부의 명령과 계획에 따른 자원 배분으로 경제 문제에 대한 신속한 집행 가능 등

③ 한계: 사유 재산권 제한 및 경제 활동의 자유 제한으로 인한 경제적 유인 부족 → 경제 활동의 창의성과 역량 발휘 저해, 비효율적 자원 배분, 경제 발전의 저해 가능 등

(4) 시장 경제 체제

① 특징: 시장 원리에 의한 경제 문제 해결, 자본주의와 결합하여 사유 재산권 보장, 시장 가격에 기초한 개별 경제 주체의 자유로운 의사 결정 보장(사적 이윤 추구 활동 보장)

② 장점: '보이지 않는 손'의 작동으로 효율적인 자원 배분, 사유 재산권 보장으로 개인의 능력과 창의성 발휘 등

③ 한계: 빈부 격차 발생으로 인한 형평성 저해, 급격한 경기 변동 가능성으로 인해 시장의 안정성 저해 등

(5) 혼합 경제 체제

① 등장 배경: 1930년대의 대공황 → 시장의 자동 조절 기능에 한계를 체감한 정부가 시장에 적극적으로 개입하여 경제 문제 해결 시도

② 특징: 시장 경제적 요소와 계획 경제적 요소를 함께 혼용, 오늘날 대부분의 국가는 혼합 경제 체제를 채택함, 국가가 추구하는 목표에 따라 혼합의 정도가 다름.

2 시장 경제의 기본 원리

(1) 시장 가격에 의한 자원 배분

① 경제 활동의 신호등 역할: 시장 가격이 생산자와 소비자의 경제 활동 방향을 제시하여 합리적 의사 결정에 도움을 줌.

② 자원의 효율적 배분 기능: 개별적으로는 효용이나 이윤 극대화, 사회적으로는 자원의 효율적 배분 유도

(2) 이익 추구 보장

① 경제 활동의 자유를 통해 개인의 이익 추구 보장(사유 재산권 보장)

② 자신의 의사에 따라 이익을 극대화하려는 과정에서 사회 전체의 이익 향상에 이바지함.

③ 사유 재산권 보장과 개인의 이익 추구 보장을 통해 경제적 유인 동기 강화

(3) 분업, 특화, 교환

① 분업: 생산 과정을 여러 부문으로 나누어 각자가 맡은 업무를 수행하는 방식

② 특화: 자신이 가지고 있는 생산 요소를 특정 재화나 서비스 생산에 집중하는 것

③ 교환: 경제 주체 간에 생산물이나 생산 요소를 다른 생산물이나 생산 요소 또는 화폐로 바꾸어 거래하는 것

(4) 경쟁의 원리

① 기업 간 경쟁: 더 적은 비용으로 좋은 상품을 생산하여 더 많은 이윤을 얻기 위해 경쟁 → 창의력 발휘 및 사회 전체의 후생 증대와 효율성 향상에 기여함.

② 소비자 간 경쟁: 더 적은 비용으로 좋은 상품을 소비하여 더 큰 효용을 얻기 위해 경쟁 → 기업이 더 저렴하고 좋은 상품을 개발하도록 유인 제공

3 시장 경제를 뒷받침하는 제도

(1) 사유 재산권 보장

① 개인과 민간 기업에 경제 활동 동기를 부여함.

② 가계의 효용 극대화와 기업의 이윤 극대화를 위한 경제적 유인을 제공함.

(2) 공정한 경쟁 보장

① 시장에서 자원이 효율적으로 배분되고 시장 경제가 유지·발전되기 위해서는 각 경제 주체 간의 공정한 경쟁이 보장되어야 함.

② 정부는 불공정 거래 행위나 부당 공동 행위를 규제함.

(3) 경제 활동의 자유 보장

① 시장 경제 체제는 경제 주체가 자유롭게 경제적 의사 결정을 할 수 있도록 보장함.

② 정부는 영업의 자유, 계약의 자유, 직업 선택의 자유, 기업의 경제상 자유와 창의 존중 등 경제 주체의 자유로운 경제 활동을 보장하기 위해 규범을 정비함.

정답과 해설 5쪽

01

▸ 24064-0011

표는 질문에 따라 경제 체제 A~C를 구분한 것이다. 이에 대한 설명으로 옳은 것은? (단, A~C는 각각 시장 경제 체제, 계획 경제 체제, 전통 경제 체제 중 하나임.)

질문	A	B	C
전통과 관습에 의한 기본적인 경제 문제 해결을 강조합니까?	아니요	아니요	예
(가)	아니요	예	아니요
(나)	예	㉠	㉡

① C에서는 ‘누구를 위해 생산할 것인가’의 문제가 발생하지 않는다.
② (가)가 ‘정부의 통제에 의한 자원 배분을 강조합니까?’라면, A는 B와 달리 경제적 유인을 경시한다.
③ (가)가 ‘개별 경제 주체의 자유로운 경제 활동을 강조합니까?’라면, A는 B와 달리 생산 수단의 사적 소유를 인정한다.
④ (나)가 ‘자원의 희소성에 따른 경제 문제가 발생합니까?’라면, ㉠에는 ‘예’, ㉡에는 ‘아니요’가 들어갈 수 있다.
⑤ (가)가 ‘시장 가격에 의한 경제 문제 해결을 강조합니까?’이고 ㉠, ㉡이 모두 ‘아니요’라면, (나)에는 ‘생산 요소의 결합 방법을 정부가 결정합니까?’가 들어갈 수 있다.

02

▸ 24064-0012

갑, 을의 입장에 대한 설명으로 옳은 것은?

> 사회자: 산업 발전을 위한 정부의 경제적 역할에 대해 말씀해 주시겠습니까?
> 갑: 정부는 산업 전반에 걸쳐 기업의 장기적인 경쟁력 제고 차원에서 기업 스스로 기술 개발을 통한 경쟁력을 키워갈 수 있도록 시장의 자율성을 존중하고 시장에 대한 정부의 개입을 최소화해야 합니다.
> 을: 근본적으로 시장의 기능을 인정한다는 것에는 동의하지만, 단기적으로는 정부의 산업 지원 정책을 통해 기업 투자가 확대될 수 있도록 시장에 대한 정부의 적극적인 개입이 필요합니다.

① 갑은 ‘보이지 않는 손’을 통한 경제 문제 해결을 강조할 것이다.
② 갑은 을과 달리 인간의 행동이 합리적이라는 전제를 부정할 것이다.
③ 갑은 을에 비해 정부의 세율을 높이고 세출을 늘리는 정책을 강조할 것이다.
④ 을은 갑과 달리 계획 경제 체제를 지지할 것이다.
⑤ 갑은 큰 정부를, 을은 작은 정부를 지지할 것이다.

03

▸ 24064-0013

다음 자료의 (가)에 들어갈 내용으로 옳은 것은?

교사: 그림은 질문 A, B에 따라 시장 경제 체제와 계획 경제 체제를 구분한 것입니다. 이에 대해 발표해 볼까요?

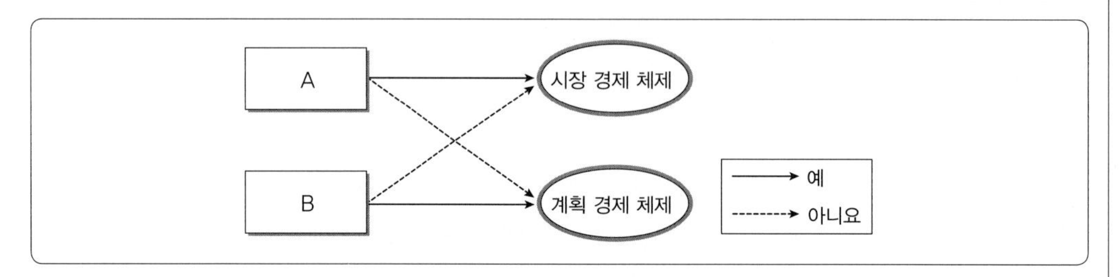

갑: '개별 경제 주체의 자율성을 중시합니까?'는 A에 들어갈 수 없습니다.
을: (가)
교사: 갑과 을 중에서 한 명만 옳게 발표하였습니다.

① A에는 '생산 수단의 국공유화가 원칙입니까?'가 들어갈 수 있습니다.
② A에는 '기업의 이윤 추구 동기를 중시합니까?'가 들어갈 수 없습니다.
③ B에는 '생산물의 종류와 수량이 정부에 의해 결정됩니까?'가 들어갈 수 있습니다.
④ B에는 '생산 요소의 결합 방법이 시장에 의해 결정됩니까?'가 들어갈 수 있습니다.
⑤ '자원의 희소성에 따른 기본적인 경제 문제에 직면합니까?'는 A가 아닌 B에 적절합니다.

04

▸ 24064-0014

다음 자료에 대한 옳은 설명만을 〈보기〉에서 고른 것은?

교사: 오늘 수업할 개념은 A~C입니다. 이에 대해 발표해 볼까요? 단, A~C는 각각 분업, 특화, 교환 중 하나입니다.

A: 생산 과정을 여러 부문으로 나누어 각자가 맡은 업무를 수행하는 방식
B: 자신이 가지고 있는 생산 요소를 특정 재화나 서비스 생산에 집중하는 것
C: 경제 주체 간에 생산물이나 생산 요소를 다른 생산물이나 생산 요소 또는 화폐로 바꾸어 거래하는 것

갑: A는 분업, B는 특화, C는 교환입니다.
을: (가)
교사: 갑과 을 중에서 한 명만 옳게 발표하였습니다.

보기

ㄱ. A는 대량 생산을 위해서는 적합하지 않다.
ㄴ. B는 생산성을 높이고 자원의 효율적 활용을 가능하게 한다.
ㄷ. (가)에는 'A~C는 모두 시장 경제의 기본 원리에 해당합니다.'가 들어갈 수 있다.
ㄹ. (가)에는 'B, C는 거래 당사자 간에 이익을 가져다 줄 수 있습니다.'가 들어갈 수 없다.

① ㄱ, ㄴ ② ㄱ, ㄷ ③ ㄴ, ㄷ ④ ㄴ, ㄹ ⑤ ㄷ, ㄹ

05

▸ 24064-0015

그림은 질문에 따라 경제 체제를 구분한 것이다. 이에 대한 옳은 설명만을 〈보기〉에서 고른 것은? (단, A, B는 각각 시장 경제 체제, 계획 경제 체제 중 하나임.)

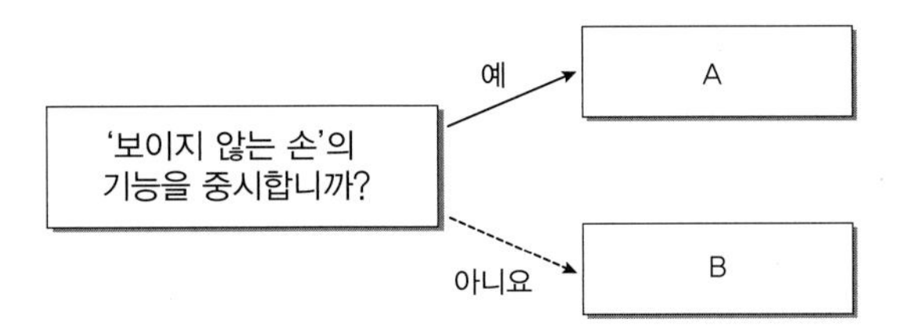

보기

ㄱ. A에서는 효율성보다 형평성을 중시한다.
ㄴ. B에서는 '무엇을 얼마나 생산할 것인가'를 정부가 결정한다.
ㄷ. A는 B와 달리 개별 경제 주체의 자율성을 강조한다.
ㄹ. B는 A와 달리 원칙적으로 생산 수단의 사적 소유를 인정한다.

① ㄱ, ㄴ ② ㄱ, ㄷ ③ ㄴ, ㄷ ④ ㄴ, ㄹ ⑤ ㄷ, ㄹ

06

▸ 24064-0016

다음 자료에 대한 설명으로 옳은 것은?

표는 노동만을 사용하여 직선인 생산 가능 곡선상에서 X재와 Y재만을 생산하는 갑국과 을국의 X재와 Y재 1개 생산에 필요한 노동자 수를 나타낸다. 갑국과 을국은 비교 우위가 있는 재화만을 생산하여 양국 모두 이익이 발생하는 교환 비율에 따라 거래 비용 없이 양국 간에만 교역한다.

구분	갑국	을국
X재	12명	5명
Y재	6명	15명

① 갑국의 X재 1개 생산의 기회비용은 Y재 1/2개이다.
② 을국은 Y재 생산에 비교 우위를 가진다.
③ 노동자 1명당 X재 생산량은 갑국이 을국보다 많다.
④ Y재 1개 생산의 기회비용은 을국이 갑국보다 크다.
⑤ 교역 시 갑국은 X재 수출국, 을국은 Y재 수출국이다.

07

▸ 24064-0017

다음 대화에 대한 옳은 설명만을 〈보기〉에서 고른 것은?

사회자: 다음 달 유명 연예인이 ○○지역에서 대규모 콘서트를 개최한다고 합니다. 이에 ○○지역 숙박업소의 요금이 폭등하는 등 바가지 요금이 기승을 부려 콘서트를 관람하려고 하는 국내외 팬들에게 큰 부담이 되고 있습니다. 이에 대해 어떻게 생각하십니까?

갑: 바가지 요금은 공정한 거래 질서를 저해하는 행위이므로 정부가 강력히 규제해야 합니다.

을: 제 견해는 다릅니다. 시장 원리에 따라 지역 숙박료가 자동 조절될 것이므로 정부는 개입하지 않는 것이 바람직합니다.

보기

ㄱ. 갑은 바가지 요금이 국내외 팬들에게 긍정적인 경제적 유인을 제공한다는 입장이다.
ㄴ. 갑은 을에 비해 시장에 대한 정부의 적극적인 개입을 강조할 것이다.
ㄷ. 을은 갑에 비해 시장의 자율성을 중시할 것이다.
ㄹ. 갑과 을은 모두 '보이지 않는 손'의 기능을 경시할 것이다.

① ㄱ, ㄴ ② ㄱ, ㄷ ③ ㄴ, ㄷ ④ ㄴ, ㄹ ⑤ ㄷ, ㄹ

08

▸ 24064-0018

다음 자료에 대한 옳은 설명만을 〈보기〉에서 있는 대로 고른 것은?

표는 직선인 생산 가능 곡선상에서 X재와 Y재만을 생산하는 갑국과 을국의 X재 1개 생산의 기회비용과 X재 최대 생산 가능량을 나타낸다. 갑국과 을국은 상대국보다 재화 생산의 기회비용이 작은 재화에 특화하여 이익이 발생하는 범위에서 X재와 Y재를 교역하고자 하며, 교역은 거래 비용 없이 양국 간에만 이루어진다. 단, 양국 모두 동일한 양의 노동만을 생산 요소로 투입하며, 양국 간 노동의 이동은 없다.

구분	갑국	을국
X재 1개 생산의 기회비용	Y재 1/2개	Y재 3개
X재 최대 생산 가능량	100개	50개

보기

ㄱ. 교역 시 갑국은 X재에, 을국은 Y재에 특화한다.
ㄴ. Y재 최대 생산 가능량은 갑국이 을국의 3배이다.
ㄷ. Y재 1개 생산의 기회비용은 갑국이 을국보다 작다.
ㄹ. 을국의 경우 갑국과 달리 X재 25개와 Y재 75개를 동시에 생산할 수 있다.

① ㄱ, ㄴ ② ㄱ, ㄹ ③ ㄷ, ㄹ
④ ㄱ, ㄴ, ㄷ ⑤ ㄴ, ㄷ, ㄹ

THEME 03

가계, 기업, 정부의 경제 활동

1 가계의 경제 활동

(1) 가계의 의미와 역할

① 의미: 생산 요소를 제공하고 그 대가인 소득을 통해 소비하는 경제 주체

② 역할

생산물 시장의 수요자	• 기업이 생산한 재화와 서비스를 소비함. • 소비를 통해 효용의 극대화를 추구함.
생산 요소 시장의 공급자	• 생산 활동에 필요한 노동, 토지, 자본 등의 생산 요소를 제공함. • 생산 요소를 제공한 대가로 임금, 지대, 이자 등의 소득을 얻음.
납세자	조세를 납부하여 정부의 재원 마련에 기여함.

(2) 가계의 경제적 의사 결정(합리적 소비)

① 선택에 따른 편익이 기회비용보다 크도록 함.

② 동일한 비용으로 최대의 편익을 얻는 소비를 선택함.

③ 한정된 소득 안에서 현재뿐만 아니라 미래의 소비도 고려함.

(3) 노동의 의미와 가치

① 의미: 생산을 위한 인간의 육체적 · 정신적 활동

② 가치

• 개인적 차원: 근로 소득의 원천이며, 자아실현의 계기가 됨.

• 사회적 차원: 생산 활동의 기초로서 경제 성장의 중요한 요소가 됨.

2 기업의 경제 활동

(1) 기업의 의미와 역할

① 의미: 가계로부터 제공받은 생산 요소를 이용하여 재화와 서비스를 생산하는 경제 주체

② 역할

생산물 시장의 공급자	재화와 서비스를 생산물 시장에 공급하고, 이를 통해 이윤의 극대화를 추구함.
생산 요소 시장의 수요자	생산 활동에 필요한 노동, 토지, 자본 등의 생산 요소를 구입하고, 이에 대한 대가를 지불함.
납세자	조세를 납부하여 정부의 재원 마련에 기여함.

(2) 기업의 경제적 의사 결정(합리적 생산)

① 기업의 경제적 의사 결정의 목적: 이윤의 극대화

② 이윤 = 총수입(판매 수입) – 총비용(생산 비용)

③ 기업은 판매 수입을 늘리고 생산 비용을 줄여 이윤의 극대화를 추구함.

(3) 기업가 정신과 사회적 책임

① 기업가 정신과 혁신

• 기업가 정신: 기업가가 미래의 불확실성을 감수하면서 과감히 생산하는 자세

• 혁신: 생산 및 경영 과정에서 새로운 방식을 추구하는 '창조적 파괴'의 과정

② 기업의 사회적 책임

• 의미: 기업이 이윤 추구와 더불어 소비자, 지역 사회 등과의 관계 속에서 사회에 대한 책임을 져야 한다는 것

• 의의: 건전한 기업 활동(기업의 윤리 경영, 투명 경영 등)을 유도함.

3 정부의 경제 활동

(1) 정부의 의미와 역할

① 의미: 재정 활동 등을 통해 사회적 후생의 극대화를 추구하는 경제 주체

② 역할

• 생산물 시장과 생산 요소 시장의 수요자: 정부 활동에 필요한 생산물이나 생산 요소를 구입하고, 이에 대한 대가를 지불함.

• 재정 활동의 주체: 정부의 경제 활동에 필요한 재원을 조달하고 지출함.

• 시장 기능의 보완: 공정 경쟁 질서의 확립, 시장을 통해 충분히 공급되지 않는 공공재나 사회 간접 자본의 공급 등

• 소득 재분배: 정부는 경제적 불평등을 완화시키기 위해 누진세제, 저소득층 세금 부담 경감, 사회 보장 제도 등을 실시함.

• 경제 안정 추구: 경기 상황에 따라 세입과 정부 지출 규모를 조정해 고용과 물가를 적정 수준으로 유지함.

(2) 조세의 분류

① 납세자와 담세자의 일치 여부에 따른 분류

직접세	• 주로 소득이나 재산에 부과(예 소득세, 재산세, 법인세 등) • 납세자와 담세자가 일치함. • 일반적으로 누진세율이 적용됨.
간접세	• 주로 소비 지출에 부과(예 부가 가치세, 개별 소비세 등) • 납세자와 담세자가 일치하지 않음. • 일반적으로 비례세율이 적용됨.

② 세율 적용 방식에 따른 분류

누진세	• 과세 대상 금액이 커질수록 높은 세율을 적용함. • 주로 직접세에 적용되며, 소득 재분배 효과가 큼.
비례세	• 과세 대상 금액에 상관없이 동일한 세율을 적용함. • 주로 간접세에 적용되며, 간접세에 적용 시 조세 부담의 역진성이 나타남.
역진세	과세 대상 금액이 커질수록 낮은 세율을 적용함.

01

▶ 24064-0019

그림은 민간 경제의 순환을 나타낸다. 이에 대한 설명으로 옳은 것은? (단, A, B는 각각 가계, 기업 중 하나임.)

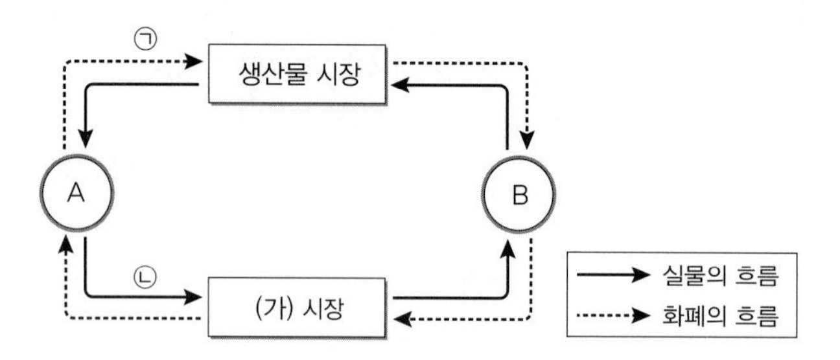

① 임금과 이자는 ㉠에 해당한다.
② 재화와 서비스는 ㉡에 해당한다.
③ A는 B와 달리 (가) 시장의 수요자이다.
④ B는 A와 달리 소비 활동의 주체이다.
⑤ A는 효용의 극대화, B는 이윤의 극대화를 추구한다.

02

▶ 24064-0020

다음 자료에 대한 설명으로 옳은 것은? (단, A~C는 각각 가계, 기업, 정부 중 하나임.)

> 교사: 경제 주체 A~C의 경제적 역할에 대해 발표해 보세요.
> 갑: A는 B에 조세를 납부합니다.
> 을: (가)
> 병: C는 A, B와 달리 민간 경제 주체입니다.
> 교사: ㉠한 사람을 제외하고 모두 옳게 발표하였습니다.

① ㉠은 '을'이다.
② (가)에는 'B는 이윤의 극대화를 추구합니다.'가 들어갈 수 있다.
③ A가 '가계'라면, C는 B와 달리 공공 서비스를 제공하는 경제 주체이다.
④ A가 '기업'이라면, (가)에는 'C는 생산 요소 시장의 공급자입니다.'가 들어갈 수 있다.
⑤ (가)가 'A는 C와 달리 소비 활동의 주체입니다.'라면, C는 효용의 극대화를 추구하는 경제 주체이다.

03

▸ 24064-0021

다음 자료에 대한 옳은 설명만을 〈보기〉에서 고른 것은? (단, A, B는 각각 가계, 기업 중 하나임.)

[형성 평가 문제] A와 구분되는 B의 특징이라면 '예', 그렇지 않은 특징이라면 '아니요'라고 쓰시오.
[학생 갑, 을의 응답 및 채점 결과]

특징	갑	을
효용의 극대화를 추구한다.	예	예
(가)	㉠	아니요
(나)	㉡	예
총점	3점	2점

* 응답 내용 1개당 옳으면 1점, 틀리면 0점을 부여함.

보기

ㄱ. A는 B와 달리 민간 경제 활동을 규제하고 조정한다.
ㄴ. ㉠이 '예'라면, (나)에는 '노동 시장의 공급자이다.'가 들어갈 수 있다.
ㄷ. ㉡이 '아니요'라면, (가)에는 '소비 활동의 주체이다.'가 들어갈 수 있다.
ㄹ. (가)가 '사회적 후생의 극대화를 추구한다.'라면, ㉠, ㉡은 모두 '아니요'이다.

① ㄱ, ㄴ ② ㄱ, ㄷ ③ ㄴ, ㄷ ④ ㄴ, ㄹ ⑤ ㄷ, ㄹ

04

▸ 24064-0022

그림은 국민 경제 순환의 일부를 나타낸다. 이에 대한 설명으로 옳은 것은? (단, A~C는 각각 가계, 기업, 정부 중 하나임.)

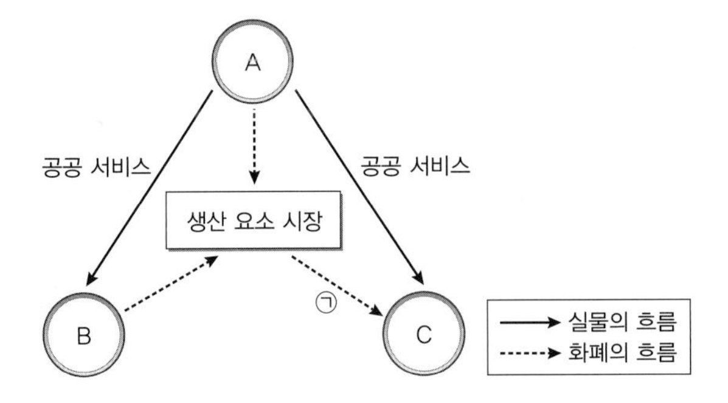

① ㉠은 기업의 판매 수입이다.
② A는 이윤의 극대화를 추구한다.
③ B는 재정 활동의 주체이다.
④ C는 효용의 극대화를 추구한다.
⑤ B는 C와 달리 생산물 시장의 수요자이다.

05

▸ 24064-0023

다음 자료에 대한 설명으로 옳은 것은? (단, A～C는 각각 가계, 기업, 정부 중 하나임.)

[형성 평가 문제] 자신이 고른 카드에 적힌 내용이 가계, 기업, 정부 중 어떤 경제 주체의 특징인지 카드 아래에 쓰시오. (단, 2개 이상의 경제 주체에 대한 특징이라면 해당 경제 주체를 모두 써야 옳은 응답임.)

[갑～병이 고른 카드에 적힌 특징과 갑～병의 응답 및 점수]

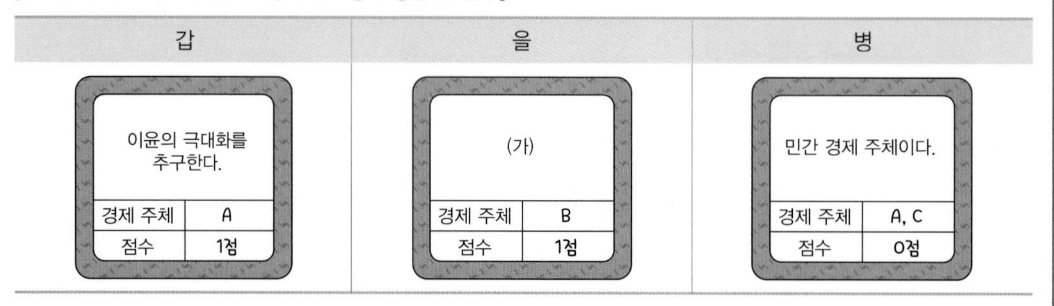

* 옳은 응답은 1점, 틀린 응답은 0점을 부여함.

① A는 B와 달리 소비 활동의 주체이다.
② B는 C와 달리 사회적 후생의 극대화를 추구한다.
③ C는 A와 달리 생산물 시장의 공급자이다.
④ B는 A, C의 경제 활동을 규제하거나 조정하기도 한다.
⑤ (가)에는 '생산 요소 시장의 공급자이다.'가 들어갈 수 있다.

06

▸ 24064-0024

표는 갑의 X재 각 소비량에서의 평균 편익과 평균 지출액을 나타낸다. 이에 대한 분석으로 옳은 것은?

소비량(개)	1	2	3	4
평균 편익(만 원)	20	18	16	14
평균 지출액(만 원)	10	10	10	10

* 평균 편익 = 총편익/소비량
** 평균 지출액 = 총지출액/소비량
*** 순편익 = 총편익 − 총지출액

① 소비량이 1개일 때보다 2개일 때의 순편익이 작다.
② 소비량이 3개에서 4개로 증가하면 순편익은 감소한다.
③ 소비량이 증가할수록 '순편익/소비량'은 지속적으로 증가한다.
④ 소비량이 증가할수록 '총편익/총지출액'은 지속적으로 증가한다.
⑤ 소비량이 1개에서 2개로 증가하면 총편익 증가율이 총지출액 증가율보다 크다.

07

▸24064-0025

다음 자료에 대한 옳은 분석만을 〈보기〉에서 고른 것은?

갑은 30달러를 전액 사용하여 X재와 Y재만을 구입할 예정이다. 표는 갑의 X재와 Y재 소비량이 1개씩 증가할 때마다 추가되는 편익과 추가되는 지출액을 나타낸다. 단, 갑은 구입하는 재화를 전량 소비한다.

(단위: 달러)

구분	X재		Y재	
	추가되는 편익	추가되는 지출액	추가되는 편익	추가되는 지출액
1개째	10	5	20	10
2개째	8	5	15	10
3개째	6	5	10	10
4개째	4	5		
5개째	2	5		
6개째	0	5		

보기

ㄱ. X재 가격은 Y재 가격의 2배이다.
ㄴ. 갑이 최대로 얻을 수 있는 총편익은 53달러이다.
ㄷ. X재 4개와 Y재 1개를 소비하는 것이 합리적이다.
ㄹ. Y재를 2개 소비하는 경우의 총편익이 Y재를 1개 소비하는 경우의 총편익보다 크다.

① ㄱ, ㄴ ② ㄱ, ㄷ ③ ㄴ, ㄷ ④ ㄴ, ㄹ ⑤ ㄷ, ㄹ

08

▸24064-0026

다음 두 사례에서 공통적으로 부각된 기업의 역할로 가장 적절한 것은?

- ○○기업은 설비 운영 시간 및 온도 조정 등을 토대로 2020년 대비 2030년에 에너지 사용량을 약 25%, 탄소 배출량을 약 30% 감축할 계획이다. 그 일환으로 친환경 캠페인 '○○ SAVES THE ENERGY'를 진행하고, 근거리 배송 전기차와 업무용 하이브리드 차량을 구입하여 운영 중이다. 아울러 2030년까지 친환경 포장재를 도입하는 등 생활 폐기물을 최소화하기 위해 노력할 방침이다.
- □□기업은 기업 임직원과 전 국민을 대상으로 약 1개월 동안 걸음 수를 합산하여 기부금을 적립하는 '□□ 그린워킹 기부 챌린지'를 진행하였다. 이 챌린지는 걷기 참여자들이 한 달 동안 5억 걸음을 달성하면 5천만 원을 발달장애인 자립 지원을 위해 기부하는 프로그램으로, □□기업은 목표를 달성하여 발달장애 청년의 희망 일터에 기부금 5천만 원을 전달하였다.

① 납세자로서 정부의 재원 마련에 기여
② 노동 시장의 수요자로서 일자리 제공
③ 사회 구성원으로서 사회적 책임 수행
④ 기업가 정신을 발휘하여 경제 성장의 원동력 마련
⑤ 기술 혁신을 통해 양질의 저렴한 재화와 서비스 공급

09

▸ 24064-0027

다음 자료에 대한 분석으로 옳은 것은?

A 기업은 X재만을 생산하고, 생산된 X재는 모두 시장에서 개당 (가) 원에 판매된다. 표는 X재 각 생산량에 따른 '총비용/총수입'과 이윤을 나타낸다.

생산량(개)	1	2	3	4
총비용/총수입	4/5	㉠	5/6	㉡
이윤(원)	200	300	㉢	400

* 평균 비용 = 총비용/생산량

① (가)는 '500'이다.
② ㉠은 ㉡보다 크다.
③ ㉢은 500보다 크다.
④ 평균 비용은 생산량이 1개일 때가 생산량이 4개일 때보다 크다.
⑤ 생산량이 1개에서 2개로 증가할 때가 생산량이 3개에서 4개로 증가할 때보다 추가되는 비용이 작다.

10

▸ 24064-0028

다음 자료에 대한 설명으로 옳은 것은?

○○기업은 X재만을 최대 5개까지 생산하고, 생산된 X재는 시장에서 모두 판매된다. 표는 ○○기업의 X재 각 생산량에서의 총비용과 생산량이 1개 증가할 때 추가되는 이윤을 나타낸다. 단, X재의 가격은 생산량과 관계없이 일정하다.

생산량(개)	0	1	2	3	4	5
총비용(달러)	0	㉠	19	31	45	61
생산량이 1개 증가할 때 추가되는 이윤(달러)	3	㉡	0	㉢	㉣	

* 음영 처리(▒▒)는 해당 내용을 표기하지 않은 것을 나타냄.

① ㉠은 ㉡의 5배이다.
② ㉢은 ㉣과 달리 양(+)의 값이다.
③ 최대로 얻을 수 있는 이윤은 5달러이다.
④ 생산량이 5개일 때의 이윤은 양(+)의 값이다.
⑤ 이윤은 생산량이 1개일 때가 생산량이 4개일 때보다 작다.

11

▸ 24064-0029

다음 자료에 대한 옳은 설명만을 〈보기〉에서 고른 것은? (단, A, B는 각각 직접세, 간접세 중 하나임.)

[형성 평가 문제] A와 구분되는 B의 특징을 두 가지만 쓰시오.
[학생의 답안 및 채점 결과]

학생의 답안	채점 결과
주로 소득이나 재산에 부과된다.	1점
(가)	0점

* 서술 내용 1개당 옳으면 1점, 틀리면 0점을 부여함.

보기
ㄱ. A는 B보다 소득 재분배 효과가 크다.
ㄴ. 일반적으로 A는 비례세율이, B는 누진세율이 적용된다.
ㄷ. 우리나라에서 법인세는 A에, 부가 가치세는 B에 해당한다.
ㄹ. (가)에는 '납세자와 담세자가 일치하지 않는다.'가 들어갈 수 있다.

① ㄱ, ㄴ ② ㄱ, ㄷ ③ ㄴ, ㄷ ④ ㄴ, ㄹ ⑤ ㄷ, ㄹ

12

▸ 24064-0030

다음 자료에 대한 설명으로 옳은 것은?

(가) 백신 관련 사업자들은 2013년 2월부터 2019년 10월까지 갑국의 조달청이 발주한 170개 백신 납품 입찰에서 투찰* 가격을 공동으로 결정하는 방식으로 담합하였다. 공정거래위원회는 이를 적발해서 시정 명령을 내리고 ㉠과징금 409억 원을 부과하기로 결정하였다.
(나) 갑국 정부는 개인 ㉡소득세 면세 기준을 50% 상향하는 세법 개정안을 마련하였다. 면세 기준이 조정되면 저소득층 4,800만 명이 실질적인 세금 감면 혜택을 받게 될 것으로 보인다. 대신 기존에 40%의 세율을 적용받던 고소득자에게는 최고 세율인 45%를 적용시켜 고액 수입자에 대한 세금 징수를 강화할 예정이다.
* 투찰: 경쟁 매매 시 입찰 가격을 결정하여 입찰서를 제출하는 행위

① ㉠은 긍정적인 경제적 유인이다.
② ㉡은 납세자와 담세자가 일치하지 않는 간접세이다.
③ (가)에는 시장 질서 유지를 위한 정부의 역할이 나타난다.
④ (나)에는 물가 안정을 위한 정부의 역할이 나타난다.
⑤ (가)에는 (나)와 달리 재정 활동 주체로서의 정부의 역할이 나타난다.

THEME 04

시장 가격의 결정과 변동

1 시장의 의미와 기능

(1) 시장의 의미: 수요자와 공급자가 만나 거래가 이루어지는 장소 또는 관계

(2) 시장의 유형

① 생산물 시장: 재화와 서비스가 거래되는 시장

② 생산 요소 시장: 노동, 자본, 토지 등이 거래되는 시장

(3) 시장의 기능: 거래 비용 감소, 분업을 통한 특화의 촉진 등

2 시장의 수요

(1) 수요와 수요량

① 수요: 일정 기간 동안에 상품을 구입하고자 하는 욕구

② 수요량: 특정 가격 수준에서 소비자가 구입하고자 하는 상품의 양

(2) 수요 법칙과 수요 곡선

① 수요 법칙: 가격과 수요량 간 부(−)의 관계

② 수요 곡선: 가격과 수요량 간의 관계를 그래프로 나타낸 것
→ 일반적으로 우하향하는 형태를 가짐.

(3) 수요량의 변동과 수요의 변동

구분	수요량의 변동	수요의 변동
원인	해당 상품의 가격 변동	• 소득 수준의 변동 • 수요자 수의 변동 • 기호(선호)의 변동 • 연관 관계인 재화의 가격 변동 • 수요자의 가격 변동 예측 등
양상	수요 곡선상 점의 이동	수요 곡선 자체의 이동

3 시장의 공급

(1) 공급과 공급량

① 공급: 일정 기간 동안에 상품을 판매하고자 하는 욕구

② 공급량: 특정 가격 수준에서 생산자가 판매하고자 하는 상품의 양

(2) 공급 법칙과 공급 곡선

① 공급 법칙: 가격과 공급량 간 정(+)의 관계

② 공급 곡선: 가격과 공급량 간의 관계를 그래프로 나타낸 것
→ 일반적으로 우상향하는 형태를 가짐.

(3) 공급량의 변동과 공급의 변동

구분	공급량의 변동	공급의 변동
원인	해당 상품의 가격 변동	• 기술 수준의 변동 • 공급자 수의 변동 • 생산 요소 가격의 변동 • 공급자의 가격 변동 예측 등
양상	공급 곡선상 점의 이동	공급 곡선 자체의 이동

4 소득 및 연관재와 수요 변동

(1) 소득과 수요 변동

① 정상재: 소득이 증가할 때 수요가 증가하는 재화

② 열등재: 소득이 증가할 때 수요가 감소하는 재화

(2) 연관 관계와 수요 변동

① 보완 관계: 한 재화의 가격 변동과 다른 재화의 수요 변동 간에 부(−)의 관계가 나타남.

② 대체 관계: 한 재화의 가격 변동과 다른 재화의 수요 변동 간에 정(+)의 관계가 나타남.

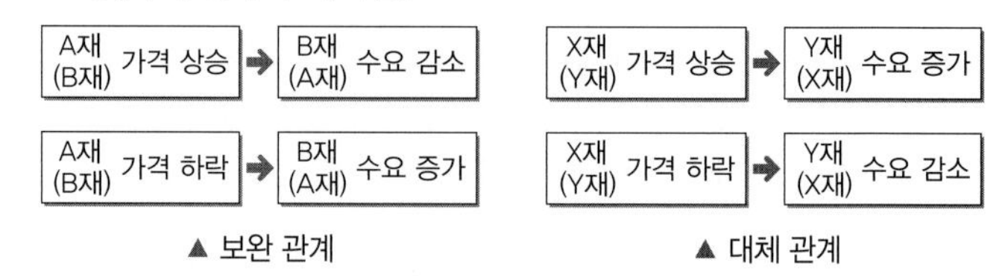

▲ 보완 관계　　▲ 대체 관계

5 시장 가격의 결정과 변동

(1) 시장의 불균형

① 초과 수요: 수요량이 공급량을 초과하는 상태

② 초과 공급: 공급량이 수요량을 초과하는 상태

(2) 시장 가격의 결정

① 시장의 균형 상태: 재화에 대한 수요량과 공급량이 일치하여 초과 수요나 초과 공급이 없는 상태로, 수요 곡선과 공급 곡선이 만나는 점에서 형성

② 균형 가격: 시장 균형 상태에서 형성된 가격

• 초과 수요 발생(수요량>공급량) → 가격 상승 → 수요량 감소, 공급량 증가 → 시장 균형 가격 결정

• 초과 공급 발생(수요량<공급량) → 가격 하락 → 수요량 증가, 공급량 감소 → 시장 균형 가격 결정

(3) 시장 균형의 변동

① 수요 또는 공급 중 하나만 변동하는 경우

변동 내용	균형 가격	균형 거래량
수요 증가, 공급 불변	상승	증가
수요 감소, 공급 불변	하락	감소
수요 불변, 공급 증가	하락	증가
수요 불변, 공급 감소	상승	감소

② 수요와 공급이 모두 변동하는 경우

변동 내용	균형 가격	균형 거래량
수요 증가, 공급 증가	불분명	증가
수요 증가, 공급 감소	상승	불분명
수요 감소, 공급 증가	하락	불분명
수요 감소, 공급 감소	불분명	감소

정답과 해설 9쪽

01

▸24064-0031

다음 자료에 대한 옳은 설명만을 〈보기〉에서 고른 것은? (단, 제시된 모든 재화는 수요와 공급 법칙을 따름.)

그림은 X재 시장의 균형점 이동을 나타낸다. 현재 균형점은 E이며, A~C는 시장 상황 변동에 따른 새로운 균형점이다. 단, X재의 수요와 공급 곡선은 모두 직선이며, A는 현재 수요 곡선상의 점이고, C는 현재 공급 곡선상의 점이다.

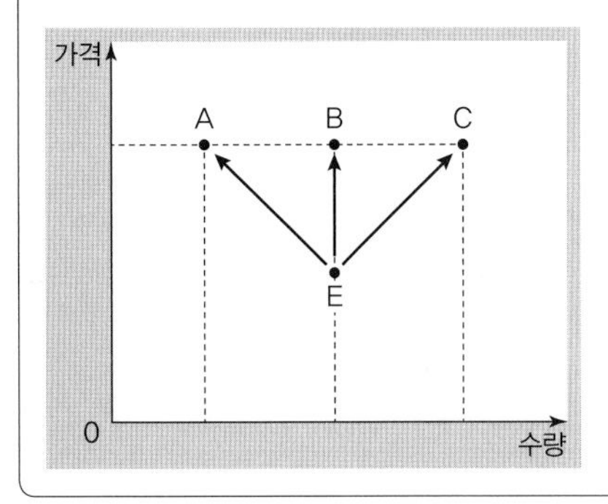

보기

ㄱ. X재와 대체 관계인 재화의 공급 증가는 E에서 A로 이동하는 요인이다.
ㄴ. X재 수요자와 공급자의 미래 가격 상승 예상은 E에서 B로 이동하는 요인이다.
ㄷ. X재와 보완 관계인 재화의 공급 증가는 E에서 C로 이동하는 요인이다.
ㄹ. E에서 B로 이동하는 경우가 E에서 C로 이동하는 경우보다 판매 수입 증가율이 크다.

① ㄱ, ㄴ ② ㄱ, ㄷ ③ ㄴ, ㄷ ④ ㄴ, ㄹ ⑤ ㄷ, ㄹ

02

▸24064-0032

다음 자료에 대한 설명으로 옳은 것은?

다음은 X재 시장과 Y재 시장에서 나타난 변화이다. 단, X재와 Y재는 모두 수요와 공급 법칙을 따르고, Y재는 X재의 핵심 원료이다.

(가) X재에 함유된 물질이 간 기능을 개선시킨다는 연구 결과가 언론을 통해 알려진 이후 X재를 찾는 사람들이 크게 증가하였다.
(나) 기존에 Y재를 생산하던 기업들 중 Y재 생산을 포기하는 기업들이 속출하고 있다.

① (가)는 X재의 균형 가격 하락 요인이다.
② (가)는 X재의 판매 수입 감소 요인이다.
③ (나)는 Y재의 균형 가격 하락 요인이다.
④ (나)는 Y재의 균형 거래량 증가 요인이다.
⑤ (가)는 (나)와 달리 X재의 균형 거래량 증가 요인이다.

03

▸ 24064-0033

교사의 질문에 대한 옳은 답변만을 〈보기〉에서 고른 것은? (단, 제시된 모든 재화는 수요와 공급 법칙을 따름.)

〈전기 자동차 시장의 균형 변동에 영향을 주는 요인〉

(가) 전기 자동차 생산 기업의 증가
(나) 전기 자동차 구매에 대한 정부 보조금 폐지
(다) 전기 자동차의 주요 부품인 리튬이온 배터리의 가격 상승
(라) 전기 자동차와 대체 관계인 기존 가솔린 · 디젤 · LPG 자동차의 공급 감소

(가)~(라)의 요인이 발생할 때 전기 자동차 시장에 어떤 변화가 나타날지 발표해 보세요.

보기

ㄱ. (가)만 발생할 경우 전기 자동차의 수요가 증가합니다.
ㄴ. (라)만 발생할 경우 전기 자동차의 판매 수입이 증가합니다.
ㄷ. (가)와 (나)가 동시에 발생할 경우 전기 자동차의 균형 가격이 하락합니다.
ㄹ. (나)와 (다)가 동시에 발생할 경우 전기 자동차의 균형 거래량이 증가합니다.

① ㄱ, ㄴ ② ㄱ, ㄷ ③ ㄴ, ㄷ ④ ㄴ, ㄹ ⑤ ㄷ, ㄹ

04

▸ 24064-0034

표는 X재의 가격별 수요량과 공급량을 나타낸다. 이에 대한 분석 및 추론으로 옳은 것은? (단, X재의 수요와 공급 곡선은 모두 직선임.)

가격(달러)	2	4	6	8	10	12
수요량(개)	120	100	80	60	40	20
공급량(개)	20	40	60	80	100	120

① 균형 가격은 6달러이다.
② 균형 거래량은 60개이다.
③ 모든 가격 수준에서 수요량이 20개씩 증가하면 균형 가격은 2달러 상승한다.
④ 가격이 4달러일 때에는 초과 공급이, 가격이 10달러일 때에는 초과 수요가 나타난다.
⑤ 정부가 생산에 대해 개당 2달러의 보조금을 지급하면 소비 지출액은 10달러 감소한다.

05

▸ 24064-0035

다음 대화에 대한 설명으로 옳은 것은? (단, 제시된 모든 재화는 수요와 공급 법칙을 따름.)

교사: X재의 균형 가격을 [㉠]시키는 요인에 대해 발표해 보세요.
갑: 소비자들의 X재에 대한 선호 증가입니다.
을: X재의 생산 요소 가격 [㉡]입니다.
병: X재와 대체 관계인 재화의 공급 [㉢]입니다.
교사: 갑과 [㉣] 두 명의 발표 내용만 옳습니다.

① ㉠은 '하락'이다.
② ㉡이 '상승'이라면, ㉢은 '감소'이다.
③ ㉣이 '을'이라면, ㉡은 '하락'이다.
④ ㉣이 '병'이라면, ㉢은 '감소'이다.
⑤ 갑~병은 모두 X재의 수요를 변동시키는 요인에 대해 발표하였다.

06

▸ 24064-0036

다음 자료에 대한 옳은 분석만을 〈보기〉에서 고른 것은?

표는 X재 시장의 가격별 초과 공급량과 수요량을 나타낸다. 단, X재는 수요와 공급 법칙을 따르고, 수요와 공급 곡선은 모두 직선이다.

가격(달러)	3	4	5	6	7
초과 공급량(개)	−20	−10	0	10	20
수요량(개)	60	55	50	45	40

* 초과 공급량 = 공급량 − 수요량

보기

ㄱ. 공급량은 가격이 7달러일 때가 가격이 5달러일 때보다 20개 많다.
ㄴ. 모든 가격 수준에서 수요량이 10개씩 증가하면 소비 지출액은 10% 증가한다.
ㄷ. 정부가 생산에 대해 개당 2달러의 조세를 부과하면 균형 거래량은 5개 감소한다.
ㄹ. 정부가 소비에 대해 개당 2달러의 보조금을 지급하면 판매 수입은 80달러 증가한다.

① ㄱ, ㄴ ② ㄱ, ㄷ ③ ㄴ, ㄷ ④ ㄴ, ㄹ ⑤ ㄷ, ㄹ

07

▸ 24064-0037

다음 자료에 대한 설명으로 옳은 것은?

표는 X재~Z재의 시장 균형 변화를 나타낸다. 단, X재~Z재는 모두 수요와 공급 법칙을 따르고, 세 재화 모두 수요와 공급 중 하나만 변동하여 시장 균형이 변화하였다.

구분	X재		Y재		Z재	
	변화 전	변화 후	변화 전	변화 후	변화 전	변화 후
균형 가격(원)	1,000	800	900	1,000	800	1,000
균형 거래량(개)	100	120	110	100	100	120

① X재는 Y재, Z재와 달리 공급만 변동하였다.
② Y재 시장의 변화 요인으로는 Y재 공급자의 미래 가격 하락 예상을 들 수 있다.
③ X재가 Y재의 원자재라면, X재 시장의 변화는 Y재 시장의 변화 요인이 된다.
④ X재와 Z재가 보완 관계라면, X재 시장의 변화는 Z재 시장의 변화 요인이 된다.
⑤ Z재 시장의 변화가 Z재 소비에 대한 정부의 보조금 지급으로 발생한 것이라면 개당 보조금은 200원이다.

08

▸ 24064-0038

다음 자료에 대한 설명으로 옳은 것은? (단, 제시된 재화는 모두 수요와 공급 법칙을 따름.)

X재 시장에서는 공급 측면의 변동 요인인 (가) 와 수요 측면의 변동 요인인 연관 관계에 있는 A재의 가격 하락으로 판매 수입이 감소하였다. 그리고 Y재 시장에서는 공급 측면의 변동 요인인 (나) 와 수요 측면의 변동 요인인 연관 관계에 있는 A재의 가격 하락으로 판매 수입이 증가하였다. 단, X재는 균형 거래량 변동률과 판매 수입 변동률이 동일하고, Y재는 균형 가격 변동률과 판매 수입 변동률이 동일하며, X재와 Y재는 연관 관계에 있지 않다.

① (가)에는 'X재의 생산 기술 발전'이 들어갈 수 있다.
② (나)에는 'Y재의 생산 요소 가격 하락'이 들어갈 수 있다.
③ X재와 Y재는 수요가 서로 같은 방향으로 변동하였다.
④ X재와 Y재는 공급이 서로 다른 방향으로 변동하였다.
⑤ A재와 X재는 대체 관계, A재와 Y재는 보완 관계이다.

09

▸ 24064-0039

다음 자료의 ㉠~㉣에 들어갈 내용으로 옳은 것은?

표는 A재, B재의 시장 변화 결과와 그 변화 요인을 나타낸다. 단, A재, B재는 모두 수요와 공급 법칙을 따르고, A재와 B재는 용도와 만족감이 비슷하여 서로 대신하여 사용할 수 있는 재화이다.

구분	시장 변화의 결과		시장 변화의 요인	
	균형 가격	균형 거래량	수요 변동 요인	공급 변동 요인
A재	하락	㉠	없음.	A재의 공급자 수 ㉡
B재	상승	㉢	A재의 균형 가격 하락	B재의 원자재 가격 ㉣

	㉠	㉡	㉢	㉣
①	증가	증가	증가	하락
②	증가	증가	감소	상승
③	증가	감소	감소	상승
④	감소	증가	감소	상승
⑤	감소	감소	증가	하락

10

▸ 24064-0040

다음 자료에 대한 설명으로 옳은 것은?

그림은 X재 시장의 수요와 공급 곡선을 나타낸다. X재 시장에서 다음 (가), (나)의 두 가지 상황이 나타날 수 있고, 두 가지 상황이 동시에 나타날 경우 시장 균형점은 E에서 E′로 이동한다.

(가) 정부가 X재 소비에 대해 개당 ㉠ 달러의 보조금을 지급하는 정책을 시행한다.
(나) X재의 원자재 가격이 하락하여 각 수량에서 X재 생산자가 받고자 하는 최소 요구 금액이 ㉡ 달러씩 하락한다.

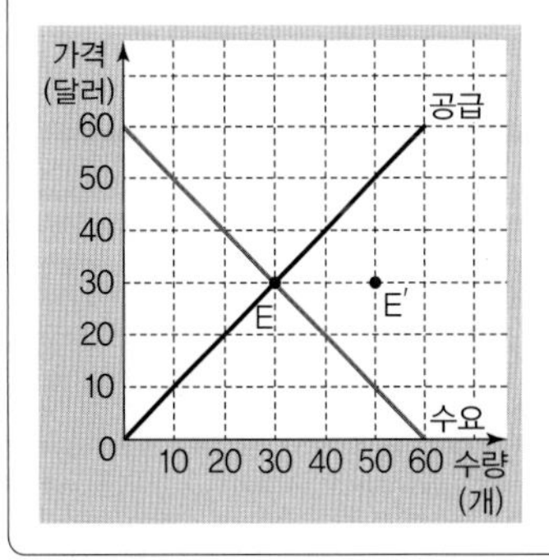

① ㉠, ㉡은 모두 '20'이다.
② (가)만 나타날 경우 보조금 총액은 1,000달러이다.
③ (가)만 나타날 경우 균형 가격은 20달러 상승한다.
④ (나)만 나타날 경우 균형 거래량은 20개 증가한다.
⑤ (나)만 나타날 경우 소비 지출액은 100달러 증가한다.

11

▶ 24064-0041

다음 자료에 대한 설명으로 옳은 것은?

표는 X재의 판매 수입 변동과 그 원인을 나타낸다. 단, X재와 Y재는 모두 수요와 공급 법칙을 따르고, 두 재화는 ㉠ 연관 관계이다.

X재의 판매 수입 변동	X재의 판매 수입 변동 요인
㉡	Y재의 공급 [㉢]으로 인한 Y재의 균형 가격 [㉣]

① ㉠이 '대체 관계'이고 ㉡이 '증가'라면, ㉢은 '증가'이다.
② ㉠이 '대체 관계'이고 ㉡이 '증가'라면, ㉣은 '하락'이다.
③ ㉠이 '보완 관계'이고 ㉡이 '감소'라면, ㉣은 '하락'이다.
④ ㉠이 '보완 관계'이고 ㉣이 '상승'이라면, ㉡은 '감소'이다.
⑤ ㉡이 '증가'이고 ㉣이 '상승'이라면, ㉠은 '보완 관계'이다.

12

▶ 24064-0042

다음 자료에 대한 설명으로 옳은 것은? (단, 제시된 재화는 모두 수요와 공급 법칙을 따름.)

X재 시장의 균형점은 A에서 B로 이동한 후 다시 B에서 C로 이동하였다. 다음은 균형점 이동 요인과 균형점 A~C에서의 균형 가격 및 균형 거래량을 비교한 것이다.

〈균형점 이동 요인〉
- A → B: X재와 보완 관계인 ㉠ Y재의 공급 변동으로 인한 Y재의 균형 가격 변동
- B → C: X재의 핵심 부품인 ㉡ Z재의 수요 변동으로 인한 Z재의 균형 가격 변동

〈균형점 A~C에서의 균형 가격 및 균형 거래량 비교〉
- 균형 가격: A<B<C
- 균형 거래량: A=C<B

① ㉠은 Y재의 공급 증가를 의미한다.
② ㉡은 Z재의 수요 감소를 의미한다.
③ X재의 수요가 감소하여 균형점이 A에서 B로 이동하였다.
④ X재의 공급이 증가하여 균형점이 B에서 C로 이동하였다.
⑤ Y재의 균형 거래량은 감소, Z재의 균형 거래량은 증가하였다.

잉여와 자원 배분의 효율성

1 시장의 효율성과 잉여

(1) 시장의 효율성

① 경쟁 시장
- 수요자와 공급자가 무수히 많아 누구도 시장 가격에 영향을 줄 수 없는 시장
- 거래를 통해 재화·서비스, 생산 요소 등을 필요한 곳으로 필요한 만큼 전해 주는 효율적인 배분 기구

② 경쟁 시장 가격
- 경쟁 시장에서 가격은 수요와 공급에 의해 결정됨.
- 결정된 가격은 자원이 효율적으로 배분되게 하는 신호 역할을 함.

(2) 소비자 잉여와 생산자 잉여

① 소비자 잉여
- 소비자가 어떤 상품을 구입하기 위해 최대로 지불할 의사가 있는 금액에서 실제로 지불한 금액을 뺀 것
- 시장 가격이 낮아질수록 커짐.

② 생산자 잉여
- 생산자가 어떤 상품을 공급하면서 실제로 받은 금액에서 그 상품을 제공하며 최소한 받고자 하는 금액을 뺀 것
- 시장 가격이 높아질수록 커짐.

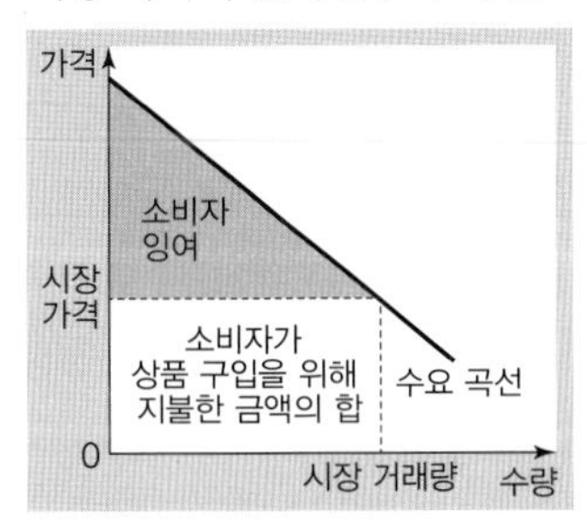

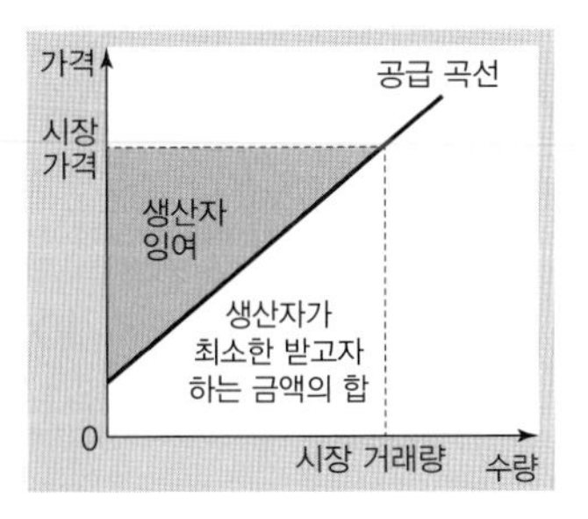

(3) 총잉여(사회적 잉여)

① 의미: 소비자 잉여와 생산자 잉여의 합

② 시장의 효율성과 총잉여의 관계
- 시장의 균형 수준에서 총잉여는 최대가 됨.
- 시장 균형에서 자원이 가장 효율적으로 배분됨.

2 정부의 가격 규제 정책

(1) 가격 규제 정책

① 의미: 시장에서 거래되는 상품의 가격을 시장 균형에 맡기지 않고 정부가 일정한 수준에서 인위적으로 규제하는 정책

② 목적: 수요자(소비자) 또는 공급자(생산자)의 이익 보호

③ 종류: 최고 가격제(가격 상한제), 최저 가격제(가격 하한제)

(2) 최고 가격제(가격 상한제)

① 의미: 균형 가격(P_0)이 너무 높다고 판단될 때, 정부가 균형 가격보다 낮은 수준(P_1)에서 가격 상한선을 정해 놓고, 이를 초과하는 가격 수준에서 거래하지 못하도록 규제하는 정책

② 목적: 수요자(소비자) 이익 보호

③ 문제점: 시장에서 초과 수요(Q_1Q_2) 발생, 암시장 발생 가능성

(3) 최저 가격제(가격 하한제)

① 의미: 균형 가격(P_0)이 너무 낮다고 판단될 때, 정부가 균형 가격보다 높은 수준(P_1)에서 가격 하한선을 정해 놓고, 이보다 낮은 가격 수준에서 거래하지 못하도록 규제하는 정책

② 목적: 공급자(생산자) 이익 보호

③ 문제점: 시장에서 초과 공급(Q_1Q_2) 발생, 암시장 발생 가능성

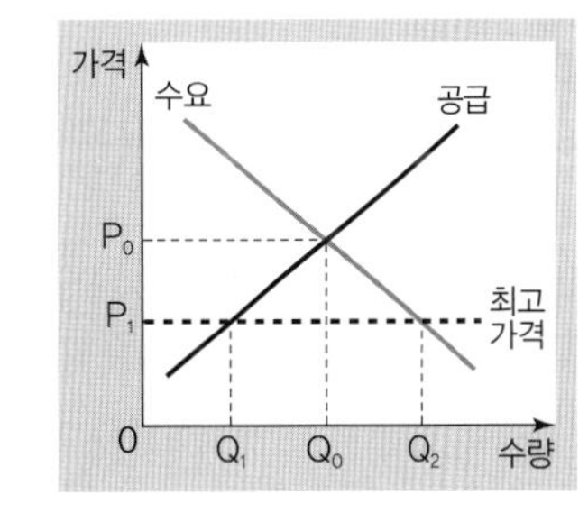

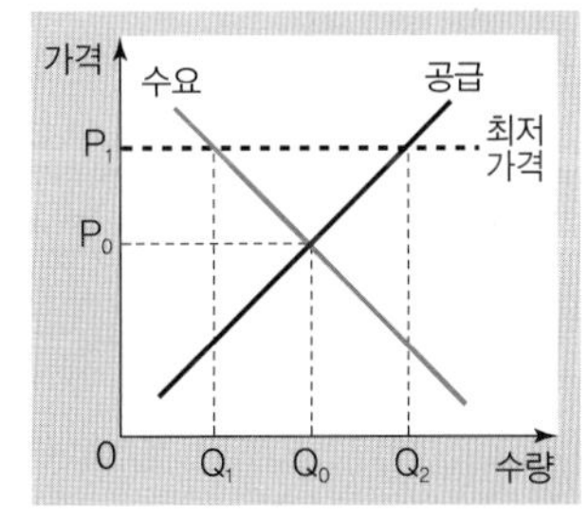

자료와 친해지기  최고 가격제와 최저 가격제를 시행했을 때 거래량과 판매 수입

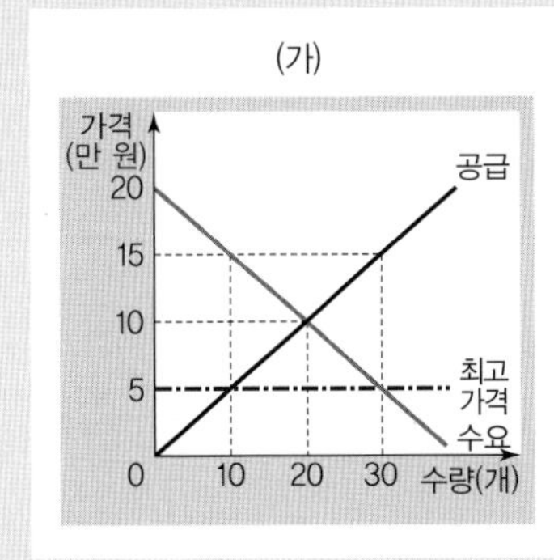

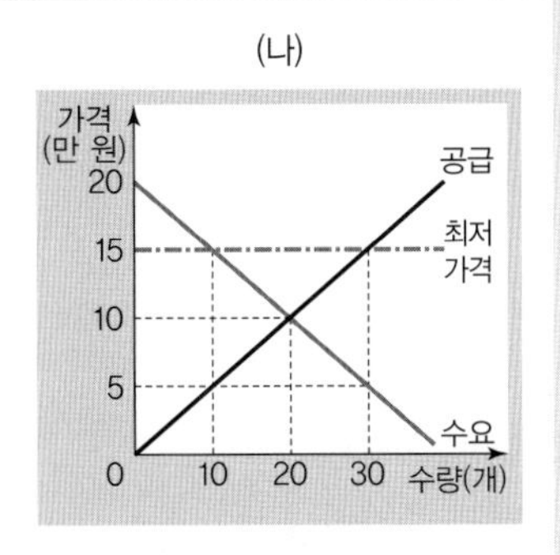

(가)는 최고 가격제를 시행한 경우, (나)는 최저 가격제를 시행한 경우이다. (가)에서 최고 가격은 균형 가격보다 낮으므로 최고 가격이 시장 가격이 되고, 이때 시장 거래량은 10개, 판매 수입은 50만 원이다. (나)에서 최저 가격은 균형 가격보다 높으므로 최저 가격이 시장 가격이 되고, 이때 시장 거래량은 10개, 판매 수입은 150만 원이다.

정답과 해설 11쪽

01

▸ 24064-0043

다음 자료에 대한 옳은 분석만을 〈보기〉에서 있는 대로 고른 것은?

표는 X재 시장에서 각 소비자의 균형 가격에서의 구입 여부와 소비자 잉여를 나타낸다. X재는 시장 균형에서 거래되고, X재의 균형 가격은 3달러이다. 단, X재 시장의 소비자는 A~D 네 명뿐이고, A~D는 모두 X재를 1개씩만 구입하고자 하며, 균형 가격과 최대 지불 용의 금액이 같은 경우에도 X재를 구입한다.

구분	구입 여부	소비자 잉여(달러)
A	○	2
B	○	1
C	○	0
D	×	

(○: 구입함, ×: 구입하지 않음.)

보기

ㄱ. 최대 지불 용의 금액은 A가 C보다 2달러 높다.
ㄴ. D의 최대 지불 용의 금액은 3달러보다 높다.
ㄷ. 균형 가격이 1달러 상승하면 X재 시장의 소비자 잉여는 1달러 감소한다.

① ㄱ ② ㄷ ③ ㄱ, ㄴ ④ ㄴ, ㄷ ⑤ ㄱ, ㄴ, ㄷ

02

▸ 24064-0044

다음 자료에 대한 설명으로 옳은 것은?

그림과 같은 수요와 공급이 나타난 상태에서 ㉠X재의 수요량이 모든 가격 수준에서 40개씩 증가하였다. 이에 정부는 X재의 균형 가격을 낮추기 위해 ㉡X재 생산 1개당 2달러의 보조금을 지급하는 정책을 시행할 계획이다.

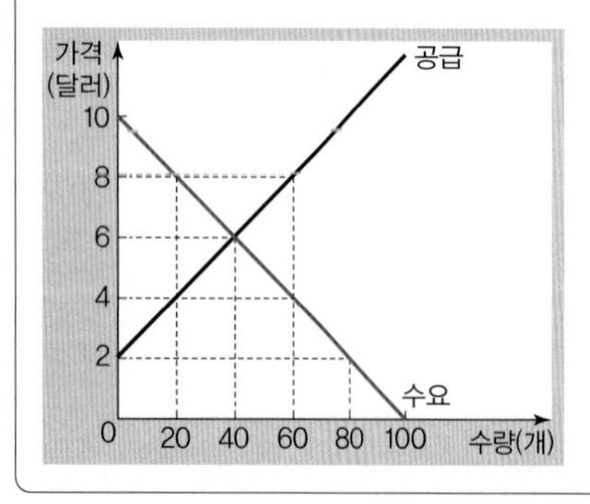

① ㉠으로 인해 소비 지출액이 50% 증가하였다.
② ㉠으로 인해 생산자 잉여가 120달러 증가하였다.
③ ㉡을 시행할 경우 균형 가격은 2달러 하락한다.
④ ㉡을 시행할 경우 소비자 잉여는 65달러 증가한다.
⑤ X재 생산에 필요한 핵심 부품의 가격 상승은 ㉠의 요인이다.

03

▸ 24064-0045

다음 자료에 대한 옳은 분석 및 추론만을 〈보기〉에서 고른 것은?

- X재 시장의 소비자는 A~C 세 명만 존재하고, 생산자는 갑~병 세 명만 존재하며, X재의 각 소비자와 생산자는 거래가 이루어질 경우 1개씩만 거래한다.
- A~C의 최대 지불 용의 금액은 서로 다르며 각각 1달러, 2달러, 3달러 중 하나이다. 그리고 갑~병의 최소 요구 금액은 서로 다르며 각각 1달러, 2달러, 3달러 중 하나이다.
- 균형에서 거래되는 X재 시장에서 C와 병은 거래에 참여하지 않았고, 거래 결과 ㉠A의 소비자 잉여는 ㉡을의 생산자 잉여보다 크게 나타났다.
- 모든 소비자는 가격과 최대 지불 용의 금액이 같은 경우에도 X재를 구입하며, 모든 생산자는 가격과 최소 요구 금액이 같은 경우에도 X재를 판매한다.

보기

ㄱ. ㉠은 2달러, ㉡은 1달러이다.
ㄴ. X재의 최소 요구 금액은 갑이 가장 작다.
ㄷ. X재의 최대 지불 용의 금액은 C가 가장 크다.
ㄹ. 최고 가격을 1달러로 설정하면 거래량이 1개 감소한다.

① ㄱ, ㄴ ② ㄱ, ㄷ ③ ㄴ, ㄷ ④ ㄴ, ㄹ ⑤ ㄷ, ㄹ

04

▸ 24064-0046

다음 자료에 대한 분석으로 옳은 것은?

표는 X재 소비자 갑과 을의 X재 1개 추가 소비에 따른 최대 지불 용의 금액을 나타낸다. X재는 시장 균형에서 거래되고, X재 소비자는 갑과 을뿐이며, X재는 시장 가격 수준에서 갑과 을이 원하는 만큼 공급된다. 갑과 을은 최대 지불 용의 금액이 균형 가격과 같아지는 수량까지 X재를 1개 단위로 구입한다.

(단위: 달러)

구분	첫 번째	두 번째	세 번째	네 번째	다섯 번째
갑	8	7	6	5	4
을	9	8	7	6	5

① 균형 가격이 5달러인 경우 균형 거래량은 3개이다.
② 균형 가격이 6달러인 경우 구입량은 갑이 을보다 1개 많다.
③ 균형 가격이 7달러인 경우 소비 지출액은 을이 갑보다 9달러 많다.
④ 균형 거래량이 5개인 경우 균형 가격은 6달러보다 낮다.
⑤ 균형 거래량이 7개인 경우 을의 소비자 잉여는 6달러 이상이다.

05

▸ 24064-0047

다음 자료에 대한 옳은 분석 및 추론만을 〈보기〉에서 있는 대로 고른 것은?

균형에서 거래되는 X재 시장의 소비자는 갑이 유일하고, 생산자는 을이 유일하다. 갑과 을은 각각 X재를 1개 단위로 5개까지만 소비하거나 생산한다. 갑은 가격과 최대 지불 용의 금액이 같은 경우에도 X재를 구입하며, 을은 가격과 최소 요구 금액이 같은 경우에도 X재를 판매한다. 다음은 갑과 을의 상황이다.

- 갑: 첫 번째 X재 소비에 대한 최대 지불 용의 금액은 5달러이고, X재를 1개 추가 소비할 때마다 최대 지불 용의 금액은 1달러씩 감소한다.
- 을: 첫 번째 X재 생산에 대한 최소 요구 금액은 2달러이고, X재를 1개 추가 생산할 때마다 최소 요구 금액은 1달러씩 증가한다.

보기

ㄱ. 총잉여는 4달러이다.
ㄴ. 균형 가격은 3달러보다 낮다.
ㄷ. 초과 수요량은 가격이 2달러일 때가 가격이 3달러일 때보다 1개 많다.
ㄹ. 정부가 X재 생산에 대해 개당 1달러의 보조금을 지급하면 균형 거래량은 1개 증가한다.

① ㄱ, ㄴ ② ㄱ, ㄹ ③ ㄴ, ㄷ
④ ㄱ, ㄷ, ㄹ ⑤ ㄴ, ㄷ, ㄹ

06

▸ 24064-0048

다음 자료에 대한 옳은 분석 및 추론만을 〈보기〉에서 고른 것은?

X재의 소비자는 A와 B뿐이다. 〈자료 1〉은 가격별 X재 공급량을, 〈자료 2〉는 A와 B의 X재 1개 추가 소비에 따른 최대 지불 용의 금액을 나타낸다. 단, A와 B는 모두 X재를 1개 단위로 4개까지만 구입하고, 가격과 최대 지불 용의 금액이 같은 경우에도 X재를 구입한다.

〈자료 1〉

가격(원)	100	200	300	400	500
공급량(개)	1	3	5	7	9

〈자료 2〉

구분		첫 번째	두 번째	세 번째	네 번째
최대 지불 용의 금액(원)	A	500	400	300	200
	B	400	300	200	100

보기

ㄱ. 균형 거래량은 3개이다.
ㄴ. 균형에서 소비자 잉여는 A가 B보다 200원 크다.
ㄷ. 가격이 400원일 때의 초과 공급량은 가격이 200원일 때의 초과 수요량보다 많다.
ㄹ. 정부가 X재 소비에 대해 개당 200원의 보조금을 지급하면 균형 가격은 100원 상승하고, 균형 거래량은 2개 증가한다.

① ㄱ, ㄴ ② ㄱ, ㄷ ③ ㄴ, ㄷ ④ ㄴ, ㄹ ⑤ ㄷ, ㄹ

07

▸ 24064-0049

다음 자료에 대한 분석 및 추론으로 옳은 것은?

표는 균형에서 거래되는 X재와 Y재의 가격과 갑의 X재, Y재 소비량에 따른 소비자 잉여를 나타낸다. 단, X재는 수요와 공급 법칙을 따르며, 갑은 가격과 최대 지불 용의 금액이 같은 경우에도 X재를 구입한다.

(단위: 달러)

구분		X재	Y재
가격		5	7
소비자 잉여	1개 소비	5	4
	2개 소비	9	7
	3개 소비	12	8
	4개 소비	14	8

① 갑의 첫 번째 X재의 최대 지불 용의 금액은 5달러이다.
② 갑의 네 번째 Y재의 최대 지불 용의 금액은 Y재 가격보다 크다.
③ 갑의 세 번째 X재보다 세 번째 Y재의 최대 지불 용의 금액이 크다.
④ 정부가 X재에 대해서만 소비 1개당 1달러의 세금을 부과하면, 갑의 첫 번째 X재와 첫 번째 Y재의 최대 지불 용의 금액은 동일해진다.
⑤ 정부가 Y재에 대해서만 소비 1개당 1달러의 보조금을 지급하면, 갑의 두 번째 X재 소비와 두 번째 Y재 소비를 통해 추가되는 X재와 Y재의 소비자 잉여는 동일해진다.

08

▸ 24064-0050

다음 자료에 대한 설명으로 옳은 것은?

갑국 정부는 X재 시장에서는 ㉠규제 가격을 P_1로 하는 가격 규제 정책을, Y재 시장에서는 ㉡규제 가격을 P_2로 하는 가격 규제 정책을 시행하고자 한다. 다음은 이 정책들을 시행할 경우 나타날 X재와 Y재의 시장 상황이다. 단, 현재 X재와 Y재는 모두 균형에서 거래되고 있고, 수요와 공급 법칙을 따르며, 가격 규제 정책이 시행될 경우 암시장은 형성되지 않는다.

- X재 시장: 시장 거래량이 규제 가격에서의 수요량보다 100개 적다.
- Y재 시장: 시장 거래량이 규제 가격에서의 공급량보다 100개 적다.

① X재 시장에서 균형 가격은 P_1보다 낮다.
② ㉠을 시행할 경우 X재 공급량은 100개 감소한다.
③ ㉡을 시행할 경우 Y재의 소비자 잉여는 감소한다.
④ 정부는 Y재 시장에서 P_2를 가격 상한선으로 설정하고자 한다.
⑤ ㉠은 X재의 생산자 보호, ㉡은 Y재의 소비자 보호를 목적으로 한다.

09

▸ 24064-0051

다음 자료에 대한 옳은 설명만을 〈보기〉에서 고른 것은?

표는 X재 각 가격에서의 수요량과 공급량을 나타낸다. 정부는 X재의 소비자 보호를 위해 가격을 [㉠] 으로 규제하는 ㉡정책을 시행하고자 한다. 정부의 정책이 시행되면 시장 거래량은 100개 감소한다. 단, X재는 수요와 공급 법칙을 따르고, X재의 수요와 공급 곡선은 모두 직선이며, 현재 X재는 균형에서 거래되고 있다. 또한 가격 규제 정책이 시행될 경우 암시장은 형성되지 않는다.

가격(원)	100	200	300	400
수요량(개)	800	600	400	200
공급량(개)	200	400	600	800

보기

ㄱ. ㉠은 균형 가격보다 100원 작다.
ㄴ. ㉡을 시행하면 초과 수요가 200개 발생한다.
ㄷ. ㉡을 시행한 후 모든 가격 수준에서 공급량이 200개씩 증가하면 판매 수입은 40,000원 증가한다.
ㄹ. 정부가 ㉡을 시행하지 않고 생산에 대해 개당 50원의 보조금을 지급하면 균형 가격은 ㉠과 동일해진다.

① ㄱ, ㄴ ② ㄱ, ㄷ ③ ㄴ, ㄷ ④ ㄴ, ㄹ ⑤ ㄷ, ㄹ

10

▸ 24064-0052

다음 자료에 대한 설명으로 옳은 것은?

X재 시장에서 ㉠가격 규제 정책을 시행하고자 하는 갑국 정부는 ㉡규제 가격을 4달러와 5달러 중 하나로 결정하고자 한다. 그림은 갑국 정부가 고려하는 규제 가격에서의 거래량과 공급량을 나타낸다. 단, X재는 현재 시장 균형에서 거래되고 있고, 수요와 공급 법칙을 따르며, 수요와 공급 곡선은 모두 직선이다. 또한 가격 규제 정책이 시행될 경우 암시장은 형성되지 않는다.

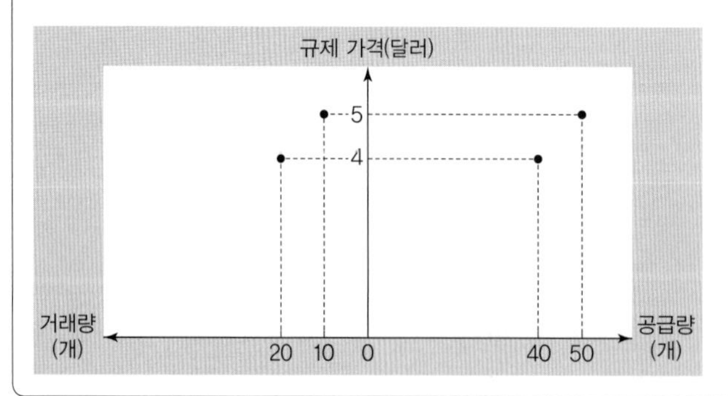

① 균형 거래량은 20개이다.
② ㉠을 시행하면 소비자 잉여는 증가한다.
③ ㉠은 규제 가격보다 높은 수준에서 거래하지 못하도록 하는 제도이다.
④ ㉡을 4달러로 결정하는 경우 초과 공급이 20개 발생한다.
⑤ ㉡을 5달러로 결정한 후 정부가 소비에 대해 개당 2달러의 보조금을 지급하면 ㉠의 실효성이 사라진다.

THEME 06

수요와 공급의 가격 탄력성

1 수요의 가격 탄력성(Ed)

(1) 의미: 상품의 가격이 변동할 때 그에 따라 수요량이 변동하는 정도 → 수요량이 가격 변동에 대해 얼마나 민감하게 반응하는지를 나타냄.

(2) 계산식:

$$수요의\ 가격\ 탄력성=\left|\frac{수요량\ 변동률(\%)}{가격\ 변동률(\%)}\right|$$

(3) 유형

수요의 가격 탄력성	가격 변동과 수요량 변동의 관계
Ed = ∞(완전 탄력적)	가격이 미세하게 변동해도 수요량이 무한히 변동함.
Ed>1(탄력적)	|가격 변동률| < |수요량 변동률|
Ed = 1(단위 탄력적)	|가격 변동률| = |수요량 변동률|
Ed<1(비탄력적)	|가격 변동률| > |수요량 변동률|
Ed = 0(완전 비탄력적)	가격이 변동해도 수요량은 변동하지 않음.

(4) 수요의 가격 탄력성에 영향을 미치는 요인

① 상품의 특성: 일반적으로 생활필수품보다 사치품의 수요의 가격 탄력성이 큼.

② 대체재의 존재: 일반적으로 대체재가 없는 상품보다 대체재가 있는 상품의 수요의 가격 탄력성이 큼.

③ 가격 변동에 대한 소비자의 대응 기간: 일반적으로 가격 변동에 대한 소비자의 대응 기간이 길수록 수요의 가격 탄력성이 커짐.

(5) 수요의 가격 탄력성과 판매 수입

구분	가격 상승	가격 하락
Ed>1(탄력적)	판매 수입 감소	판매 수입 증가
Ed = 1(단위 탄력적)	판매 수입 변동 없음.	판매 수입 변동 없음.
Ed<1(비탄력적)	판매 수입 증가	판매 수입 감소

2 공급의 가격 탄력성(Es)

(1) 의미: 상품의 가격이 변동할 때 그에 따라 공급량이 변동하는 정도 → 공급량이 가격 변동에 대해 얼마나 민감하게 반응하는지를 나타냄.

(2) 계산식:

$$공급의\ 가격\ 탄력성=\frac{공급량\ 변동률(\%)}{가격\ 변동률(\%)}$$

(3) 유형

공급의 가격 탄력성	가격 변동과 공급량 변동의 관계
Es = ∞(완전 탄력적)	가격이 미세하게 변동해도 공급량이 무한히 변동함.
Es>1(탄력적)	|가격 변동률|<|공급량 변동률|
Es = 1(단위 탄력적)	|가격 변동률| = |공급량 변동률|
Es<1(비탄력적)	|가격 변동률|>|공급량 변동률|
Es = 0(완전 비탄력적)	가격이 변동해도 공급량은 변동하지 않음.

(4) 공급의 가격 탄력성에 영향을 미치는 요인

① 생산 기간: 일반적으로 상품의 생산 기간이 짧을수록 공급의 가격 탄력성이 커짐.

② 저장의 용이성: 일반적으로 상품의 저장이 용이할수록 공급의 가격 탄력성이 커짐.

③ 원재료 확보의 용이성: 일반적으로 상품의 원재료 확보가 용이할수록 공급의 가격 탄력성이 커짐.

④ 가격 변동에 대한 생산자의 대응 기간: 일반적으로 가격 변동에 대한 생산자의 대응 기간이 길수록 공급의 가격 탄력성이 커짐.

자료와 친해지기  구매 패턴과 가격 탄력성

□□국의 자동차 사용자들은 연료 사용 패턴에 따라 A 그룹과 B 그룹으로 나뉜다.
- A 그룹: 휘발유 가격과 무관하게 매월 일정량의 휘발유를 사용한다.
- B 그룹: 휘발유 가격과 무관하게 매월 일정액의 휘발유를 사용한다.

A 그룹은 휘발유의 정량 구매 집단으로, 휘발유 가격의 변화에 따라 매월 휘발유 소비 지출액이 달라진다. 반면, B 그룹은 휘발유의 정액 구매 집단으로, 휘발유 가격의 변화에 따라 매월 휘발유 구입량이 달라진다.

- A 그룹은 휘발유 가격과 무관하게 수요량의 변화가 없으므로 휘발유 수요의 가격 탄력성은 완전 비탄력적(Ed=0)이다.
- B 그룹은 모든 가격 수준에서 가격 변동률과 수요량 변동률이 동일하므로 휘발유 수요의 가격 탄력성은 단위 탄력적(Ed=1)이다.

01

▸ 24064-0053

그림에 대한 설명으로 옳은 것은?

① 갑의 A재에 대한 수요의 가격 탄력성은 0이다.
② 을의 A재에 대한 수요는 가격에 대해 탄력적이다.
③ 병의 A재에 대한 수요는 가격에 대해 완전 비탄력적이다.
④ A재에 대한 수요의 가격 탄력성은 갑이 병보다 크다.
⑤ 을과 달리 병의 A재 수요는 수요 법칙을 따르지 않는다.

02

▸ 24064-0054

그림은 t기와 t+1기의 X재 공급 곡선을 나타낸다. 공급의 가격 탄력성과 관련하여 이와 같은 변화를 초래할 수 있는 요인만을 〈보기〉에서 고른 것은?

〈t기〉

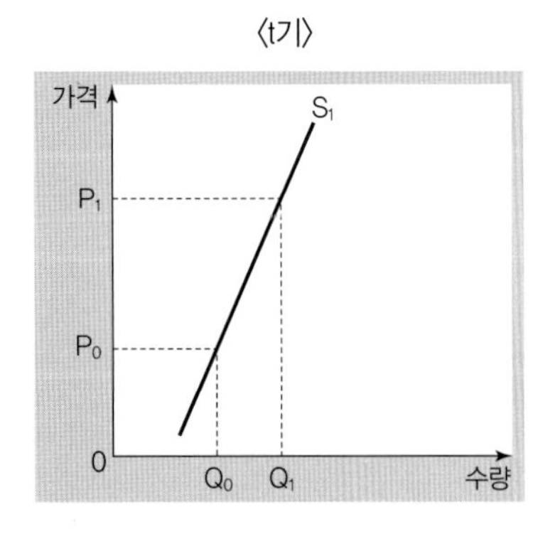

〈t+1기〉

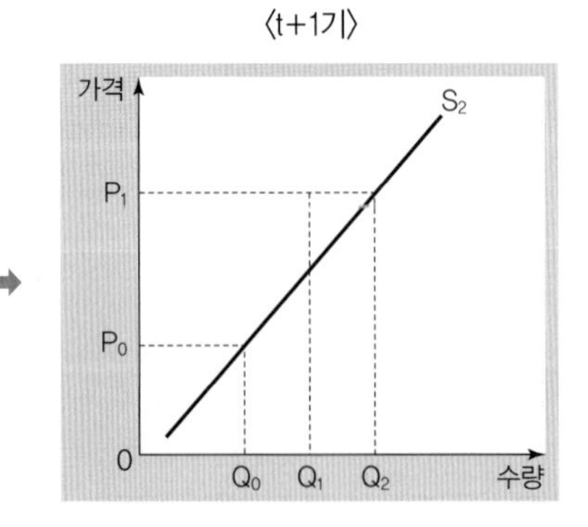

보기

ㄱ. X재의 대체재가 많이 개발되었다.
ㄴ. X재 원재료의 안정적 확보가 어려워졌다.
ㄷ. 저장 기술의 발달로 X재 비축량이 증가하였다.
ㄹ. 생산 기술이 개선되어 X재의 생산 기간이 단축되었다.

① ㄱ, ㄴ　② ㄱ, ㄷ　③ ㄴ, ㄷ　④ ㄴ, ㄹ　⑤ ㄷ, ㄹ

03

▸ 24064-0055

다음 자료에 대한 옳은 분석만을 〈보기〉에서 고른 것은?

표는 X재~Z재를 독점 공급하는 갑 기업의 가격 조정에 따른 판매 수입의 변동을 나타낸다. 단, X재~Z재는 서로 연관 관계가 아니다.

(단위: %)

구분	X재	Y재	Z재
가격 변동률	10	−10	5
판매 수입 변동률	5	10	5

보기

ㄱ. X재 수요는 가격에 대해 탄력적이다.
ㄴ. Y재 수요는 가격에 대해 비탄력적이다.
ㄷ. Z재 수요는 가격에 대해 완전 비탄력적이다.
ㄹ. 수요량 변동률은 Y재가 Z재보다 크다.

① ㄱ, ㄴ ② ㄱ, ㄷ ③ ㄴ, ㄷ ④ ㄴ, ㄹ ⑤ ㄷ, ㄹ

04

▸ 24064-0056

교사의 질문에 대한 옳은 답변을 한 학생만을 〈보기〉에서 고른 것은? (단, X재와 Y재는 서로 연관 관계가 아님.)

표는 X재와 Y재의 공급 변동에 따른 가격과 판매 수입의 변동을 나타냅니다. X재와 Y재에 대해 설명해 볼까요? 단, X재와 Y재는 모두 공급 법칙이 적용됩니다.

구분	가격의 변동	판매 수입의 변동
X재	상승	변동 없음.
Y재	변동 없음.	증가

보기

갑: X재 수요는 가격에 대해 단위 탄력적입니다.
을: Y재 수요는 가격에 대해 완전 비탄력적입니다.
병: 수요의 가격 탄력성은 Y재가 X재보다 큽니다.
정: X재와 Y재는 모두 공급이 감소하였습니다.

① 갑, 을 ② 갑, 병 ③ 을, 병 ④ 을, 정 ⑤ 병, 정

05

▸ 24064-0057

그림에서 A 놀이공원의 주말과 평일의 수요의 가격 탄력성으로 옳은 것은? (단, A 놀이공원은 독점적으로 서비스를 제공함.)

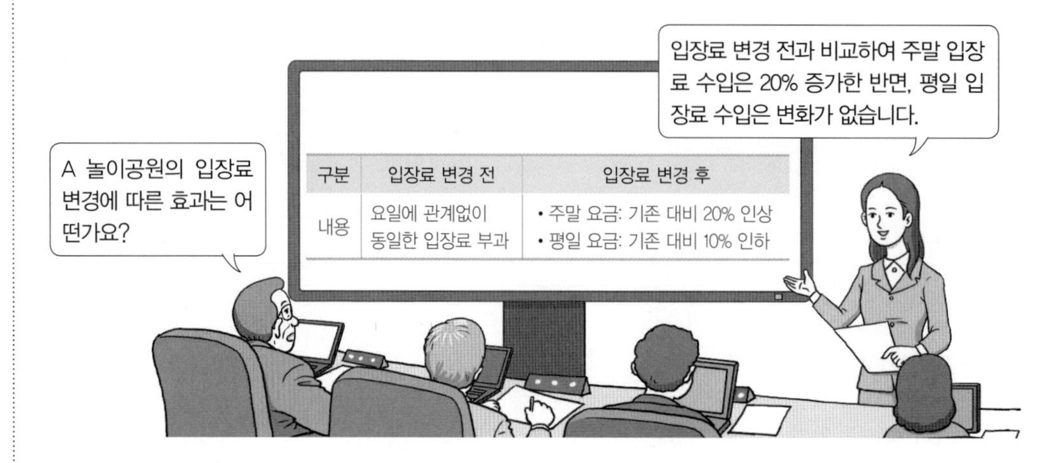

구분	입장료 변경 전	입장료 변경 후
내용	요일에 관계없이 동일한 입장료 부과	• 주말 요금: 기존 대비 20% 인상 • 평일 요금: 기존 대비 10% 인하

	주말	평일
①	탄력적	비탄력적
②	비탄력적	단위 탄력적
③	단위 탄력적	완전 비탄력적
④	완전 비탄력적	탄력적
⑤	완전 비탄력적	단위 탄력적

06

▸ 24064-0058

그림은 X재, Y재의 가격 수준에 따른 판매 수입을 나타낸다. 이에 대한 옳은 설명만을 〈보기〉에서 있는 대로 고른 것은? (단, X재와 Y재 모두 수요는 변화가 없으며, 두 재화는 모두 공급 법칙을 따름.)

〈X재〉

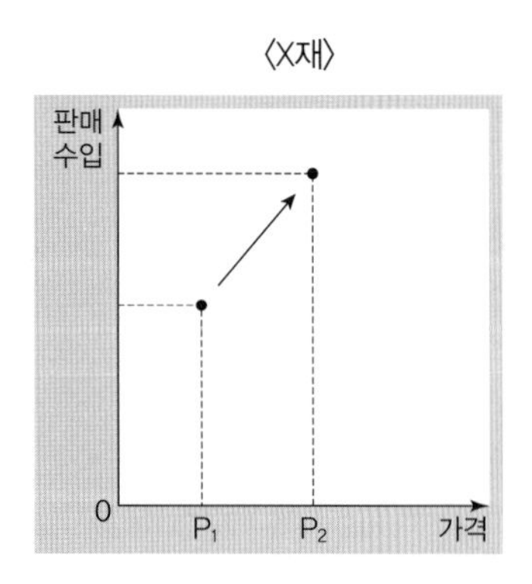

〈Y재〉

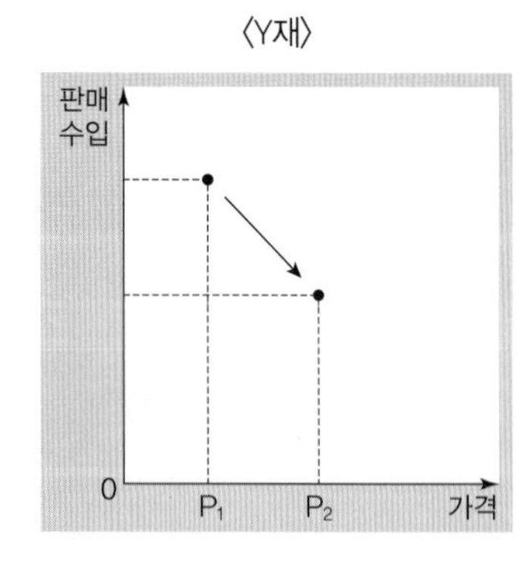

보기

ㄱ. X재 수요의 가격 탄력성은 1보다 작다.
ㄴ. Y재 수요는 가격에 대해 완전 탄력적이다.
ㄷ. Y재는 가격 상승률과 수요량 감소율이 같다.
ㄹ. X재 공급이 증가하면 X재의 판매 수입은 감소한다.

① ㄱ, ㄴ ② ㄱ, ㄹ ③ ㄴ, ㄷ
④ ㄱ, ㄷ, ㄹ ⑤ ㄴ, ㄷ, ㄹ

07

▸ 24064-0059

다음 자료에 대한 설명으로 옳은 것은?

그림은 X재~Z재의 가격 변동률에 따른 X재~Z재의 판매 수입 변동률을 나타낸다. 단, X재~Z재는 모두 공급 법칙이 적용되며, X재~Z재 모두 가격 변동은 공급 변동에 의해 발생하였다.

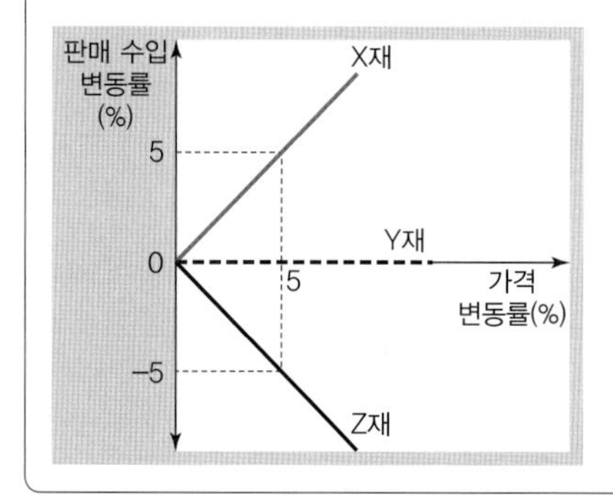

① X재 수요는 가격에 대해 탄력적이다.
② Y재 수요는 가격에 대해 완전 비탄력적이다.
③ Z재 수요의 가격 탄력성은 1보다 작다.
④ X재는 Y재와 달리 가격 변동에 따른 수요량 변동률이 0이다.
⑤ 가격 상승에 따라 Y재 수요량은 감소하였고 Z재 수요량은 증가하였다.

08

▸ 24064-0060

다음 자료에 대한 설명으로 옳은 것은?

표는 X재~Z재 시장에서 공급의 변동만으로 나타난 결과를 질문에 따라 구분한 것이다. 단, X재~Z재는 모두 수요와 공급 법칙을 따르며, X재~Z재는 서로 연관 관계가 아니다.

질문	X재	Y재	Z재
거래량이 증가하였는가?	예	예	㉠
가격이 상승하였는가?	㉡	아니요	예
판매 수입이 증가하였는가?	예	아니요	예

① ㉠은 '예', ㉡은 '아니요'이다.
② X재 수요는 가격에 대해 탄력적이다.
③ Y재 수요의 가격 탄력성은 1보다 크다.
④ Z재는 가격 변동률과 수요량 변동률 각각의 절댓값이 같다.
⑤ Z재는 Y재와 달리 공급이 증가하였다.

시장 실패와 정부 실패

1 시장의 역할과 시장 실패

(1) **시장의 역할**: 수요자와 공급자의 자유로운 경쟁을 통해 자원의 효율적 배분을 유도함.

(2) **시장 실패**

① 의미: 시장이 자원을 효율적으로 배분하지 못하는 상태

② 특징: 재화나 서비스가 사회적 최적 수준보다 과다 생산·소비 또는 과소 생산·소비됨.

③ 요인: 불완전 경쟁, 외부 효과, 공공재, 공유 자원, 정보의 비대칭성 등

2 시장 실패의 요인

(1) **불완전 경쟁**

① 의미: 시장 지배력의 남용, 부당한 공동 행위, 불공정 거래 행위 등으로 경쟁이 제한된 상태

② 발생 원인: 특정 기업의 원재료 독점, 특허 제도, 정부의 진입 규제, 규모의 경제 등

③ 문제점: 독과점 시장에서 공급자의 공급량 감축이나 가격 인상, 과점 시장의 공급자 간 부당한 공동 행위, 독점적 경쟁 시장의 제품 차별화 등은 시장의 경쟁을 제한함. → 자원의 비효율적 배분 초래, 소비자 잉여 감소 등

(2) **외부 효과**: 한 경제 주체의 생산·소비가 다른 경제 주체에게 의도하지 않은 이익이나 손해를 주지만 이에 대한 대가를 받거나 지불하지 않는 상태

구분	외부 경제	외부 불경제
의미	다른 경제 주체에게 의도하지 않은 이익을 주고도 대가를 받지 않는 상태	다른 경제 주체에게 의도하지 않은 손해를 주고도 대가를 지불하지 않는 상태
영향	• 생산 측면: 사회적 비용<사적 비용 • 소비 측면: 사회적 편익>사적 편익	• 생산 측면: 사회적 비용>사적 비용 • 소비 측면: 사회적 편익<사적 편익
문제점	사회적 최적 수준보다 과소 생산·소비됨.	사회적 최적 수준보다 과다 생산·소비됨.
사례	기술 개발, 예방 접종, 교육 등	환경 오염, 흡연, 음주 등

(3) **공공재**

① 의미: 대가를 지불하지 않은 소비자들을 포함하여 많은 사람들이 경합하지 않고 소비할 수 있는 재화나 서비스

② 특징: 비배제성과 비경합성을 가짐.

• 비배제성: 소비의 대가를 지불하지 않은 사람도 소비할 수 있음.

• 비경합성: 한 사람의 소비가 다른 사람의 소비 기회를 감소시키지 않음.

③ 문제점: 무임승차자 문제, 생산량 부족 등

(4) **공유 자원**: 경합성과 비배제성을 가지는 재화 → 남용으로 인한 자원 고갈

(5) **정보의 비대칭성**

① 의미: 거래 당사자들이 가진 거래에 필요한 정보의 양이 서로 다른 상태

② 유형: 역선택, 도덕적 해이

③ 문제점: 거래 당사자들의 합리적 선택을 방해하거나 시장의 자원 배분 기능을 왜곡시켜 자원 배분의 효율성이 낮아짐.

3 시장 실패 해결을 위한 정부의 역할

(1) **불완전 경쟁 시장에 대한 규제**

① 목적: 시장의 자유롭고 공정한 경쟁 구조 확립

② 내용: 우리나라의 경우 「독점 규제 및 공정 거래에 관한 법률」에 따른 공정 거래 위원회 설치 및 운영

(2) **외부 효과 개선**

① 목적: 경제적 유인이나 규제를 통해 사회적 최적 수준의 생산·소비 유도

② 내용

구분	외부 경제	외부 불경제
내용	정부의 보조금 지급 등을 통해 생산·소비를 증대시켜 사회적 최적 수준의 거래를 유도함.	정부의 과세 등을 통해 생산·소비를 감소시켜 사회적 최적 수준의 거래를 유도함.
사례	기업의 연구 개발비 지원, 정화 시설의 설치비 보조 등	환경 개선 부담금 제도, 탄소 배출권 거래제, 과징금 등

(3) **공공재 생산**

① 목적: 공공재 공급 확대를 통한 사회적 최적 거래 수준 달성

② 내용: 정부나 공기업이 공공재의 생산과 공급을 담당함.

(4) **정보의 비대칭성 개선 유도**

① 목적: 정보의 비대칭성 개선을 통한 시장 거래 활성화 유도

② 내용: 과장 광고 규제, 리콜 제도 등의 시행, 정부가 소비자에게 직접 정보 제공 등

4 정부 실패와 보완 방안

(1) **정부 실패**

① 의미: 시장의 문제점 개선을 위한 정부의 개입이 문제를 충분히 해결하지 못하거나 오히려 악화시키는 현상

② 요인: 정부의 불완전한 정보와 미래에 대한 불확실성, 이익 집단의 압력과 정치적 타협에 의한 정책 결정 등

(2) **정부 실패의 보완**

① 규제 개혁 정책: 부적절한 규제 개선, 행정 절차의 간소화 등

② 관료 조직에의 유인 제공과 경쟁 도입: 공기업의 민영화, 성과급제 등

③ 민간 부문의 노력: 시민들의 직접 참여와 견제 등

01

▸ 24064-0061

다음 자료에 대한 옳은 분석 및 추론만을 〈보기〉에서 고른 것은?

그림은 갑국의 X재 수요를 나타낸다. 갑국 X재 시장은 t 시기에 경쟁 시장이었다가 t+1 시기에 독점 시장으로 변화되었다. 단, 거래량은 t 시기에 2Q, t+1 시기에 Q이며, A~C는 각 영역의 면적을 의미한다. 또한 모든 시기에 수요는 변화가 없다.

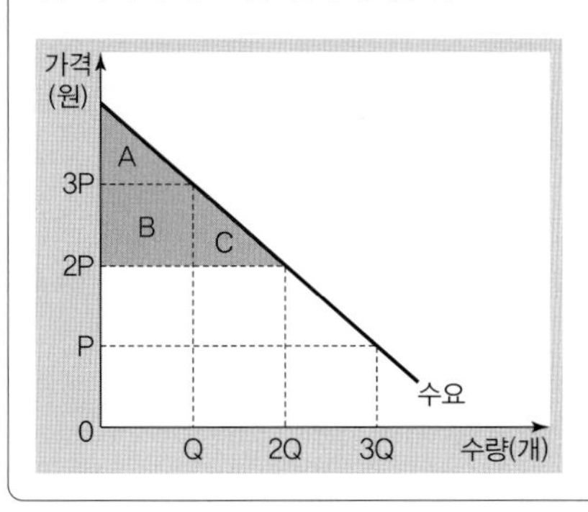

보기

ㄱ. t 시기 대비 t+1 시기의 판매 수입은 P×Q만큼 감소한다.
ㄴ. t+1 시기에는 t 시기와 달리 Q만큼의 초과 수요가 발생한다.
ㄷ. t 시기 대비 t+1 시기에 X재 시장의 소비자 잉여는 B+C만큼 감소한다.
ㄹ. t+1 시기에 2P에서 정부가 가격 하한제를 실시할 경우 시장 거래량은 증가한다.

① ㄱ, ㄴ ② ㄱ, ㄷ ③ ㄴ, ㄷ ④ ㄴ, ㄹ ⑤ ㄷ, ㄹ

02

▸ 24064-0062

다음 자료에 대한 설명으로 옳은 것은?

X재 시장에서는 생산 측면의 외부 효과만, Y재 시장에서는 소비 측면의 외부 효과만 나타나고 있다. 표는 두 시장의 시장 균형 가격 및 사회적 최적 수준에서의 가격을 나타낸다. 단, X재와 Y재는 모두 수요와 공급 법칙을 따르며, 수요 곡선과 공급 곡선은 직선이다.

(단위: 달러)

구분	X재	Y재
시장 균형 가격	P_1	P_2
사회적 최적 수준에서의 가격	P_1+4	P_2+4

① X재 시장에서는 외부 경제가 발생한다.
② Y재 시장에서는 소비의 사적 편익이 사회적 편익보다 크다.
③ '시장 균형 거래량/사회적 최적 수준에서의 거래량'은 X재 시장이 Y재 시장보다 크다.
④ X재 생산자에게 X재 1개당 4달러의 세금을 부과하면 X재 시장의 소비자 잉여는 증가한다.
⑤ Y재 소비자에게 Y재 1개당 4달러의 보조금을 지급하면 Y재 시장에서 소비의 사적 편익과 사회적 편익이 일치한다.

03

▸ 24064-0063

〈자료 2〉는 〈자료 1〉을 통해 진위 여부를 확인할 수 있는 내용과 진위 여부를 확인할 수 없는 내용을 나타낸다. (가), (나)에 들어갈 수 있는 옳은 내용만을 〈보기〉에서 있는 대로 고른 것은?

〈자료 1〉

표는 각각 하나의 외부 효과만 발생하고 있는 X재와 Y재의 시장 상황을 나타낸다. 단, X재와 Y재는 모두 수요와 공급 법칙을 따르며, X재와 Y재의 시장 균형 거래량은 각각 500개이다.

구분	X재	Y재
사회적 최적 수준에서의 가격/시장 균형 가격	1.5	2
사회적 최적 수준에서의 거래량/시장 균형 거래량	0.5	1.5

〈자료 2〉

진위 여부를 확인할 수 있는 내용	진위 여부를 확인할 수 없는 내용
(가)	(나)

보기

ㄱ. (가) – X재는 생산의 사적 비용이 사회적 비용보다 작다.
ㄴ. (가) – 사회적 최적 수준에서의 거래량은 X재가 Y재보다 500개만큼 많다.
ㄷ. (나) – 사회적 최적 수준에서의 가격은 X재가 Y재보다 높다.
ㄹ. (나) – Y재 소비에 대한 보조금 지급은 Y재 시장의 외부 효과 개선에 기여할 수 있다.

① ㄱ, ㄴ ② ㄱ, ㄹ ③ ㄷ, ㄹ
④ ㄱ, ㄴ, ㄷ ⑤ ㄴ, ㄷ, ㄹ

04

▸ 24064-0064

다음 자료에 대한 옳은 분석만을 〈보기〉에서 고른 것은?

갑국에는 A 기업과 B 기업만 존재하며, 두 기업은 생산 과정에서 각각 연간 100톤의 오염 물질을 배출한다. 현재의 생산량을 유지한 채 오염 물질 배출량을 1톤씩 줄이는 데 필요한 비용은 A 기업이 2만 달러, B 기업이 5만 달러이다. t기에 갑국 정부는 연간 오염 물질 배출 총량을 50% 감축하기 위해 두 기업의 오염 물질 배출량을 각각 50톤으로 제한하였다. 그 후 t+1기에 갑국 정부는 1장당 1톤의 오염 물질을 배출할 수 있는 오염 물질 배출권을 두 기업에게 각각 50장씩 지급하고, 이를 기업 간에 자유롭게 거래할 수 있는 오염 물질 배출권 거래 제도를 도입하였다. 이에 따라 t+1기에 두 기업은 배출권 1장당 일정 가격으로 총 50장 거래하였다. 그 결과 t+1기에 A 기업이 오염 물질을 줄이는 데 드는 비용은 t기보다 50만 달러 감소하게 되었다.

보기

ㄱ. t기에 A 기업이 오염 물질을 줄이는 데 드는 비용은 200만 달러이다.
ㄴ. t+1기에 오염 물질 배출권의 가격은 3만 달러이다.
ㄷ. t+1기에 B 기업은 A 기업에 오염 물질 배출권을 판매한다.
ㄹ. t+1기에 B 기업이 오염 물질을 줄이는 데 드는 비용은 t기보다 100만 달러 감소하게 되었다.

① ㄱ, ㄴ ② ㄱ, ㄷ ③ ㄴ, ㄷ ④ ㄴ, ㄹ ⑤ ㄷ, ㄹ

05

▸ 24064-0065

다음 자료에 대한 설명으로 옳은 것은?

그림은 갑국 정부가 개입하기 전 소비 측면의 외부 효과가 발생한 X재 시장을 나타낸다. 갑국 정부는 X재 시장의 사회적 최적 균형을 달성하고자 X재 소비자에게 ㉠X재 1개당 일정액의 보조금을 지급하였고, 그 결과 시장 균형 가격이 2달러 상승하였다. 그러나 정부가 보조금 책정 시 X재 시장에서 ㉡X재 소비 1개당 발생한 외부 효과의 크기인 '사회적 편익과 사적 편익의 차이'를 실제 크기의 2배로 파악하는 바람에 보조금 지급 후에도 X재 시장은 사회적 최적 균형을 달성하지 못하였다.

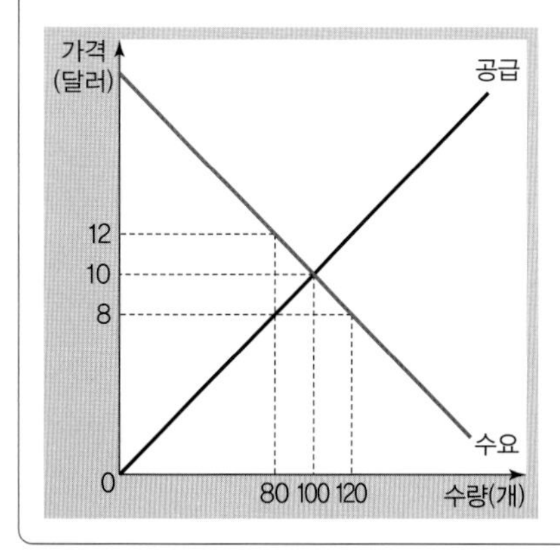

① '㉠ − ㉡'은 1달러이다.
② 정부 개입 전 생산자 잉여는 정부 개입 후 생산자 잉여보다 크다.
③ 사회적 최적 수준에서의 가격은 정부 개입 후 시장 균형 가격보다 1달러 높다.
④ 사회적 최적 수준에서의 거래량은 정부 개입 전 시장 균형 거래량보다 10개 많다.
⑤ X재 시장에서 발생한 외부 효과는 사적 편익이 사회적 편익보다 클 때 발생한다.

06

▸ 24064-0066

다음 자료에 대한 설명으로 옳은 것은?

〈재화의 속성 카드 게임〉

[게임 방법]
카드 A, B에는 각각 '배제성 있음.'과 '배제성 없음.' 중 하나가, 카드 C, D에는 각각 '경합성 있음.'과 '경합성 없음.' 중 하나가 표기되어 있다. 갑~정은 각각 A, B에서 1장씩, C, D에서 1장씩을 뽑아 2장의 카드에 제시된 속성을 모두 가지는 재화에 대한 특징을 설명하거나 사례를 제시하고, 그 내용이 옳을 경우 점수를 획득한다.
[게임 결과]
A와 D를 뽑은 갑은 '서점에서 판매하는 잡지'를 사례로 제시하였고, 그 결과 점수를 획득하였다.

① B에는 '배제성 없음.', C에는 '경합성 있음.'이 표기되어 있을 것이다.
② 갑이 '혼잡한 유료 도로'를 사례로 제시하였다면 득점하지 못하였을 것이다.
③ 을이 '공해상의 어족 자원'을 사례로 제시하여 득점하였다면 을은 B와 D를 뽑았을 것이다.
④ 병이 A와 C를 뽑아 '남용으로 인한 고갈의 위험이 있다.'라고 설명하였다면 득점하였을 것이다.
⑤ 정이 '무임승차자 문제가 발생할 수 있다.'라고 설명하여 득점하였다면 정이 뽑은 카드에는 A가 포함되어 있을 것이다.

07

▶ 24064-0067

교사의 질문에 대한 학생의 답변으로 옳은 것은?

교사: 카페 프랜차이즈 업체인 ○○커피는 자사 매장을 이용하는 고객들에게만 개방하던 화장실을 최근 음료 구입 여부에 상관없이 모든 사람들이 이용할 수 있도록 무료로 개방하였습니다. 그 결과 매장 고객 외에도 화장실을 이용하려는 사람들이 급증하였고, 이로 인해 화장실 밖으로 긴 줄이 이어지는 경우가 자주 발생하였습니다. 무료 개방 이후 화장실의 변화를 어떻게 설명할 수 있을까요?

① 화장실 사용에 배제성과 경합성이 모두 없기 때문입니다.
② 화장실 사용에 배제성과 경합성이 모두 있기 때문입니다.
③ 화장실 사용에 배제성은 없지만 경합성이 있기 때문입니다.
④ 화장실 사용에 배제성은 있지만 경합성이 없기 때문입니다.
⑤ 화장실 사용에 있어서 외부 경제가 발생하였기 때문입니다.

08

▶ 24064-0068

다음 자료에 대한 옳은 설명만을 〈보기〉에서 있는 대로 고른 것은?

갑국의 중고 노트북 시장에 공급되는 노트북의 50%는 좋은 품질이며, 나머지 50%는 나쁜 품질이다. 그림은 각각의 노트북 1대당 공급자의 최소 요구 금액과 소비자의 최대 지불 용의 금액을 나타낸다.

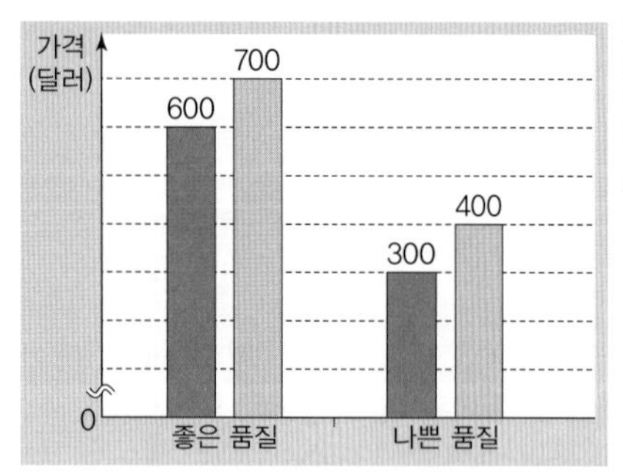

공급자는 자신이 공급하는 중고 노트북의 품질을 정확히 알고 있다. 그러나 소비자는 좋은 품질의 노트북과 나쁜 품질의 노트북이 각각 절반씩 존재한다는 사실만 알 뿐 개별 노트북의 품질은 알지 못한다. 이에 소비자는 좋은 품질의 노트북을 구입할 가능성과 나쁜 품질의 노트북을 구입할 가능성이 각각 50%라고 생각하여 임의의 노트북에 대해 400달러와 700달러의 평균값인 550달러까지 지불할 용의가 있다. 단, 공급자는 소비자의 최대 지불 용의 금액을 알지 못하고 소비자는 공급자의 최소 요구 금액을 알지 못한다.

보기

ㄱ. 나쁜 품질의 노트북만 시장에서 거래된다.
ㄴ. 노트북 거래로 인한 소비자 잉여는 발생하지 않는다.
ㄷ. 노트북의 거래 가격은 550달러보다 높고 600달러보다 낮다.

① ㄱ ② ㄷ ③ ㄱ, ㄴ ④ ㄴ, ㄷ ⑤ ㄱ, ㄴ, ㄷ

09

▸ 24064-0069

(가), (나)에 대한 옳은 설명만을 〈보기〉에서 고른 것은?

(가) 모든 성인 이용자에게 같은 금액을 받는 뷔페식당의 사장 입장에서는 적게 먹는 성인을 선호할 것이다. 그러나 사장의 의도와는 달리 실제 뷔페식당을 주로 이용하는 성인들은 식성이 좋은 사람일 가능성이 높다. 만약 사장이 이용자들에 대한 정보를 충분히 가지고 있다면 식성이 좋은 성인들에게는 식당 이용료를 추가로 받겠지만, 이용자들에 대한 충분한 정보를 가지고 있지 못하므로 모든 이용자에게 같은 금액을 책정하게 된다.

(나) 20세기 중반 ○○국에서는 혈액을 시장에서 거래했는데 혈액 구매자인 병원은 혈액을 공급하려는 사람들에 대한 정보를 충분히 가지고 있지 못하였다. 저소득층 사람들 중 일부는 자신의 건강 상태가 좋지 않음에도 생활비를 마련하기 위해 자신의 혈액을 판매하기도 하였다. 그로 인해 혈액 시장을 통해서 공급된 혈액들은 나쁜 혈액일 가능성이 높았다. 그래서 혈액이 거래되던 당시 ○○국에서 수혈을 받은 환자의 45%가 수혈받은 혈액으로부터 간염, 결핵 등에 감염되었다.

보기

ㄱ. (가)는 판매자가 구매자에 비해 정보가 부족함에 따라 발생하는 역선택의 사례이다.
ㄴ. (나)에 나타난 문제는 혈액에 대한 매매를 금지하고, 일정 수준 이상의 건강 상태를 만족하는 사람만 헌혈하게 하는 방법으로 줄일 수 있다.
ㄷ. (가)는 (나)와 달리 자원 배분을 왜곡시켜 시장 실패를 일으키게 된다.
ㄹ. (나)는 (가)와 달리 거래 당사자 간 정보의 비대칭성으로 인해 발생한다.

① ㄱ, ㄴ ② ㄱ, ㄷ ③ ㄴ, ㄷ ④ ㄴ, ㄹ ⑤ ㄷ, ㄹ

10

▸ 24064-0070

다음은 경제 수업 시간에 정부 실패를 학습하기 위해 교사가 제시한 글이다. 이에 부합하는 정부 실패의 사례로 가장 적절한 것은?

영국이 인도를 식민 지배하던 당시 총독부는 코브라에 물려 죽거나 다치는 사람이 많자 코브라 머리를 잘라오면 1마리당 일정 금액의 보상금을 주는 정책을 실시하였다. 정책 실시 초기에는 사람들이 잡아오는 코브라 수가 나날이 증가하였고, 총독부는 코브라로 인한 피해가 이내 사라질 것이라고 기대하였다. 정책 실시 초기 인도 사람들은 보상금을 받기 위해 열심히 코브라를 잡았지만 나중에는 집 안에 코브라를 키운 뒤 그것을 잡아와 보상금을 받았다. 그로 인해 정책 실시 후 시간이 갈수록 사람들이 잡아오는 코브라의 수는 더욱 증가하였고, 결국 총독부는 해당 정책을 폐지하였다.

① 공기업의 비효율적 경영으로 인해 적자가 누적되고 있다.
② 선거가 다가오자 정부가 선심성 지역 개발 정책을 남발하고 있다.
③ 공무원의 금품 수수에 대한 처벌을 강화하자 처벌받는 공직자가 감소하고 있다.
④ 특정 이익 단체의 로비로 인해 해당 집단의 이익을 반영하는 정책이 만들어지고 있다.
⑤ 일정 기간 이상 고용하면 정규직으로 의무 전환하는 정책을 시행하였더니 기업들이 해당 기간 미만으로만 직원을 채용하고 있다.

경제 순환과 경제 성장

1 세계 속의 한국 경제

(1) 한국 경제의 변화

시기	내용
1960년대	• 수출 주도형 성장 우선 정책 시행 • 노동 집약적 경공업이 성장을 주도함.
1970년대	• 자본 집약적인 중화학 공업 중심의 산업 구조로 전환됨. • 대외 지향적 공업화의 추진 → 수출 규모 증가 • 석유 파동으로 경제적 타격을 받음. • 경제적 불균형 문제 발생(중소기업의 위축 등)
1980년대	• 선진국의 기술 보호주의에 대응하여 기업들이 본격적으로 연구 및 개발 시작 • 삼저 호황으로 대규모의 무역 흑자 발생, 첨단 산업의 발전, 물가 안정 속의 고도 성장 지속
1990년대 이후	• 외환 위기(1997년): 마이너스 성장과 높은 실업률, IMF 구제 금융 • 세계 금융 위기(2007년~2008년): 경기 침체 초래

(2) 세계 속의 한국 경제

① 경제적 위상 상승: 지속적인 성장으로 경제 규모와 1인당 국민 소득 증가, 원조 받던 국가에서 원조하는 국가로 전환

② 세계의 주요 교역국으로 부상

2 국민 경제의 순환과 국민 소득

(1) 국민 경제의 순환

① 의미: 가계, 기업, 정부, 외국으로 구성된 국민 경제에서 실물과 화폐의 흐름이 순환하는 것

② 국민 경제의 순환도

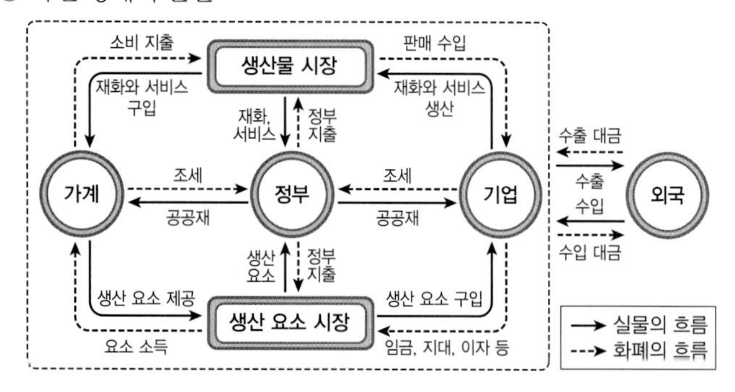

(2) 국민 소득 3면 등가의 법칙

① 의미: 국민 소득은 생산, 분배, 지출 중 어느 측면에서 측정하더라도 동일함.

② 국민 소득의 세 측면

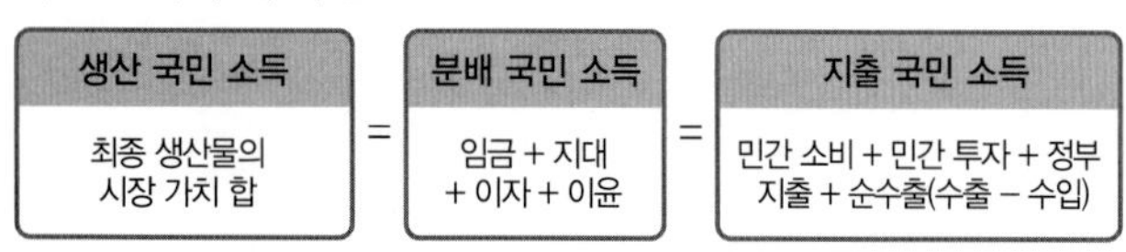

3 국내 총생산(GDP, Gross Domestic Product)

(1) 의미: 일정 기간 동안 한 나라 안에서 생산된 모든 최종 생산물의 시장 가치의 합(생산 국민 소득을 나타내는 지표의 일종임.)

(2) GDP를 계산하는 세 가지 방법

① 최종 생산물의 시장 가치 합

② 총생산물의 시장 가치 합−중간 생산물의 시장 가치 합

③ 각 생산 단계에서 창출된 부가 가치의 합

(3) 유용성: 한 나라 경제의 전반적인 생산 수준을 측정하는 지표

(4) 한계: 경제적 후생 지표로서의 한계

① 시장에서 거래되는 재화와 서비스의 시장 가치만 포함

② 생산 활동으로 창출된 재화와 서비스의 시장 가치만 포함

③ 재화와 서비스의 품질 변화를 완벽하게 측정하지는 못함.

④ 삶의 질을 정확하게 반영하지 못함.

(5) 1인당 국내 총생산과 1인당 국민 총소득

① 1인당 국내 총생산(1인당 GDP): 국내 총생산을 인구로 나눈 값

② 1인당 국민 총소득(1인당 GNI): 국민 총소득을 인구로 나눈 값

(6) 명목 GDP와 실질 GDP

① 명목 GDP: 해당 연도의 가격으로 계산한 GDP

② 실질 GDP: 기준 연도의 가격으로 계산한 GDP

③ GDP 디플레이터: 국내에서 생산된 모든 재화와 서비스의 종합적인 가격 수준을 지수화한 것

$$\text{GDP 디플레이터} = \frac{\text{명목 GDP}}{\text{실질 GDP}} \times 100$$

4 경제 성장

(1) 의미: 국민 경제의 총체적인 생산 수준이 지속적으로 높아지는 것, 국민 경제에서 새로이 창출된 부가 가치가 증가하는 것, 경제 규모의 양적 확대

(2) 필요성: 일자리 제공, 생활 수준 향상

(3) 경제 성장률

① 의미: 국민 경제의 실질적인 성장 속도

② 측정 방법: 실질 GDP의 증가율

$$\text{경제 성장률(\%)} = \frac{\text{금년도의 실질 GDP} - \text{전년도의 실질 GDP}}{\text{전년도의 실질 GDP}} \times 100$$

(4) 경제 성장의 요인

① 경제적 요인

• 생산 요소의 양적 증가: 생산에 투입되는 노동, 자본, 자연 자원의 양을 늘리면 생산량이 증가함.

• 생산 요소의 질적 향상: 인적 자본에 대한 투자로 기술이 발전하면 노동의 생산성이 높아짐.

② 경제 외적 요인: 기업가 정신, 사회 제도, 노사 관계, 경제 의지 등

01

▸ 24064-0071

〈자료 1〉은 신문 기사 중 일부이며, 〈자료 2〉는 국민 경제의 순환에서 화폐의 흐름을 나타낸다. 이에 대한 설명으로 옳은 것은? (단, A~C는 각각 가계, 기업, 정부 중 하나임.)

〈자료 1〉

○○신문

반도체, 디스플레이, 2차 전지 등 첨단 산업 육성을 위해 A가 대규모 예산을 투입하고 법인세 감면 등 관련 정책을 재정비함에 따라 B가 투자를 큰 폭으로 늘려 고용이 증가하였고, 그 결과 C의 소득이 증가하였다.

〈자료 2〉

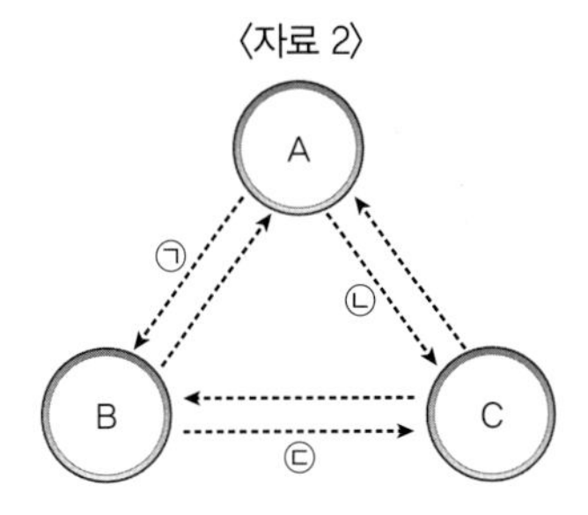

① A는 생산 활동의 주체, B는 소비 활동의 주체이다.
② C는 생산 요소 시장의 수요자이다.
③ ㉠의 감소는 B의 이윤 증가 요인이다.
④ 가계가 납부한 소득세는 ㉡에 해당한다.
⑤ ㉢은 분배 국민 소득에 포함된다.

02

▸ 24064-0072

다음 자료에 대한 분석으로 옳은 것은?

표는 ㉠갑국의 명목 GDP를 구성하는 지출 항목별 비중의 변화를 나타낸다. 단, 전년 대비 2023년에 갑국의 명목 GDP 증가율은 10%이다.

(단위: %)

구분	2022년	2023년
㉡소비 지출	55	60
㉢투자 지출	20	20
순수출	15	10
정부 지출		

① 갑국 기업의 원자재 수입은 ㉠의 감소 요인이다.
② 갑국 기업이 국내에서 사무용으로 구입한 컴퓨터는 ㉡에 포함된다.
③ 외국 기업이 갑국에 공장을 설립한 것은 ㉢에 포함되지 않는다.
④ 2022년 대비 2023년에 갑국의 수출액은 감소하였다.
⑤ 2022년 대비 2023년에 정부 지출은 순수출과 달리 증가하였다.

03

▶ 24064-0073

다음 자료에 대한 옳은 설명만을 〈보기〉에서 고른 것은? (단, A, B는 각각 국민 총소득, 국내 총생산 중 하나임.)

표는 갑국 관련 경제 활동 사례 (가)~(다)와 A, B 간 관계를 나타낸다. A는 갑국 국경 안에서 생산된 최종 생산물의 생산 총액을 나타내는 지표이며, B는 갑국 국민이 국내는 물론 국외에서 생산 활동에 참여한 대가로 벌어들인 소득 총액을 나타내는 지표이다.

사례	A	B
(가)	포함됨.	포함되지 않음.
(나)	포함됨.	포함됨.
(다)	포함되지 않음.	포함됨.

보기

ㄱ. 해외 프로 리그에서 활약하는 갑국 운동 선수의 연봉은 (가)에 해당한다.
ㄴ. 갑국 국민이 갑국에서 벌어들인 소득은 (나)에 해당한다.
ㄷ. 갑국에 진출한 외국 기업이 갑국에서 생산한 최종 생산물의 가치는 (다)에 해당한다.
ㄹ. 갑국 국민이 해외에서 받은 소득이 갑국 내 외국인에게 지급한 소득보다 크면 갑국의 B는 A보다 크다.

① ㄱ, ㄴ ② ㄱ, ㄷ ③ ㄴ, ㄷ ④ ㄴ, ㄹ ⑤ ㄷ, ㄹ

04

▶ 24064-0074

다음 자료에 대한 분석으로 옳은 것은?

그림은 2023년 갑국~병국의 최종 생산물에 대해 각국의 경제 주체가 소비 또는 투자 목적으로 지출한 금액 전부를 나타낸다. 단, 갑국~병국은 상호 간에만 무역을 하며, 갑국~병국 모두 정부 지출은 없다.

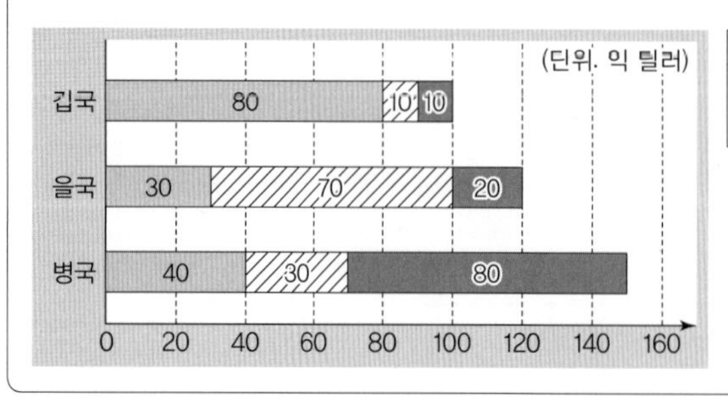

① 2023년 GDP는 갑국이 병국보다 작다.
② '수출액 + 수입액'은 갑국이 을국보다 작다.
③ 병국은 을국과 달리 순수출이 음(−)의 값이다.
④ 을국의 2023년 GDP는 100억 달러를 넘지 않는다.
⑤ 2023년 GDP에서 수출이 차지하는 비중은 갑국이 가장 크다.

05

▸24064-0075

교사의 질문에 대한 학생의 옳은 답변만을 〈보기〉에서 고른 것은?

(가) 태풍으로 인한 피해가 발생한 경우 그로 인해 감소한 후생 수준은 국내 총생산의 계산에 포함되지 않고, 피해 복구를 위한 건설 장비, 생활필수품 및 각종 기자재 구입은 국내 총생산의 계산에 포함된다.

(나) 태풍 피해 지역에서 활동하는 자원 봉사자의 노동은 국내 총생산의 계산에 포함되지 않고, 해당 지역에서 급여를 받고 복구 작업을 하는 사람의 노동은 국내 총생산의 계산에 포함된다.

보기

갑: (가)를 통해 국내 총생산은 국민들의 삶의 질을 정확히 측정하지 못함을 알 수 있습니다.
을: (가)를 통해 국내 총생산은 중간 생산물의 가치를 정확히 측정하지 못함을 알 수 있습니다.
병: (나)를 통해 국내 총생산은 시장에서 이루어진 거래만을 반영함을 알 수 있습니다.
정: (나)를 통해 국내 총생산은 재화와 서비스의 품질 변화를 측정하지 못함을 알 수 있습니다.

① 갑, 을 ② 갑, 병 ③ 을, 병 ④ 을, 정 ⑤ 병, 정

06

▸24064-0076

다음 자료에 대한 옳은 설명만을 〈보기〉에서 고른 것은?

표는 갑국의 연도별 명목 GDP와 기준 연도가 t−2년일 경우의 실질 GDP를 나타낸다. 최근 갑국은 기준 연도를 t−2년에서 t년으로 변경하면서 ㉠t−2년 가격을 기준으로 계산하던 연도별 실질 GDP를 ㉡t년 가격을 기준으로 계산하였다. 단, t−2년 대비 t−1년에 물가 수준은 상승하였고, t−2년 대비 t년에 명목 GDP는 20% 증가하였다. 또한 물가 수준은 GDP 디플레이터로 측정한다.

(단위: 억 달러)

구분	t−1년	t년
명목 GDP	110	120
기준 연도가 t−2년일 경우의 실질 GDP		110

* 음영 처리(▒)는 해당 내용을 표기하지 않은 것을 나타냄.

보기

ㄱ. t년의 경제 성장률은 양(+)의 값이다.
ㄴ. ㉠의 경우 t−1년의 GDP 디플레이터는 100보다 크다.
ㄷ. ㉠의 경우 t−2년의 실질 GDP는 100억 달러보다 작다.
ㄹ. t년의 GDP 디플레이터는 ㉡의 경우가 ㉠의 경우보다 크다.

① ㄱ, ㄴ ② ㄱ, ㄷ ③ ㄴ, ㄷ ④ ㄴ, ㄹ ⑤ ㄷ, ㄹ

07

▸ 24064-0077

다음 자료에 대한 설명으로 옳은 것은?

그림의 A, B는 연도별 갑국의 실질 GDP와 GDP 디플레이터 중 하나를 나타낸다. 단, 기준 연도는 2022년이고, 물가 수준은 GDP 디플레이터로 측정한다. 또한 갑국의 총수요 곡선은 우하향하고 총공급 곡선은 우상향한다.

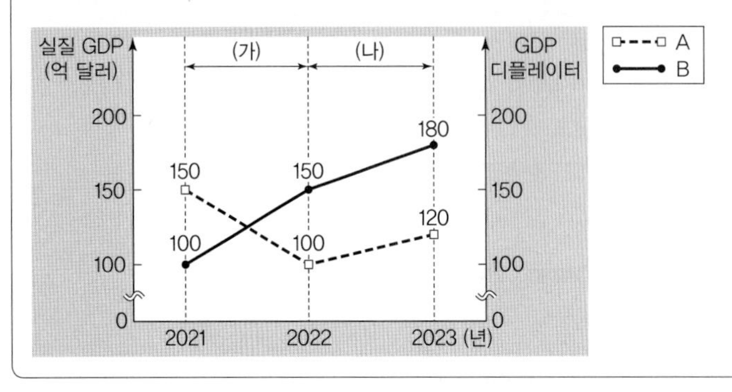

① 경제 성장률은 2022년이 2023년보다 낮다.
② 명목 GDP 증가율은 2023년이 2022년보다 높다.
③ '명목 GDP－실질 GDP'는 2023년이 2021년보다 크다.
④ (가) 기간의 변화 요인으로는 수입 원자재 가격 상승을 들 수 있다.
⑤ (나) 기간의 변화 요인으로는 소비 지출 감소를 들 수 있다.

08

▸ 24064-0078

다음 자료에 대한 옳은 분석만을 <보기>에서 있는 대로 고른 것은?

표는 2023년 갑국 내에서 이루어진 생산 활동에 관한 정보를 나타낸다. 단, 갑국 내 기업은 X재만을 생산하는 A 기업, Y재만을 생산하는 B 기업, Z재만을 생산하는 C 기업만 존재하며, 갑국의 순수출은 400억 달러로 국내 총생산의 10%이다.

구분	A 기업	B 기업	C 기업
생산 활동	중간재 없이 X재를 생산하며, 생산한 X재는 개당 ㉠ 달러에 모두 갑국 내에서 판매됨.	해외로부터 수입한 재화만을 중간재로 사용하여 Y재를 생산하며, 생산한 Y재는 개당 ㉡ 달러에 모두 갑국 내에서 판매되었고, 그중 일부는 Z재 생산의 중간재로 사용됨.	B 기업으로부터 구입한 Y재만을 중간재로 사용하여 Z재를 생산하며, 개당 ㉢ 달러에 Z재 생산량의 30%는 해외로 수출하고, 나머지는 전량 갑국 내에서 판매됨.
생산량(억 개)	250	400	200
중간재 구입 비용(억 달러)	0	200	400
창출한 부가 가치(억 달러)	1,000		

보기

ㄱ. ㉠과 ㉡의 합은 ㉢과 같다.
ㄴ. 갑국의 수출액은 600억 달러이다.
ㄷ. 갑국의 국내 총생산은 4,000억 달러이다.
ㄹ. B 기업이 창출한 부가 가치는 C 기업이 창출한 부가 가치보다 작다.

① ㄱ, ㄴ ② ㄱ, ㄹ ③ ㄷ, ㄹ ④ ㄱ, ㄴ, ㄷ ⑤ ㄴ, ㄷ, ㄹ

09

▸24064-0079

다음 자료에 대한 분석 및 추론으로 옳은 것은?

표는 갑국의 전년 대비 A와 B 증가율 및 인구 증가율을 나타낸다. A, B는 각각 명목 GDP와 실질 GDP 중 하나이고, 갑국의 2021년 물가 수준은 전년보다 상승하였다. 단, 물가 수준은 GDP 디플레이터로 측정하며, 기준 연도는 2020년이다.

(단위: 전년 대비, %)

구분	2021년	2022년	2023년
A 증가율	3	2	3
B 증가율	5	−5	㉠
인구 증가율	3	3	3

① 실질 GDP는 2021년이 2022년보다 크다.
② 2022년에 GDP 디플레이터는 100보다 크다.
③ GDP 디플레이터는 '(A/B) × 100'으로 구한다.
④ ㉠이 3보다 크면 1인당 명목 GDP는 2023년이 2022년보다 크다.
⑤ ㉠이 3보다 작으면 2023년의 전년 대비 물가 상승률은 양(+)의 값이다.

10

▸24064-0080

다음 자료에 대한 옳은 설명만을 〈보기〉에서 있는 대로 고른 것은? (단, 물가 수준은 GDP 디플레이터로 측정함.)

〈경제 수행 평가〉

[활동 방법]
• 각자 카드를 한 장씩 고르세요. 카드에는 명목 GDP와 물가 수준의 변동 방향이 적혀 있습니다.
• 전년 대비 2023년 ○○국의 물가 수준과 명목 GDP가 선택한 카드에 적힌 내용처럼 변동할 경우 그에 따른 경제 성장률의 값을 '양(+)의 값', '음(−)의 값', '영(0)' 중 하나를 골라 응답하세요.

[학생 갑~정의 활동 내용]

구분	선택한 카드에 적힌 내용	경제 성장률
갑	(가)	양(+)의 값
을	(나)	음(−)의 값
병	명목 GDP 감소, 물가 수준 불변	(다)
정	명목 GDP 증가, 물가 수준 하락	(라)

[교사의 평가] 갑~정은 모두 옳게 응답하였습니다.

보기
ㄱ. (가)에는 '명목 GDP 증가, 물가 수준 불변'이 들어갈 수 있다.
ㄴ. (나)에는 '명목 GDP 불변, 물가 수준 하락'이 들어갈 수 없다.
ㄷ. (다)에는 '음(−)의 값'이 적절하다.
ㄹ. (라)에는 '양(+)의 값'이 적절하지 않다.

① ㄱ, ㄴ ② ㄱ, ㄹ ③ ㄷ, ㄹ ④ ㄱ, ㄴ, ㄷ ⑤ ㄴ, ㄷ, ㄹ

실업과 인플레이션

1 실업

(1) 의미

① 일할 능력과 의사가 있음에도 불구하고 일자리를 가지지 못한 상태

② 노동 시장에서 노동의 초과 공급 상태

(2) 유형

① 자발적 실업과 비자발적 실업

구분	의미	유형
자발적 실업	근로 조건 등의 이유로 스스로 일을 하지 않음으로써 발생하는 실업	마찰적 실업
비자발적 실업	일할 의사가 있으나 일자리가 없어 발생하는 실업	경기적 실업, 계절적 실업, 구조적 실업

② 발생 원인별 실업의 분류

구분	발생 원인	대책
경기적 실업	불황으로 인한 노동 수요의 부족	경기 부양책, 공공 사업 등
계절적 실업	계절적 요인으로 발생(레저 산업, 건설업, 농업 등)	농공 단지 조성 등
구조적 실업	산업 구조의 고도화, 기술 혁신에 의해 대체되는 낡은 기술을 보유한 기능 인력에 대한 수요 감소	인력 개발, 기술 교육 등
마찰적 실업	직업 탐색 과정에서 일시적으로 발생	취업 정보 제공 등

(3) 영향

① 개인적 측면: 소득 감소로 인한 생계 유지 곤란, 자아실현의 기회 상실, 사회적 관계 단절 등

② 사회적 측면: 노동력의 낭비, 소득 분배 상황의 악화, 사회적 불안과 빈곤 문제 야기 등

2 고용 지표

(1) 인구의 구성

<table>
<tr><td colspan="4">전체 인구</td></tr>
<tr><td colspan="3">15세 이상 인구</td><td>15세 미만 인구</td></tr>
<tr><td colspan="2">경제 활동 인구</td><td>비경제 활동 인구</td><td></td></tr>
<tr><td>취업자</td><td>실업자</td><td></td><td></td></tr>
</table>

① 15세 이상 인구: 노동이 가능한 인구로, 경제 활동 인구와 비경제 활동 인구로 구성

② 경제 활동 인구: 15세 이상 인구 중 일할 능력과 의사가 있는 사람

③ 비경제 활동 인구: 15세 이상 인구 중 경제 활동 인구가 아닌 사람

④ 취업자: 경제 활동 인구 중 수입이 있는 일에 종사하는 사람

⑤ 실업자: 경제 활동 인구 중 취업을 하기 위해 구직 활동 중에 있는 사람

(2) 경제 활동 인구의 조사

① 의의: 고용 정책 입안 및 평가, 경제 분석 등에 활용되는 경제 활동 인구, 취업자 수, 실업자 수 등 고용 관련 통계를 제공함.

② 각종 고용 지표

구분	계산
경제 활동 참가율(%)	(경제 활동 인구/15세 이상 인구)×100(%)
실업률(%)	(실업자 수/경제 활동 인구)×100(%)
고용률(%)	(취업자 수/15세 이상 인구)×100(%)

③ 경제 활동 인구의 조사 방법

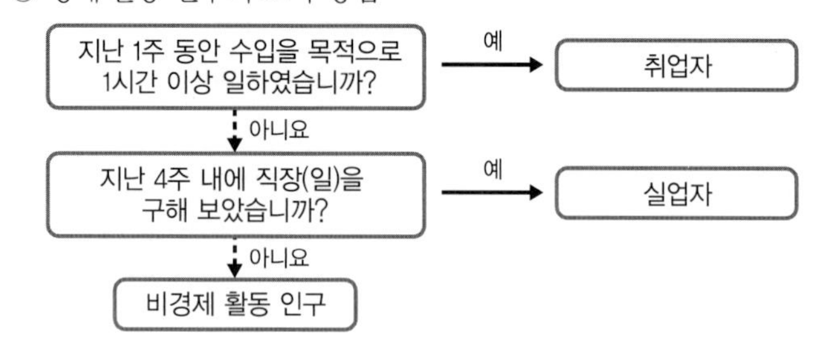

3 물가와 물가 지수

(1) 가격과 물가

① 가격: 개별 재화와 서비스의 가치를 화폐 단위로 표시한 것

② 물가: 재화와 서비스의 가격을 일정한 기준에 따라 평균한 종합적인 가격 수준

(2) 물가 지수와 물가 상승률

① 물가 지수의 의미: 물가의 움직임을 알기 쉽게 지수화한 경제 지표

② 물가 지수의 표시 방법: 기준 시점의 물가를 100으로 설정한 다음, 비교 시점의 물가가 변동한 정도를 표시함.

$$\text{물가 지수} = \frac{\text{비교 시점의 물가 수준}}{\text{기준 시점의 물가 수준}} \times 100$$

③ 물가 상승률

전년(월) 대비 물가 상승률(%)

$$= \frac{\text{금년(월) 물가 지수} - \text{전년(월) 물가 지수}}{\text{전년(월) 물가 지수}} \times 100$$

(3) 물가 지수의 종류

① 소비자 물가 지수: 가계가 일상생활을 영위하기 위해 구입하는 재화와 서비스의 종합적인 가격 수준을 측정하여 지수화한 것

② 생산자 물가 지수: 국내 생산자가 국내(내수) 시장에 공급하는 재화와 서비스의 종합적인 가격 수준을 측정하여 지수화한 것

③ GDP 디플레이터
- 의미: GDP에 포함되는 모든 재화와 서비스의 종합적인 가격 수준을 지수화한 것
- 계산 방법: (명목 GDP/실질 GDP)×100

(4) 물가 지수의 활용
① 화폐의 구매력을 측정할 수 있는 수단: 물가가 상승하면 화폐의 구매력은 하락하고, 물가가 하락하면 화폐의 구매력은 상승함.
② 경기 동향의 판단 지표 역할: 일반적으로 경기가 좋아지면 물가가 상승하고, 경기가 나빠지면 물가가 하락함.
③ 전반적인 재화와 서비스의 수급 동향을 판단할 수 있는 정보 제공: 물가가 상승하는 것은 수요 과잉·공급 부족을, 물가가 하락하는 것은 수요 부족·공급 과잉을 나타냄.

4 인플레이션

(1) 의미: 물가가 지속적으로 상승하는 현상

(2) 유형
① 수요 견인 인플레이션
- 의미: 총수요의 증가로 인해 발생하는 인플레이션
- 원인: 민간 소비의 증가, 민간 투자의 증가, 정부 지출의 증가, 순수출의 증가 등 총수요 증가
- 특징: 주로 경기 호황기에 나타나며, 총수요 곡선의 우측 이동으로 물가 수준이 상승하고 실질 GDP가 증가함.

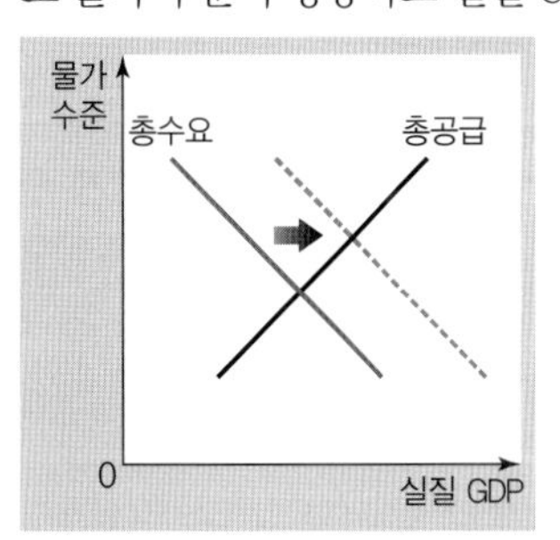

- 대책: 총수요를 감소시키는 재정 정책이나 통화 정책 등

② 비용 인상 인플레이션
- 의미: 생산비의 상승으로 인해 총공급이 감소하여 발생하는 인플레이션
- 원인: 원유와 같은 원자재 가격 상승 등 생산비 증가
- 특징: 총공급 곡선의 좌측 이동으로 물가 수준이 상승하고 실질 GDP가 감소함 → 경기 침체 속의 물가 상승이 나타나는 스태그플레이션이 발생할 수 있음.(예 1970년대 석유 파동을 계기로 스태그플레이션이 발생하였음.)

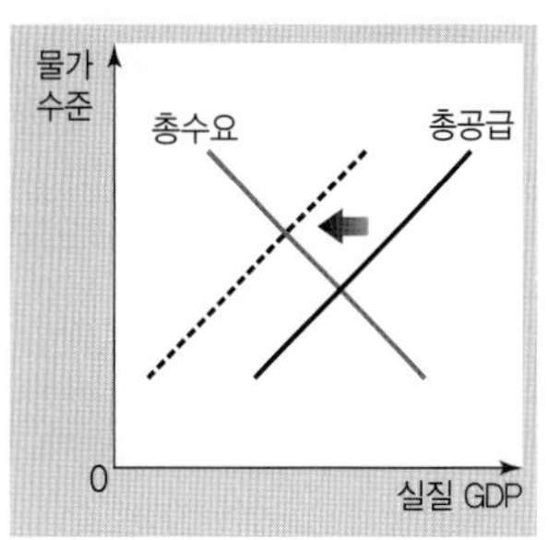

- 대책: 총공급을 증가시키기 위한 생산비 감소나 기술 진보 등

(3) 인플레이션의 부정적인 영향
① 소득과 부의 의도하지 않은 재분배

불리한 경제 주체	화폐 자산 소유자, 채권자, 연금 생활자 등
유리한 경제 주체	실물 자산 소유자, 채무자, 자영업자 등

② 인플레이션 예측의 어려움으로 인한 문제
- 투자 및 생산 활동이 위축되기 쉬움.
- 장기적인 투자 감소와 단기적 수익을 노리는 투기 성행 우려
- 실질 소득의 감소로 인해 저축이 감소하여 국민 경제의 자본 축적을 저해할 수 있음.
- 실질 임금을 하락시켜 근로자의 근로 의욕이 저하될 수 있음.

③ 경상 수지 악화
- 국내 상품 가격의 상승으로 수출 감소
- 외국 상품 가격의 상대적 하락으로 수입 증가

(4) 인플레이션 유형에 따른 대책
① 수요 견인 인플레이션
- 긴축 재정 정책: 조세 징수 증대, 정부 지출 축소
- 긴축 통화 정책: 통화량 감축, 이자율 인상
- 경제 주체의 절약: 가계의 과소비 억제, 불필요한 중복 투자와 투기 억제

② 비용 인상 인플레이션
- 기술 혁신이나 경영 혁신을 통한 기업의 비용 절감
- 임금의 과도한 상승 억제
- 에너지 가격과 부동산 임대료 등의 상승 억제

자료와 친해지기  장바구니 물가 지수

정부는 실생활에서 접하는 체감 물가를 알아보기 위해 장바구니 물가 지수를 발표한다. 장바구니 물가 지수의 공식 명칭은 생활 물가 지수이다. 통계청은 1998년부터 소비자 물가 지수에 포함해 생활 물가 지수를 발표한다. 생활 물가 지수는 소비자들이 장바구니에 주로 담는 품목들의 가격 움직임을 나타낸다. 소비자들이 일상생활에서 자주 구입하는 생활필수품의 일부 품목을 대상으로 매달 가격 변화를 조사하여 발표한다. 조사 대상 품목은 각 가계에서 소득 변화에 상관없이 사는 식료품과 생활필수품, 지출 비중이 높아 가격 변동을 바로 알 수 있는 의류비와 교육비 등이 포함되지만, 텔레비전, 냉장고, 가구처럼 한번 사면 오래 쓰는 내구 소비재 등은 품목에서 제외한다.

01

▸ 24064-0081

그림은 갑국 뉴스의 한 장면이다. 빈칸 (가)에 들어갈 수 있는 내용으로 옳은 것은? (단, 15세 이상 인구는 변함이 없음.)

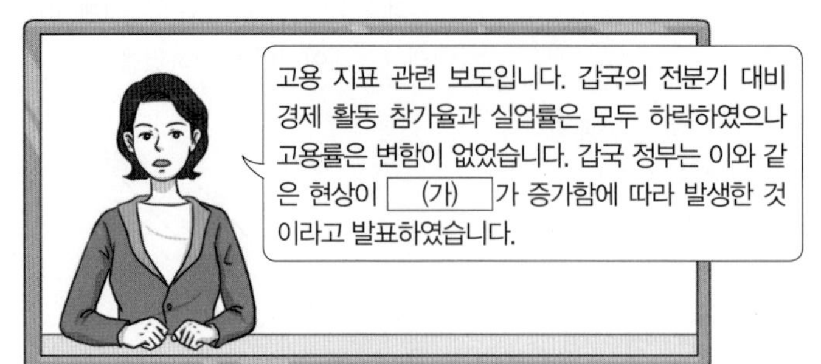

① 전업주부가 일자리를 얻은 경우
② 직장인이 더 나은 조건의 직장으로 옮긴 경우
③ 일자리가 없어 구직 활동을 하던 사람이 구직 활동을 포기한 경우
④ 직장인이 직장을 그만두고 대학에 진학하여 학업에 전념하는 경우
⑤ 구직 단념자가 마음을 바꿔 구직 활동을 했으나 일자리를 얻지 못한 경우

02

▸ 24064-0082

다음 자료에 대한 분석으로 옳은 것은?

그림은 갑국의 A~C에 해당하는 인구의 비율 변화를 나타낸다. 단, A~C는 각각 취업자, 실업자, 비경제 활동 인구 중 하나이며, A에 해당하는 인구를 알지 못하더라도 B와 C에 해당하는 인구를 알면 실업률을 파악할 수 있다. 또한 15세 이상 인구는 매년 증가하였으며, 모든 시기에 취업자 수가 실업자 수보다 많다.

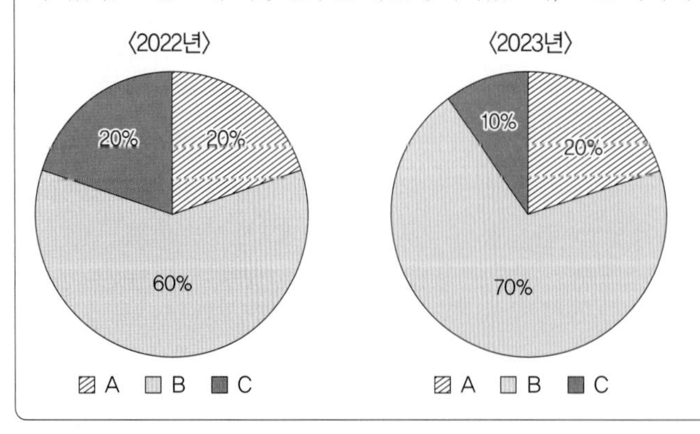

① 구직 단념자는 C에 해당한다.
② A는 B와 달리 경제 활동 인구에 해당한다.
③ 2022년에 고용률은 실업률의 2배를 넘지 않는다.
④ 경제 활동 참가율은 2023년이 2022년보다 높다.
⑤ '취업자 수－실업자 수'는 2023년이 2022년의 1.5배를 넘는다.

03

▸ 24064-0083

다음 자료에 대한 설명으로 옳은 것은? (단, A∼C는 각각 경기적 실업, 마찰적 실업, 구조적 실업 중 하나임.)

〈경제 수업 활동〉

[수업 주제] 실업의 유형 A~C의 특징 이해

[활동 방법]

• 활동의 참가자는 말을 하나씩 가지고 움직이며, 말은 〈질문 1〉에서부터 출발한다.

• 질문이 있는 칸에 말이 도착한 경우 해당 질문에 대한 옳은 응답이 '예'라면 두 칸, '아니요'라면 한 칸 앞으로 말을 이동시키며, 1~5 중 하나의 지점에 말이 도착한 경우 말은 이동하지 않고 활동이 종료된다.

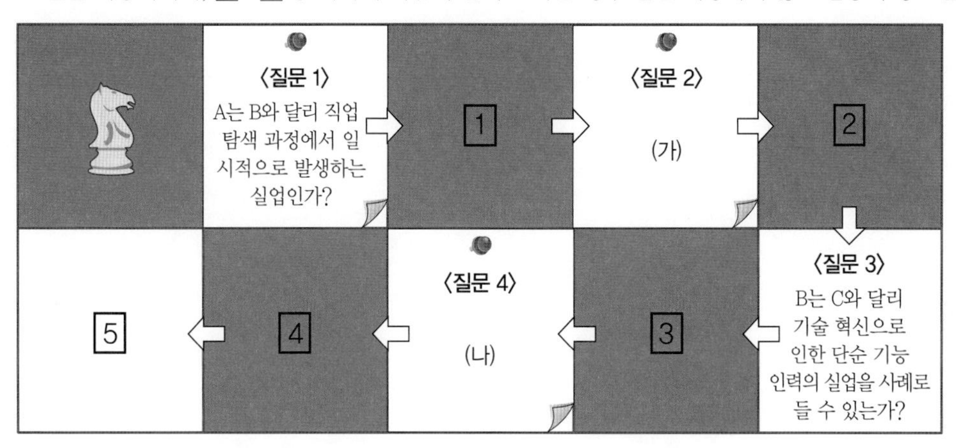

[활동 결과] 〈질문 1〉에서 출발한 말이 4 지점에 도착하여 활동이 종료되었다.

① A는 국민 경제의 총체적인 활동 수준 하락으로 노동에 대한 수요가 감소하여 발생한다.

② C의 해결책으로는 긴축 재정 정책의 실시를 들 수 있다.

③ B, C는 A와 달리 실업자 본인의 의지와는 상관없이 나타나는 실업에 해당한다.

④ (가)에는 'A는 B, C에 비해 장기화되는 특징이 있는가?'가 들어갈 수 있다.

⑤ (나)에는 'B는 A와 달리 경기 호황기에는 발생하지 않는가?'가 들어갈 수 없다.

04

▸ 24064-0084

그림은 갑국 고용 관련 인구의 전기 대비 증가율을 나타낸다. 이에 대한 옳은 분석만을 〈보기〉에서 고른 것은?

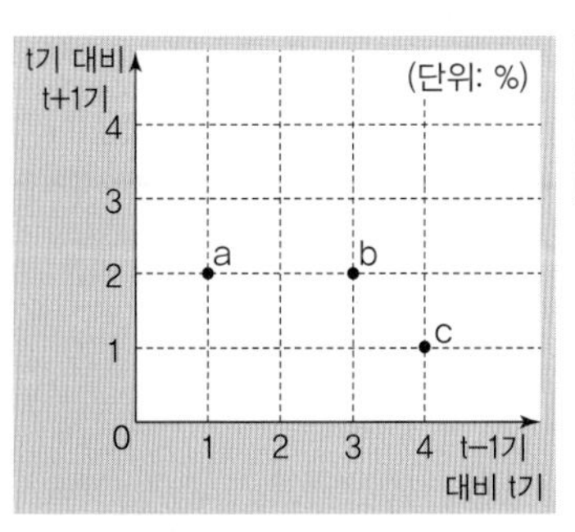

a: 취업자 수 증가율
b: 15세 이상 인구 증가율
c: 경제 활동 인구 증가율

보기

ㄱ. 실업률은 t−1기가 t기보다 낮다.

ㄴ. 고용률은 t−1기가 t+1기보다 높다.

ㄷ. 경제 활동 참가율은 t기가 t+1기보다 낮다.

ㄹ. '취업자 수/실업자 수'는 t+1기가 t기보다 작다.

① ㄱ, ㄴ ② ㄱ, ㄷ ③ ㄴ, ㄷ ④ ㄴ, ㄹ ⑤ ㄷ, ㄹ

05

▸ 24064-0085

표는 갑국의 고용 지표 변화에 대한 A～C의 예측을 나타낸다. 이에 대한 옳은 설명만을 〈보기〉에서 있는 대로 고른 것은? (단, 15세 이상 인구는 변함이 없음.)

(단위: %)

구분	A의 예측	B의 예측	C의 예측
실업자 수 증가율	4	2	2
경제 활동 인구 증가율	2	2	3

보기
ㄱ. A의 예측이 옳을 경우 '비경제 활동 인구/실업자 수'는 하락한다.
ㄴ. B의 예측이 옳을 경우 실업률은 경제 활동 참가율과 달리 변함이 없다.
ㄷ. C의 예측이 옳을 경우 '취업자 수/경제 활동 인구'는 하락한다.

① ㄱ ② ㄴ ③ ㄷ ④ ㄱ, ㄴ ⑤ ㄴ, ㄷ

06

▸ 24064-0086

그림은 갑국의 연도별 GDP 디플레이터를 나타낸다. 이에 대한 옳은 분석만을 〈보기〉에서 고른 것은? (단, 물가 수준은 GDP 디플레이터로 측정함.)

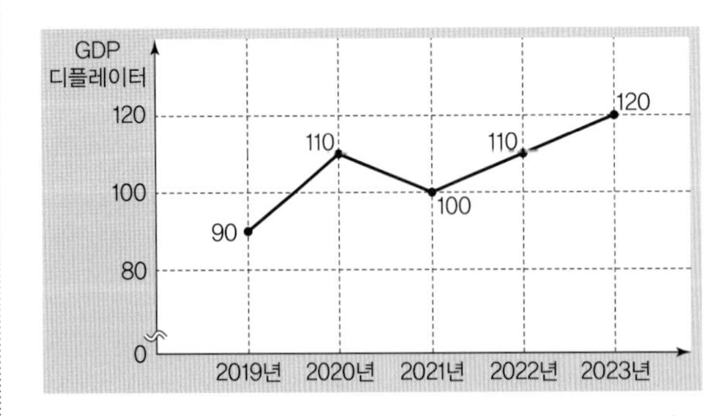

보기
ㄱ. 2019년에 실질 GDP는 명목 GDP보다 크다.
ㄴ. 전년 대비 물가 상승률은 2022년과 2023년이 같다.
ㄷ. 2020년과 2021년의 명목 GDP가 같다면, 2021년의 경제 성장률은 양(+)의 값을 가진다.
ㄹ. 2022년과 2023년의 실질 GDP가 같다면, 명목 GDP는 2022년이 2023년보다 크다.

① ㄱ, ㄴ ② ㄱ, ㄷ ③ ㄴ, ㄷ ④ ㄴ, ㄹ ⑤ ㄷ, ㄹ

07

▸ 24064-0087

다음 자료에 대한 설명으로 옳은 것은? (단, A~C는 각각 생산자 물가 지수, 소비자 물가 지수, GDP 디플레이터 중 하나임.)

그림은 갑국의 연도별 A~C의 변화를 나타낸다. A는 가계가 일상생활을 영위하기 위해 구입하는 재화와 서비스의 가격 변동을 파악하기 위해 작성하는 물가 지수이며, B는 기업이 생산 활동을 위해 구입하는 재화와 서비스의 가격 변동을 파악하기 위해 작성하는 물가 지수이다. 또한 C는 국내 총생산에 포함되는 모든 재화와 서비스의 종합적인 가격 수준을 지수화한 것으로, 실질 GDP와 명목 GDP 간의 비교를 통해 측정한다.

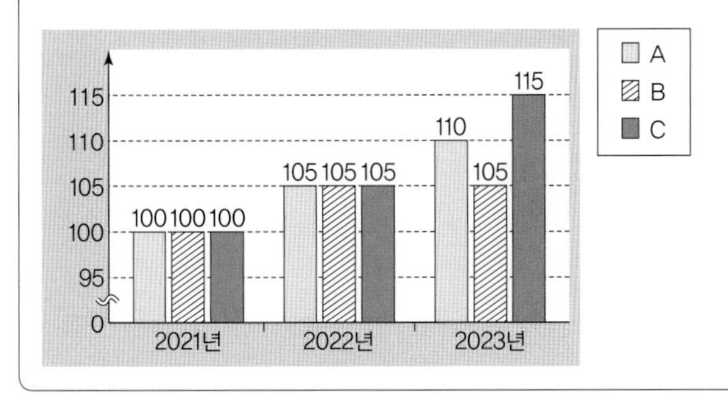

① B의 변화는 소비자 물가에 영향을 미치지 않는다.
② A는 B와 달리 수입품의 가격 변화를 반영하지 못한다.
③ C는 A보다 국민 경제 전체의 물가 수준을 파악하는 데 불리하다.
④ 전년 대비 생산자 물가 상승률은 2022년과 2023년이 같다.
⑤ 2023년에 전년 대비 소비자 물가 상승률은 전년 대비 GDP 디플레이터 상승률보다 낮다.

08

▸ 24064-0088

다음 자료에 대한 옳은 설명만을 〈보기〉에서 고른 것은?

〈경제 형성 평가〉

※ 표의 상황 A~D에 따른 전년 대비 2023년 갑국의 물가 변화를 답안에 작성하시오. (단, 답안에는 '물가 수준 상승', '물가 수준 변동 없음', '물가 수준 하락' 중 하나를 기재할 수 있으며, 갑국의 물가 수준은 GDP 디플레이터로 측정하고, 기준 연도는 2022년임.)

상황	전년 대비 2023년 갑국의 GDP 변동 양상	답안	채점 결과
A	명목 GDP는 감소하고 실질 GDP는 증가함.	(가)	1점
B	(나)	물가 수준 하락	0점
C	명목 GDP와 실질 GDP가 각각 같은 액수만큼 증가함.	물가 수준 상승	(다)
D	명목 GDP는 증가하고 실질 GDP는 감소함.	(라)	1점

* 답안 내용 1개당 옳으면 1점, 틀리면 0점을 부여함.

보기

ㄱ. (가)에 들어갈 물가 변동 양상은 화폐 자산 소유자에게 불리하게 작용한다.
ㄴ. (나)에는 '명목 GDP 증가율이 실질 GDP 증가율보다 큼.'이 들어갈 수 있다.
ㄷ. (다)에는 '0점'이 들어갈 수 있다.
ㄹ. (라)에 들어갈 물가 변동의 발생 요인으로는 수입 원자재 가격 하락을 들 수 있다.

① ㄱ, ㄴ ② ㄱ, ㄷ ③ ㄴ, ㄷ ④ ㄴ, ㄹ ⑤ ㄷ, ㄹ

09

▸ 24064-0089

다음 자료는 경제 수업 시간의 한 장면이다. 이에 대한 설명으로 옳은 것은? (단, A, B는 각각 비용 인상 인플레이션, 수요 견인 인플레이션 중 하나임.)

교사: A에 대해 발표해 보세요.
갑: 발생 요인으로 소비 지출 증가를 들 수 있습니다.
을: (가)
교사: B에 대해 발표해 보세요.
병: 스태그플레이션을 야기할 수 있습니다.
정: (나)
교사: 갑~정 중 ㉠세 사람만 옳게 발표하였습니다.

① A는 비용 인상 인플레이션이다.
② B는 총수요의 변동으로 인해 발생한다.
③ 을이 ㉠에 해당한다면, (가)에는 '발생 요인으로 유가 상승 등 생산비 증가를 들 수 있습니다.'가 들어갈 수 있다.
④ 정이 ㉠에 해당한다면, (나)에는 '총공급의 감소로 인해 발생합니다.'가 들어갈 수 있다.
⑤ (가)가 '주로 경기 호황기 때 나타납니다.'라면, (나)에는 '실질 GDP의 증가를 수반합니다.'가 들어갈 수 없다.

10

▸ 24064-0090

다음 자료에 대한 옳은 분석만을 〈보기〉에서 고른 것은?

t기의 경기 상황을 지켜 본 갑국 정부는 이를 개선하기 위해 ㉠재정 정책을 실시하였으나, 이에 따라 나타난 t+1기의 실제 지표는 정부의 목표치와 일부 달랐다. 표는 갑국의 시기별 경제 지표를 나타낸다. 단, '실질 이자율=명목 이자율−물가 상승률'이며, 물가 수준은 GDP 디플레이터로 측정한다. 또한 t기와 t+1기 모두 명목 이자율은 변함이 없다.

(단위: %)

구분	t기	t+1기	
		정부 목표치	실제 지표
전기 대비 명목 GDP 증가율	1	4	7
전기 대비 실질 GDP 증가율	1	3	3
실업률	7	2	2

보기

ㄱ. ㉠은 총수요 증가 요인이다.
ㄴ. 실질 이자율은 t기가 t+1기보다 높다.
ㄷ. t+1기에 정부의 목표치가 달성되었다면 물가 수준은 t기가 t+1기보다 높았을 것이다.
ㄹ. t기 대비 t+1기의 물가 변동은 화폐 자산 소유자보다 실물 자산 소유자에게 불리하게 작용한다.

① ㄱ, ㄴ ② ㄱ, ㄷ ③ ㄴ, ㄷ ④ ㄴ, ㄹ ⑤ ㄷ, ㄹ

THEME 10

경기 변동과 안정화 정책

1 총수요와 총공급

(1) 총수요

① 의미: 일정 기간 동안 국내에서 생산된 모든 재화와 서비스에 대한 수요

② 구성: 소비 지출+투자 지출+정부 지출+순수출(=수출−수입)

(2) 총공급: 국내의 생산자들이 일정 기간 동안 판매하고자 하는 재화와 서비스의 총합

(3) 총수요 곡선과 총공급 곡선

① 총수요 곡선: 국내 총생산물에 대한 수요량과 물가 수준 간의 관계를 나타낸 곡선 → 부(−)의 관계

② 총공급 곡선: 국내 총생산물의 공급량과 물가 수준 간의 관계를 나타낸 곡선 → 정(+)의 관계

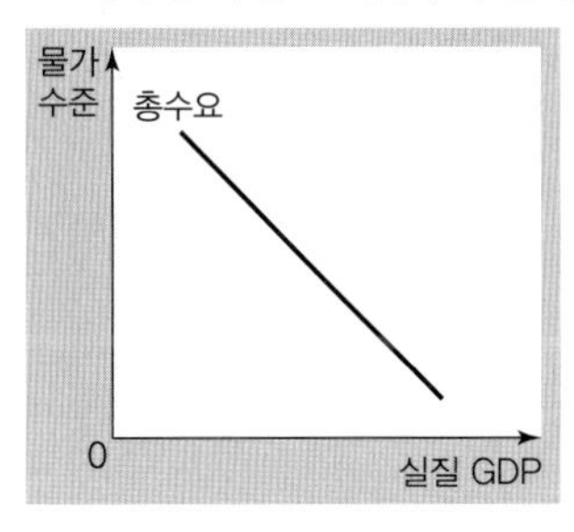

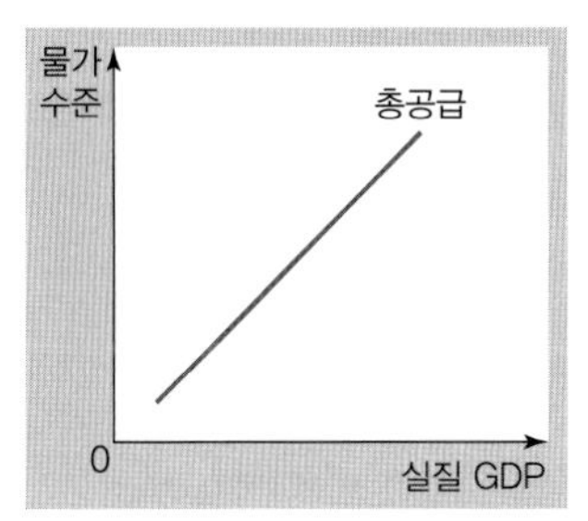

(4) 총수요와 총공급의 변동

① 총수요의 변동

구분	변동 원인	변동 방향
총수요 증가	소비 지출 증가, 투자 지출 증가, 정부 지출 증가, 순수출 증가	총수요 곡선의 우측 이동
총수요 감소	소비 지출 감소, 투자 지출 감소, 정부 지출 감소, 순수출 감소	총수요 곡선의 좌측 이동

② 총공급의 변동

구분	변동 원인	변동 방향
총공급 증가	생산 기술 향상, 원자재 가격의 하락, 생산 요소의 양 증가, 임금 하락 등	총공급 곡선의 우측 이동
총공급 감소	원자재 가격 상승, 생산 요소의 양 감소, 임금 상승 등	총공급 곡선의 좌측 이동

2 국민 경제의 균형과 변동

(1) 국민 경제의 균형

① 의미: 총수요와 총공급이 일치하는 상태

② 총수요와 총공급이 일치하는 지점에서 균형 물가 수준과 균형 국내 총생산이 도출됨.

(2) 국민 경제 균형의 변동

총수요 증가	총수요 감소

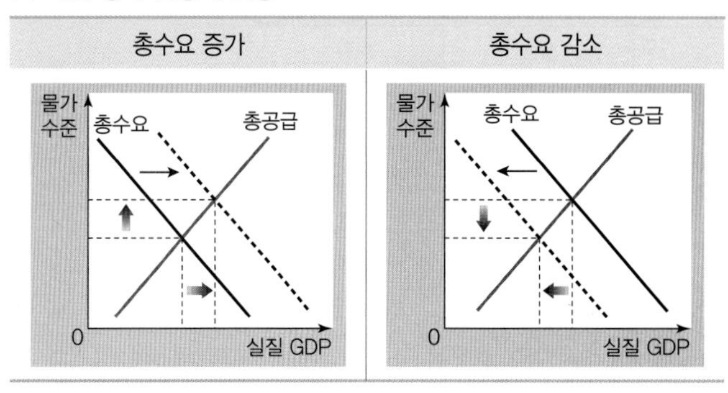

총공급 증가	총공급 감소

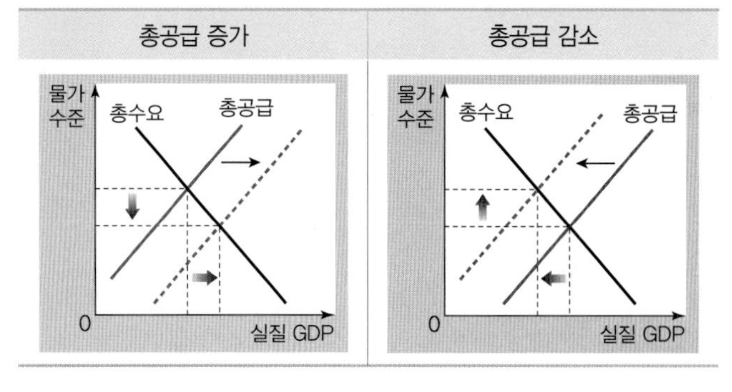

3 경기 변동

(1) 경기 변동

① 의미: 국민 경제의 총체적인 활동 수준이 장기 추세를 중심으로 상승과 하강을 반복하는 현상

② 원인: 총수요와 총공급의 변동

원인		경기 변동 결과
총수요	증가	생산 증가, 고용 증가, 국민 소득 증가, 물가 상승
	감소	생산 감소, 고용 감소, 국민 소득 감소, 물가 하락
총공급	증가	생산 증가, 고용 증가, 국민 소득 증가, 물가 하락
	감소	생산 감소, 고용 감소, 국민 소득 감소, 물가 상승

(2) 경기 순환

① 의미: 국민 경제의 총체적인 활동 수준이 확장기, 후퇴기, 수축기, 회복기의 네 국면으로 반복해서 나타나는 현상

② 경기 순환의 국면과 특징

국면	특징
확장기	소비, 생산, 고용, 국민 소득이 증가하고, 물가가 상승하는 등 경제 활동이 가장 활발함.
후퇴기	소비, 투자가 감소하고 재고가 증가하며, 물가 상승률이 하락함.
수축기	소비, 생산, 고용, 국민 소득이 감소하고, 물가가 하락하는 등 경제 활동이 가장 침체됨.
회복기	소비, 생산, 고용이 증가하고, 물가도 서서히 상승함.

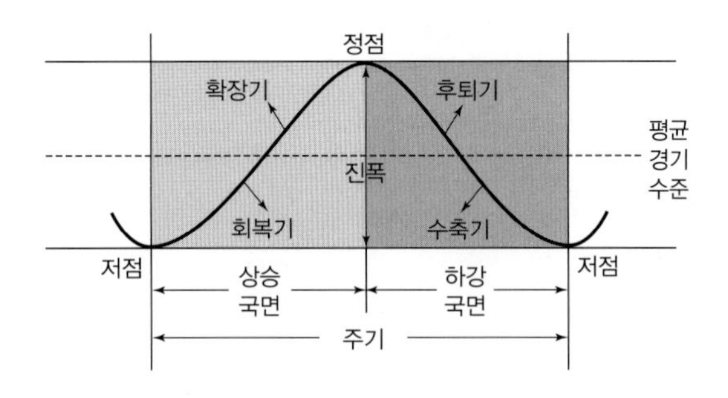

④ 경제 안정화 정책

(1) 의미: 정부나 중앙은행이 물가와 실업 문제를 해결하기 위해 정책 수단을 사용하는 것

(2) 종류

구분	재정 정책	통화 정책
주체	정부	중앙은행
내용	조세, 정부 지출의 변화	통화량, 이자율의 조정
유형	• 확대 재정 정책 • 긴축 재정 정책	• 확대 통화 정책 • 긴축 통화 정책

⑤ 재정 정책

(1) 의미: 정부가 조세나 정부 지출을 변화시켜 경기를 안정화하는 정책

(2) 정책 수단

① 조세

구분	효과
세율 인상	총수요 감소 → 경기 진정
세율 인하	총수요 증가 → 경기 부양

② 정부 지출

구분	효과
정부 지출 증가	총수요 증가 → 경기 부양
정부 지출 감소	총수요 감소 → 경기 진정

(3) 정책 유형

구분	긴축 재정 정책	확대 재정 정책
추진 시기	경기 과열 시	경기 침체 시
정책 목표	인플레이션 억제	실업률 하락
정책 수단	• 세율 인상 • 정부 지출 감소	• 세율 인하 • 정부 지출 증가
영향	경기 진정(물가 안정)	경기 부양(고용 증가, 물가 상승)

⑥ 통화 정책

(1) 의미: 중앙은행이 통화량이나 이자율 조정을 통해 경기를 안정화하는 정책

(2) 정책 수단

① 공개 시장 운영: 중앙은행이 국공채 등의 매각·매입을 통해 통화량이나 이자율을 조정하는 정책

구분	효과
국공채 매각	시중 자금의 흡수 → (통화량 감소, 이자율 상승) → 물가 안정
국공채 매입	시중에 자금 방출 → (통화량 증가, 이자율 하락) → 경기 부양

② 지급 준비 제도: 지급 준비금(은행이 예금자의 인출 요구에 대비하여 남겨 둬야 할 예금액의 일정 부분)의 비율인 지급 준비율의 조정을 통해 통화량이나 이자율을 조정하는 정책

구분	효과
지급 준비율 인상	시중 은행의 대출 가능 자금 감소 → (통화량 감소, 이자율 상승) → 물가 안정
지급 준비율 인하	시중 은행의 대출 가능 자금 증가 → (통화량 증가, 이자율 하락) → 경기 부양

③ 여·수신 제도: 중앙은행이 금융 기관을 상대로 대출을 해 주거나 예금을 받는 것을 통해 통화량이나 이자율을 조정함.

구분	효과
중앙은행의 대출 축소	시중 은행의 대출 가능 자금 감소 → (통화량 감소, 이자율 상승) → 물가 안정
중앙은행의 대출 확대	시중 은행의 대출 가능 자금 증가 → (통화량 증가, 이자율 하락) → 경기 부양

(3) 정책 유형

구분	긴축 통화 정책	확대 통화 정책
추진 시기	경기 과열 시	경기 침체 시
정책 목표	인플레이션 억제	실업률 하락
정책 수단	• 국공채 매각 • 지급 준비율 인상 • 중앙은행의 대출 축소	• 국공채 매입 • 지급 준비율 인하 • 중앙은행의 대출 확대
영향	경기 진정(물가 안정)	경기 부양(고용 증가, 물가 상승)

(4) 통화량의 변동이 경기에 미치는 영향

통화량 증가	생산 및 고용	이자율 하락 → 기업의 투자 지출 증가 → 경기 활성화에 따른 생산 및 고용 증대
	물가	물가 상승
통화량 감소	생산 및 고용	이자율 상승 → 기업의 투자 지출 감소 → 경기 위축에 따른 생산 및 고용 감소
	물가	물가 하락

정답과 해설 22쪽

01

▸ 24064-0091

(가), (나)가 동시에 발생할 경우 갑국 국민 경제의 균형점 E가 이동할 영역으로 옳은 것은?

> (가) 전 세계 전기차 시장에서 갑국 소재 A 기업이 생산하고 있는 전기차용 배터리에 대한 수요가 급증함에 따라 갑국의 순수출이 큰 폭으로 증가하였다.
> (나) 국제 에너지 시장의 가격이 하락함에 따라 생산에 필요한 에너지를 수입에 의존하던 갑국 기업들의 전반적인 생산 비용이 큰 폭으로 감소하였다.

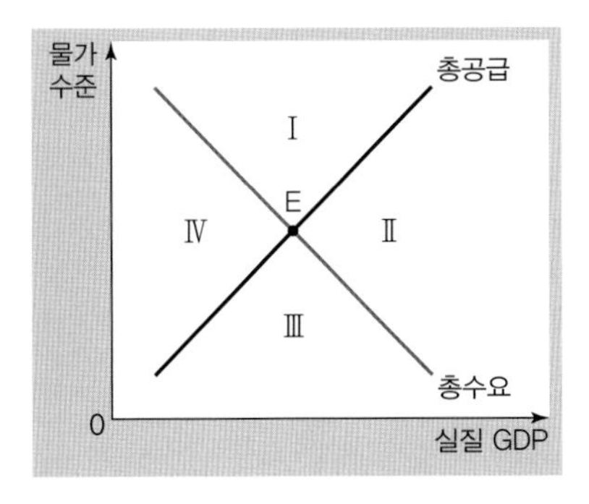

① Ⅰ　② Ⅱ　③ Ⅲ　④ Ⅳ　⑤ 변동 없음.

02

▸ 24064-0092

표는 갑국의 연도별 경제 성장률과 전년 대비 물가 상승률을 나타낸다. 이에 대한 분석 및 추론으로 옳은 것은? (단, 갑국의 총수요 곡선은 우하향하고 총공급 곡선은 우상향하며, 물가 수준은 GDP 디플레이터로 측정함.)

(단위: %)

구분	2021년	2022년	2023년
경제 성장률	0	3	㉠
물가 상승률	3	−3	2

① 명목 GDP는 2020년이 2021년보다 크다.
② GDP 디플레이터는 2020년과 2022년이 같다.
③ ㉠이 '2'인 경우 명목 GDP는 2023년이 2022년보다 크다.
④ ㉠이 '−2'인 경우 실질 GDP는 2023년이 2021년보다 작다.
⑤ 2021년에서 2022년으로의 변화는 총수요 변동만으로도 나타날 수 있다.

03

▸ 24064-0093

다음은 한 학생의 발표 자료 중 일부를 발췌한 것이다. 밑줄 친 ㉠~㉣에 대한 옳은 분석만을 〈보기〉에서 고른 것은? (단, 갑국은 원유를 전량 수입하는 국가이며, 갑국의 총수요 곡선은 우하향하고 총공급 곡선은 우상향함.)

○○고등학교 3학년 □□□

〈갑국 국민 경제의 SWOT* 분석〉

S: 강점	W: 약점
• 재정 건전성 강화 • 연구 개발 확대 등 ㉠기업의 투자 증대	• 저출산 · 고령화 • 가계 부채 증가에 따른 ㉡소비 감소
O: 기회	**T: 위협**
• 에너지 시장 다변화에 따른 ㉢국제 유가 하락 • 국민들의 높은 성취 동기	• 주요 무역 상대국의 성장 둔화로 인한 ㉣순수출 감소 • 산업 경쟁국과의 기술 격차 축소

* SWOT 분석: 정책 결정자가 조직 내부의 강점(S)과 약점(W), 외부 환경 속 기회(O)와 위협(T)을 파악하여 강점의 강화와 약점의 보완, 기회 포착과 위협 회피를 통해 발전 전략을 세우는 데 활용함.

보기

ㄱ. ㉠은 갑국의 총공급 감소 요인이다.
ㄴ. ㉡은 갑국의 총수요 감소 요인이다.
ㄷ. ㉠과 ㉢은 모두 갑국의 실질 GDP 증가 요인이다.
ㄹ. ㉣은 ㉡과 달리 갑국의 물가 상승 요인이다.

① ㄱ, ㄴ ② ㄱ, ㄷ ③ ㄴ, ㄷ ④ ㄴ, ㄹ ⑤ ㄷ, ㄹ

04

▸ 24064-0094

다음은 경제 수업 시간의 질의응답 내용이다. 이에 대한 분석 및 추론으로 옳은 것은? (단, 갑국의 총수요 곡선은 우하향하고 총공급 곡선은 우상향함.)

교사: 최근 갑국 정부는 경기 침체 극복을 목표로 ㉠소득세율을 조정하고, ㉡투자를 확대한 기업에 대한 정부의 보조금을 확대하겠다는 정책안을 발표하였습니다. 해당 정책들이 우리 경제에 어떤 요인으로 작용할지 발표해 볼까요?
갑: 소득세율 조정은 가계의 소비를 증가시키는 요인으로 작용할 것입니다.
을: (가)
병: 투자를 확대한 기업에 대한 정부의 보조금 확대 정책은 기업의 투자를 확대시켜 금융 시장의 자금 수요 증가 요인으로 작용할 것입니다.
교사: 두 사람만 옳게 대답하였고, ㉢한 사람은 틀렸습니다.

① ㉠은 소득세율 인상을 의미한다.
② ㉡은 총공급 감소 요인이다.
③ ㉢은 갑이다.
④ (가)에는 '소득세율 조정은 갑국의 실질 GDP 감소 요인으로 작용할 것입니다.'가 들어갈 수 있다.
⑤ (가)에는 '투자를 확대한 기업에 대한 정부의 보조금 확대는 갑국의 물가 하락 요인으로 작용할 것입니다.'가 들어갈 수 없다.

05

▸ 24064-0095

교사의 질문에 대한 학생의 답변으로 옳은 것은? (단, 갑국의 총수요 곡선은 우하향하고 총공급 곡선은 우상향함.)

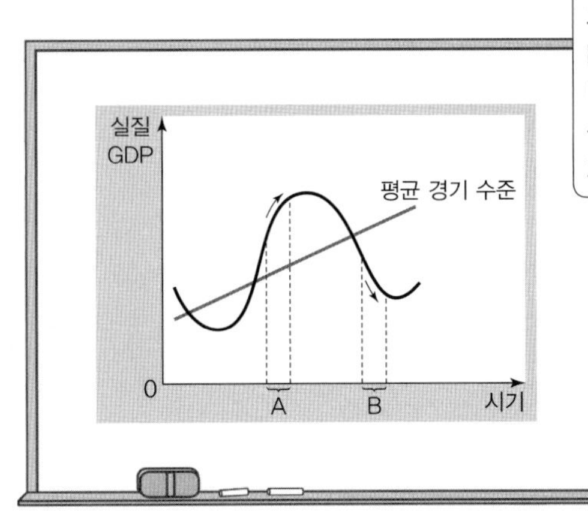

① A 시기에는 실업률이 상승하였을 것입니다.
② B 시기에는 총공급이 증가하였을 것입니다.
③ A 시기에 시행할 수 있는 적절한 정책으로는 '법인세율 인하'를 들 수 있습니다.
④ B 시기에 시행할 수 있는 적절한 정책으로는 '지급 준비율 인하'를 들 수 있습니다.
⑤ 총수요가 일정한 상태에서 총공급이 감소하는 경우 A 시기와 같은 경기 변동을 초래할 수 있습니다.

06

▸ 24064-0096

그림은 갑국의 신문 기사이다. 이에 대한 설명으로 옳은 것은? (단, 갑국의 총수요 곡선은 우하향하고 총공급 곡선은 우상향함.)

○○신문 2022년 1월

백신 개발에도 □□전염병 확산세 지속, 세계 경제 타격 심화

- 공급 및 유통망 마비로 전량 수입에 의존하는 ㉠국제 원자재 비용의 상승세 지속
- 중앙은행, 경기 부양 정책 시행하는 정부와 정책 공조! 2월 초 (가) 계획 발표

○○신문 2023년 1월

□□전염병 소강 상태에 따른 세계 경제의 변화

- 전염병으로 인해 억눌렸던 소비 심리 해제, ㉡전년 동월 및 전월 대비 가계 소비 지출 대폭 증가
- 엇갈린 중앙은행과 정부! 중앙은행은 ㉢물가 급등 문제에 집중, 정부는 ㉣경기 부양책 당분간 지속

① ㉠은 실질 GDP 증가 요인이다.
② ㉡은 총수요 감소 요인이다.
③ ㉢은 실질 임금 상승 요인이다.
④ ㉣의 수단으로는 '소득세율 인상'을 들 수 있다.
⑤ (가)에는 '기준 금리 인하'가 들어갈 수 있다.

07

▸ 24064-0097

다음 자료에 대한 분석 및 추론으로 옳은 것은? (단, A국~C국 모두 총수요 곡선은 우하향하고 총공급 곡선은 우상향함.)

그림은 2023년에 경기 침체 또는 경기 과열 상황에 처해 있는 A국~C국의 2023년 경제 고통 지수를 나타낸다. 공신력 있는 한 경제 기관의 발표에 따르면 A국~C국의 경제 고통 지수는 세계 최상위 수준에 해당한다.

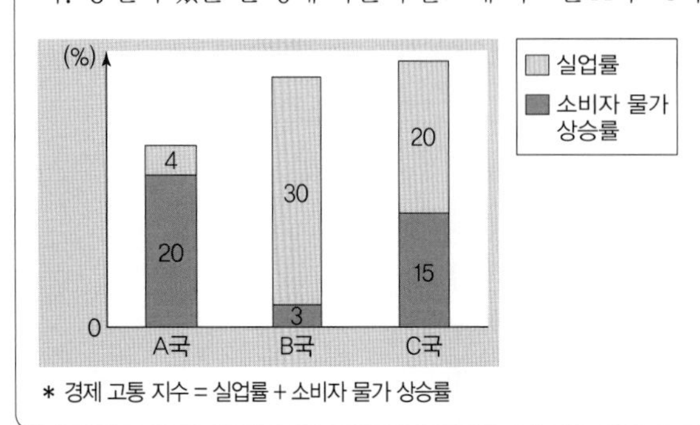

* 경제 고통 지수 = 실업률 + 소비자 물가 상승률

① A국은 경기 침체 상황에 처해 있을 것이다.
② 실업률 대비 소비자 물가 상승률이 가장 높은 나라는 B국이다.
③ 국공채 매각은 B국의 경제 문제를 해결하기 위한 수단에 해당한다.
④ 급격한 총공급 감소는 C국과 같은 상황을 초래하는 요인이 될 수 있다.
⑤ 확대 재정 정책은 B국보다 A국의 경제 상황을 개선하는 데 효과적일 것이다.

08

▸ 24064-0098

다음 자료의 ㉠~㉢에 들어갈 내용으로 옳은 것은?

갑국은 국민 경제의 안정화를 위해 전년도 물가 상승률과 실제 경제 성장률을 고려하여 연초에 목표 경제 성장률을 설정하고, 이에 근거하여 경제 안정화 정책을 시행한다. 〈자료 1〉은 t년과 t+1년 초에 설정한 목표 경제 성장률과 연도별 전년 대비 실제 물가 상승률 및 실제 경제 성장률을, 〈자료 2〉는 t년과 t+1년 초에 설정한 목표 경제 성장률을 달성하기 위한 통화 정책을 나타낸다. 단, 갑국의 총수요 곡선은 우하향하고 총공급 곡선은 우상향한다. 또한 t-1년과 t년은 각각 경기 침체와 경기 과열 중 하나에 해당하는 시기이며, 경기 변동은 총수요의 변동만으로 발생하였다.

〈자료 1〉

(단위: %)

구분	t-1년	t년	t+1년
목표 경제 성장률		4	-1
실제 물가 상승률	-10	15	
실제 경제 성장률	-4	7	

〈자료 2〉

구분	t년	t+1년
기준 금리	㉠	
지급 준비율		㉡
금융 기관에 대한 중앙은행의 대출 규모	㉢	

* 음영 처리(▒)는 해당 내용을 표기하지 않은 것을 나타냄.

	㉠	㉡	㉢
①	인상	인상	확대
②	인상	인하	축소
③	인하	인상	확대
④	인하	인상	축소
⑤	인하	인하	축소

09

▸ 24064-0099

밑줄 친 ㉠에 대한 갑과 을의 판단으로 적절한 내용만을 〈보기〉에서 있는 대로 고른 것은? (단, 총수요 곡선은 우하향하고 총공급 곡선은 우상향함.)

* 인구 절벽: 특정 시점을 기준으로 한 국가나 구성원의 인구가 급격히 줄어들어 연령별 인구 분포가 마치 절벽이 깎인 것처럼 역삼각형 분포가 되는 현상을 의미함.

보기
ㄱ. 갑은 ㉠이 총수요를 감소시키는 요인이라고 보고 있다. ㄴ. 을은 ㉠이 총공급을 증가시키는 요인이라고 보고 있다. ㄷ. 을은 갑과 달리 ㉠이 물가를 하락시키는 요인이라고 보고 있다. ㄹ. 갑과 을은 모두 ㉠이 실질 GDP를 감소시키는 요인이라고 보고 있다.

① ㄱ, ㄴ ② ㄱ, ㄹ ③ ㄴ, ㄷ ④ ㄱ, ㄷ, ㄹ ⑤ ㄴ, ㄷ, ㄹ

10

▸ 24064-0100

다음 경제 수업 장면에 대한 설명으로 옳은 것은?

① (가)에는 '국공채 매입'이 들어갈 수 있다.
② (나)에는 '공공 요금 인상'이 들어갈 수 있다.
③ (나)에는 '정부 지출 확대'가 들어갈 수 없다.
④ (가)는 (나)와 달리 총공급을 증가시키는 요인이다.
⑤ (나)는 (가)와 달리 실질 GDP를 증가시키는 요인으로 작용한다.

THEME 11

무역 원리와 무역 정책

1 무역

(1) 의미: 국가 간에 이루어지는 상거래(수출과 수입)

(2) 필요성: 자국에서 생산되지 않는 재화의 획득, 다양한 상품의 선택 기회 제공, 국내 시장에서의 수요와 공급의 불균형 해소, 규모의 경제 실현 등

(3) 특징(국내 거래와의 차이점): 서로 다른 화폐를 사용하는 데 따른 거래의 복잡성, 국제 수지·환율·관세를 비롯한 다양한 고려 요인 발생 등

2 무역 발생에 관한 이론

(1) 절대 우위론

① 내용: 각국이 생산비가 절대적으로 적게 드는 상품의 생산에 특화하여 교환하면 거래 당사국 모두 이익을 얻을 수 있음.

② 한계: 한 국가가 다른 국가에 비해 모든 상품에 대해 절대 우위에 있을 경우의 무역 발생 현상을 설명하지 못함.

(2) 비교 우위론

① 내용: 각국이 다른 국가에 비해 생산비가 상대적으로 적게 드는 상품(기회비용이 작은 상품)의 생산에 특화하여 교환하면 거래 당사국 모두 이익을 얻을 수 있음.

② 의의: 국제 분업 및 무역에 관한 기초 이론으로 자유 무역의 이론적 근거가 됨.

3 비교 우위론의 이해

(1) 비교 우위와 특화

① 비교 우위: 다른 나라에 비해 더 작은 기회비용으로 생산할 수 있는 능력

② 비교 우위에 따른 특화: 한 국가가 다른 국가에 대해 비교 우위를 가진 상품만을 전문적으로 생산하는 것

(2) 비교 우위론에 따른 무역 발생의 원리

※ 갑국과 을국이 한 재화만 생산할 경우 최대 생산 가능량(두 국가의 생산 가능 곡선은 직선이며, 생산 요소는 노동뿐이고, 노동자 수는 1,800명으로 동일함.)

구분	갑국	을국
X재	200개	300개
Y재	200개	600개

① 절대적 생산비(각 재화 1단위 생산에 필요한 노동자 수): 을국이 X재와 Y재 생산 모두에서 절대 우위를 가짐.

구분	갑국	을국
X재 1개	9명	6명
Y재 1개	9명	3명

② 기회비용과 비교 우위: X재 1개 생산의 기회비용은 갑국이 작고, Y재 1개 생산의 기회비용은 을국이 작음. → 갑국은 X재 생산에, 을국은 Y재 생산에 비교 우위를 가짐.

구분	갑국	을국
X재 1개 생산의 기회비용	Y재 1개	Y재 2개
Y재 1개 생산의 기회비용	X재 1개	X재 1/2개

③ 비교 우위에 따른 특화와 교역 조건

• 양국이 비교 우위 재화만을 생산하여 교환하면 두 국가 모두에 교역 이익이 발생할 수 있음.

• X재 기준 상호 이익이 발생하는 교역 조건: 1개<X재 1개와 교환되는 Y재의 수량<2개

④ 비교 우위에 따른 특화와 교역 이익(X재와 Y재를 1 : 1.5로 교환하는 경우): 교역 전보다 갑국은 Y재 50개를, 을국은 X재 25개를 더 소비할 수 있게 됨.

구분		갑국	을국
교역 전 생산량	X재	100개	75개
	Y재	100개	450개
특화에 따른 생산량	X재	200개	0개
	Y재	0개	600개
교역 후 소비 가능한 최대량	X재	100개	100개
	Y재	150개	450개

4 무역 정책

(1) 자유 무역

① 주장: 국가 간의 무역을 시장 경제 원리에 따라 자유롭게 이루어지도록 하는 것이 모든 국가에 이익이 됨.

② 자유 무역의 이익

소비 가능 영역의 확대	비교 우위에 따라 무역을 할 경우 소비자들은 국내 생산품뿐만 아니라 해외의 다양한 상품 구매가 가능함.
소비자 후생의 증가	소비자들은 국내 시장보다 저렴한 가격으로 소비할 수 있는 재화의 양이 증가함.
국내 산업의 생산성 증대	외국 기업과의 경쟁을 통해 기술 개발과 품질 관리 강화로 생산성이 증대됨.
규모의 경제 실현	국내 시장뿐만 아니라 국제 시장에서 거래되는 상품을 생산하게 되면서 생산량 증가에 따른 제품의 평균 생산비가 낮아짐.
선진 기술의 습득	무역을 통해 새로운 아이디어와 기술이 전파됨.
물가 안정	외국에서 값싼 원자재, 부품 등이 수입되면 국내 물가 안정에 기여할 수 있음.

(2) 보호 무역

① 주장: 자국 산업 보호를 통한 경쟁력 확보, 유치산업 보호, 자국민의 일자리 보호, 외국의 불공정 거래에 대한 대응 등을 위해 무역을 규제할 필요가 있음.

② 대표적인 보호 무역 정책

관세	상품이 국경을 넘어 통과할 때 부과되는 세금
비관세 정책	수입 할당제, 수출 보조금 지급 등

정답과 해설 24쪽

01

▸ 24064-0101

다음 자료에 대한 분석 및 추론으로 옳은 것은?

그림은 X재와 Y재만을 생산하는 갑국과 을국의 생산 가능 곡선을 나타낸다. 양국이 보유한 생산 요소의 양은 동일하고, 양국은 생산 가능 곡선상에서 비교 우위가 있는 재화만을 생산한 후 X재 2개당 Y재 3개씩 교환하였다. 단, 교역은 양국 간에만 이루어지고, 교역 시 거래 비용은 발생하지 않으며, 생산된 재화는 전량 소비된다.

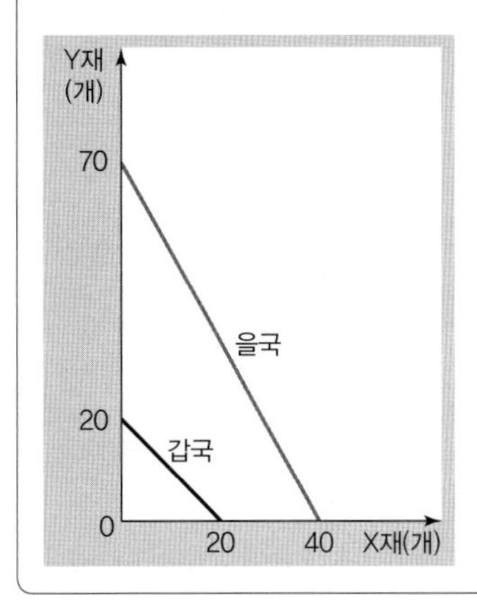

① 갑국은 X재 생산에 절대 우위를 가진다.
② X재 1개 생산의 기회비용은 을국이 갑국보다 작다.
③ 을국은 X재 20개와 Y재 40개를 동시에 생산할 수 있다.
④ 갑국의 X재 1개 소비의 기회비용은 교역 후가 교역 전보다 작다.
⑤ 교역 후 갑국의 X재 소비량이 10개이면 Y재 소비량은 15개이다.

02

▸ 24064-0102

다음 자료에 대한 분석 및 추론으로 옳은 것은?

표는 X재와 Y재만을 생산하는 갑국과 을국이 각 재화 1개를 생산할 때 필요한 노동자 수를 나타낸다. 양국의 생산 요소는 노동뿐이고, 생산 가능 곡선은 모두 직선이며, 갑국 전체 노동자 수는 을국 전체 노동자 수의 2배이다. 교역은 생산 가능 곡선상에서 비교 우위가 있는 재화만을 생산한 후 양국 모두 이익이 발생하는 조건으로 거래 비용 없이 양국 간에만 이루어진다.

구분	갑국	을국
X재	6명	3명
Y재	12명	9명

① 을국은 Y재 생산에 비교 우위를 가진다.
② X재 생산의 기회비용은 갑국이 을국보다 작다.
③ Y재의 최대 생산 가능량은 을국이 갑국보다 많다.
④ 을국의 X재 1개 소비의 기회비용은 교역 후가 교역 전보다 클 것이다.
⑤ 교역 전후 갑국의 X재 소비량이 같을 경우 갑국의 Y재 소비 가능량은 교역 후가 교역 전보다 적을 것이다.

03

▸ 24064-0103

다음 자료에 대한 분석 및 추론으로 옳은 것은?

오른쪽 그림은 교역 전 갑국 X재 시장의 균형점 '$E_{갑국}$'과 을국 X재 시장의 균형점 '$E_{을국}$'을 나타낸다. 최근 양국은 시장 원리에 따라 X재 국제 가격을 [㉠]으로 정하여 ㉡양국 간에만 교역을 실시하였다. 단, X재는 양국만 생산·소비하며 양국의 X재는 공급 법칙을 따르고, 양국의 수요 곡선은 서로 동일하다. 또한 양국 간 교역 시 거래 비용은 발생하지 않는다.

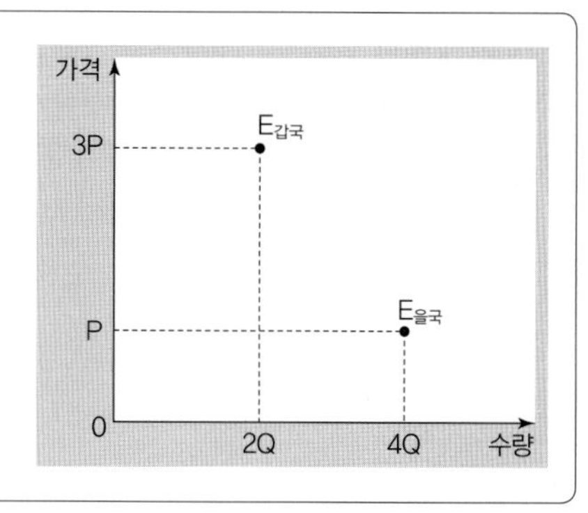

① ㉠에는 4P가 들어갈 수 있다.
② ㉠이 2P인 경우 교역 후 을국 X재 생산자의 판매 수입은 교역 전의 2배보다 작다.
③ ㉠이 3/2P인 경우 갑국과 을국의 X재 생산량의 합은 교역 후가 교역 전보다 많다.
④ ㉠이 5/2P인 경우 교역으로 인한 갑국의 소비자 잉여 증가분은 을국의 생산자 잉여 증가분보다 크다.
⑤ ㉡으로 인해 갑국의 X재 생산자 잉여는 증가한다.

04

▸ 24064-0104

다음 자료에 대한 설명으로 옳은 것은?

그림은 갑국의 t기와 t+1기의 생산 가능 곡선을 나타낸다. 갑국과 을국은 X재와 Y재만을 생산하며 양국의 생산 요소의 양은 같다. 양국은 직선인 생산 가능 곡선상에서 비교 우위가 있는 재화만을 생산한 후 양국 모두 이익이 발생하는 조건으로 거래 비용 없이 양국 간에만 교역한다. (가)는 t기에서 t+1기로의 갑국 생산 가능 곡선의 변화를, A는 t기 교역 후 갑국의 소비점을, B는 t+1기 교역 후 갑국의 소비점을 나타낸다. 단, t기와 t+1기에 갑국이 비교 우위를 가지는 재화는 서로 다르며, 생산된 재화는 전량 소비된다.

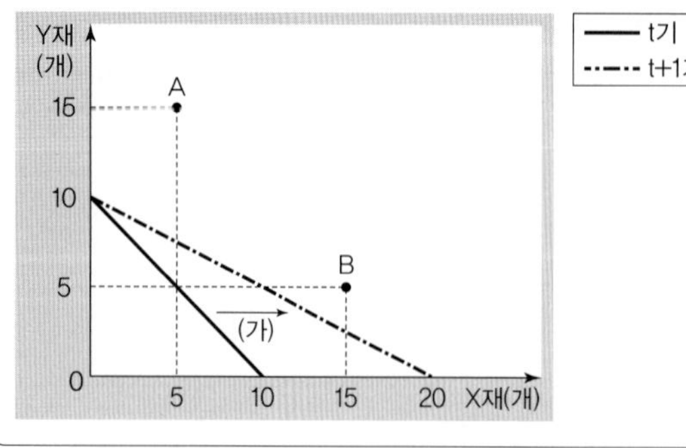

① t기에 갑국은 Y재 생산에 비교 우위를 가진다.
② t기에 을국의 X재 1개 생산의 기회비용은 Y재 3개보다 작다.
③ t+1기에 갑국의 Y재 1개 소비의 기회비용은 교역 후가 교역 전보다 작다.
④ t+1기에 갑국과 을국의 양국 간 교역 시 X재와 Y재의 교환 비율은 3:1이다.
⑤ (가)의 요인으로는 '갑국의 X재 1개당 생산 비용의 증가'를 들 수 있다.

05

▸ 24064-0105

다음 자료에 대한 분석 및 추론으로 옳은 것은?

표는 X재와 Y재만을 생산하는 갑국과 을국의 각 재화별 최대 생산 가능량을 나타낸다. 양국의 생산 요소는 동일한 양의 노동뿐이고, 양국은 직선인 생산 가능 곡선상에서 비교 우위가 있는 재화만을 생산한 후 양국 모두 이익이 발생하는 조건으로 거래 비용 없이 양국 간에만 교역한다.

구분	갑국	을국
X재	30개	20개
Y재	60개	60개

① 갑국은 Y재 생산에 비교 우위를 가진다.
② X재 1개 생산의 기회비용은 을국이 갑국보다 작다.
③ 을국의 X재 1개 소비의 기회비용은 교역 후가 교역 전보다 클 것이다.
④ 양국 간 X재와 Y재의 교환 비율이 1:1이라면, 갑국은 교역에 응할 것이다.
⑤ 양국 간 X재와 Y재의 교환 비율이 2:7이라면, 을국은 교역에 응하지 않을 것이다.

06

▸ 24064-0106

다음 자료에 대한 분석으로 옳은 것은?

표는 시장 개방 전 갑국의 X재 시장과 을국의 Y재 시장 상황을 나타낸다. 시장 개방 후 갑국의 X재 국내 가격은 ㉠X재 국제 가격과 같고, 을국의 Y재 국내 가격은 ㉡Y재 국제 가격과 같다. 양국은 초과 수요량만큼 수입품을 소비하고, 초과 공급량만큼 수출한다. 단, 갑국의 X재 시장과 을국의 Y재 시장의 국내 수요와 공급 곡선은 모두 직선이고, 시장 개방 후 국내 수요와 공급은 변동하지 않았으며, 교역으로 인한 거래 비용은 발생하지 않았다.

가격(달러)	갑국의 X재 시장		을국의 Y재 시장	
	수요량(만 개)	초과 수요량(만 개)	공급량(만 개)	초과 공급량(만 개)
20	40	40	0	
30	30	20	20	
40	20	0	40	0
50	10		60	30
60	0		80	60

* 음영 처리(▒▒)는 해당 내용을 표기하지 않은 것을 나타냄.

① 시장 개방 전 갑국 X재 시장의 판매 수입은 을국 Y재 시장의 판매 수입보다 크다.
② 시장 개방 전 갑국의 X재 시장은 을국의 Y재 시장과 달리 수요와 공급 법칙을 따른다.
③ 갑국이 X재의 수출국, 을국이 Y재의 수입국이 될 경우 ㉠은 ㉡보다 높다.
④ ㉠이 30달러인 경우의 갑국 국내 X재 생산량은 ㉡이 50달러인 경우의 을국 국내 Y재 소비량보다 많다.
⑤ ㉠과 ㉡이 각각 50달러인 경우 갑국의 X재 생산자 잉여는 을국의 Y재 생산자 잉여와 달리 교역 후가 교역 전보다 크다.

07

▸ 24064-0107

다음 자료에 대한 분석으로 옳은 것은?

그림은 시장 개방 전 갑국 국내 X재 시장의 수요와 공급 곡선을 나타낸다. t기부터 갑국 정부는 X재 시장을 개방하여 국제 가격인 6달러에서 자유 무역을 실시하였다. t+1기에 들어서 갑국 정부는 X재 개당 ㉠일정액의 관세를 부과하기 시작하였다. 단, X재의 국제 가격은 변함이 없으며, 갑국은 국제 가격으로 X재를 무제한 수입할 수 있다.

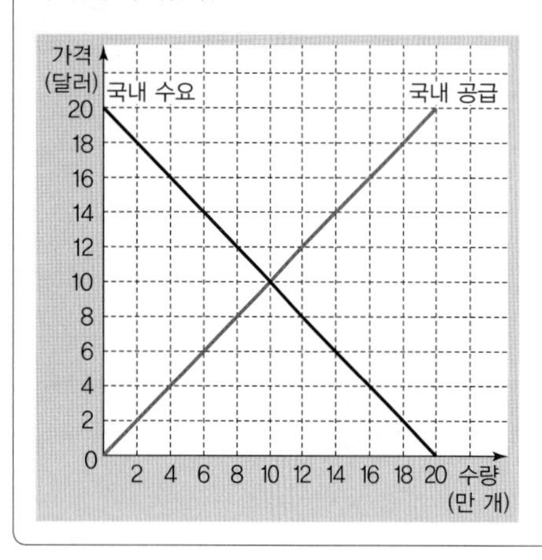

① t기에 갑국의 X재 수입량은 4만 개이다.
② t기에 갑국 X재 소비자의 소비 지출액은 36만 달러이다.
③ 갑국의 X재 생산자 잉여는 t기가 t+1기보다 크다.
④ ㉠이 2달러인 경우 t기 대비 t+1기에 갑국의 X재 생산자 잉여 증가분은 소비자 잉여 감소분보다 12만 달러 작다.
⑤ ㉠이 6달러인 경우 t+1기에 갑국의 X재 거래량은 시장 개방 전보다 2만 개 감소한다.

08

▸ 24064-0108

다음 자료에 대한 분석 및 추론으로 옳은 것은?

X재와 Y재만을 생산하는 갑국과 을국은 양국 간에만 교역하였다. 표는 갑국과 을국의 각 재화별 교역 후 소비량에 대한 최대 생산 가능량의 비(比)를 나타낸다. 갑국과 을국은 직선인 생산 가능 곡선상에서 비교 우위 재화만을 생산한 후 양국 모두 이익이 발생하는 조건으로 거래 비용 없이 교역하였다. 단, 갑국의 X재 1개 생산의 기회비용은 Y재 1개이고, 생산된 재화는 전량 소비된다.

구분	갑국	을국
$\frac{\text{X재 최대 생산 가능량}}{\text{교역 후 X재 소비량}}$	㉠	1보다 작음.
$\frac{\text{Y재 최대 생산 가능량}}{\text{교역 후 Y재 소비량}}$	1보다 큼.	㉡

① ㉠에는 '1보다 큼.'이 들어갈 수 있다.
② ㉡에는 '1'이 들어갈 수 있다.
③ 갑국은 Y재 생산에 비교 우위를 가진다.
④ X재 최대 생산 가능량은 갑국이 을국보다 적다.
⑤ 을국의 Y재 1개 생산의 기회비용은 X재 1개보다 크다.

09

▸ 24064-0109

(가), (나)에 들어갈 수 있는 내용만을 <보기>에서 고른 것은?

그림은 갑국의 교역 전 생산 가능 곡선과 교역 후 소비점을 나타낸다. X재와 Y재만을 생산하는 갑국과 을국은 직선인 생산 가능 곡선상에서 비교 우위 재화만을 생산한 후 양국 모두 이익이 발생하는 조건으로 거래 비용 없이 양국 간에만 교역하였다. 단, 생산된 재화는 전량 소비된다.

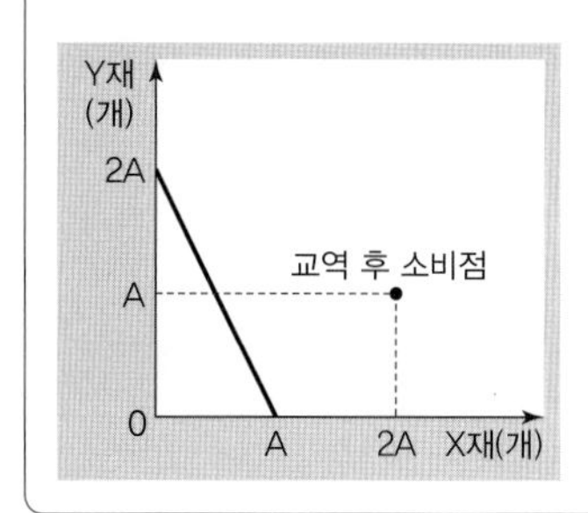

그림을 통해 파악할 수 있는 정보	그림을 통해 파악할 수 없는 정보
(가)	(나)

보기

ㄱ. (가) – 각국의 절대 우위 상품
ㄴ. (가) – 양국 간 X재와 Y재의 교환 비율
ㄷ. (나) – X재를 수출하는 국가
ㄹ. (나) – 을국의 교역 후 소비점

① ㄱ, ㄴ ② ㄱ, ㄷ ③ ㄴ, ㄷ ④ ㄴ, ㄹ ⑤ ㄷ, ㄹ

10

▸ 24064-0110

밑줄 친 ㉠이 갑국과 을국 경제에 미치는 영향에 대한 추론으로 옳은 것은?

표는 ㉠갑국과 을국 간 관세율 조정 협상 전후의 관세율을 나타낸다. X재와 Y재는 양국 간에만 거래되고, 양국 국내 X재와 Y재 시장은 모두 수요와 공급 법칙을 따르며, 관세율 변동에 따른 양국의 국내 수요와 공급 곡선의 변동은 없다. 단, 관세율 조정 협상 이전과 이후 모두 갑국은 X재를, 을국은 Y재를 수입한다.

(단위: %)

구분	X재	Y재
조정 협상 이전 관세율	5	3
조정 협상 이후 관세율	8	0

① 갑국 정부의 관세 수입은 증가할 것이다.
② 을국 Y재 시장의 국내 생산량은 증가할 것이다.
③ 갑국 시장에서 을국 X재의 가격 경쟁력은 상승할 것이다.
④ 갑국의 Y재 수출량과 을국의 X재 수출량은 모두 증가할 것이다.
⑤ 갑국의 X재 소비자 잉여와 을국의 Y재 생산자 잉여는 모두 감소할 것이다.

THEME

12 외환 시장과 환율

1 외환 시장과 환율

(1) 외환 시장

① 의미: 외환(외화 및 외화 표시 증권 등)의 수요자와 공급자가 외환을 거래하는 시장

② 기능: 외환의 매매, 국제 거래와 국제 투자를 가능하게 함.

(2) 환율

① 의미: 서로 다른 두 국가 화폐의 교환 비율

② 표시 방법: 외국 화폐 1단위와 교환되는 자국 화폐의 양으로 표시함.

③ 환율과 화폐 가치

- 환율 상승: 외국 화폐 1단위와 교환되는 자국 화폐의 양 증가 → 외국 화폐의 가치 상승, 자국 화폐의 가치 하락
- 환율 하락: 외국 화폐 1단위와 교환되는 자국 화폐의 양 감소 → 외국 화폐의 가치 하락, 자국 화폐의 가치 상승

2 환율의 결정과 변동

(1) 외화의 수요와 공급

외화의 수요	상품의 수입 대금 결제, 해외여행, 해외 투자 등의 목적으로 외화를 사고자 하는 것 → 외화가 해외로 유출되는 경우
외화의 공급	상품 수출 대금의 수취, 외국인의 국내 여행, 외국인의 국내 투자 등으로 외화를 팔고자 하는 것 → 외화가 국내로 유입되는 경우

(2) 외환 시장의 수요 곡선과 공급 곡선

① 외화의 수요 곡선

- 생산물 시장과 마찬가지로 외화의 가격(환율)과 외화의 수요량 간에는 부(−)의 관계가 성립함.
- 환율이 오르면 외화의 수요량은 감소, 환율이 내리면 외화의 수요량은 증가함.

② 외화의 공급 곡선

- 외화의 가격(환율)과 외화의 공급량 간에는 정(+)의 관계가 성립함.
- 환율이 오르면 외화의 공급량은 증가, 환율이 내리면 외화의 공급량은 감소함.

(3) 균형 환율의 결정

① 외화 공급량>외화 수요량 → 외화의 초과 공급 → 외화의 가치 하락(환율 하락)

② 외화 공급량<외화 수요량 → 외화의 초과 수요 → 외화의 가치 상승(환율 상승)

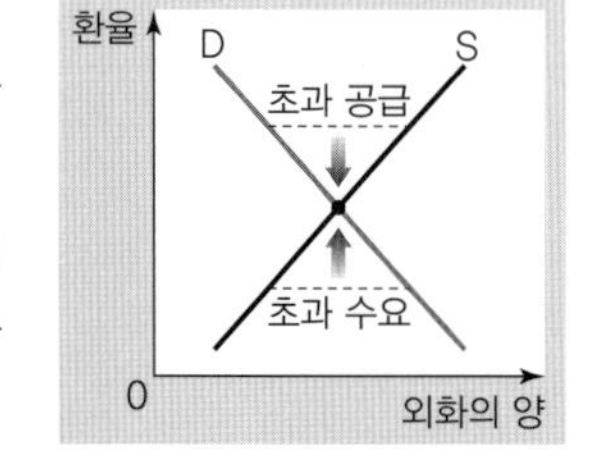

③ 외화 공급량=외화 수요량 ⇒ 균형 환율의 결정

(4) 환율의 변동

① 외화의 수요 증가(수입 증가, 해외 투자 증가 등) → 외화의 초과 수요 → 환율 상승

② 외화의 수요 감소(수입 감소, 해외 투자 감소 등) → 외화의 초과 공급 → 환율 하락

③ 외화의 공급 증가(수출 증가, 외국인의 국내 투자 증가 등) → 외화의 초과 공급 → 환율 하락

④ 외화의 공급 감소(수출 감소, 외국인의 국내 투자 감소 등) → 외화의 초과 수요 → 환율 상승

(5) 국내 물가 상승과 환율의 변동

① 공급 측면: 수출 상품의 가격 상승 → 수출 감소 → 외화의 공급 감소 ⇒ 환율 상승

② 수요 측면: 수입 상품 가격의 상대적 하락 → 수입 증가 → 외화의 수요 증가 ⇒ 환율 상승

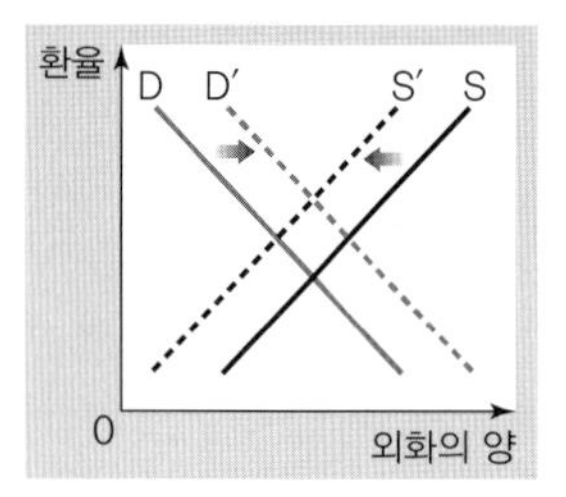

3 환율 상승의 경제적 효과

수출 증가	수출품의 외화 표시 가격 하락
수입 감소	수입품의 원화 표시 가격 상승
경상 수지 개선	• 수출 증가, 수입 감소로 인한 상품 수지 개선 • 해외여행 경비 증가로 인한 자국민의 해외여행 감소, 국내 여행 경비 감소로 인한 외국인의 국내 여행 증가 등으로 서비스 수지 개선
통화량 증가	경상 수지 흑자로 인한 외화의 순유입액 증가는 통화량 증가 요인으로 작용함.
국내 물가 상승	순수출의 증가, 수입품의 국내 가격 상승, 원유 및 국제 원자재의 국내 가격 상승으로 인한 생산비 상승
외채 상환 부담 증가	외채의 원화 표시 금액 증가로 인한 기업의 외채 상환 부담 증가

4 환율 제도

구분	고정 환율 제도	변동 환율 제도
의미	정부 또는 중앙은행이 외환 시장에 개입하여 환율을 일정 수준으로 유지시키는 제도	외화의 수요와 공급에 의해 환율이 시장에서 자유롭게 결정되는 제도
장점	• 환율 변동의 위험 부담 없음. • 기업의 장기 계획 수립 용이	• 외환 시장 불균형의 자동 조절 • 경상 수지 불균형의 자동 조절
단점	• 인위적 환율 조정으로 무역 분쟁 발생 우려 • 경상 수지 불균형의 자동 조절 곤란	• 환율과 관련한 불확실성으로 인해 국내 경제의 불안정 초래 • 환율 변동으로 인한 환 위험 발생

정답과 해설 27쪽

01

▸ 24064-0111

그림의 A, B는 우리나라 외환 시장의 균형점을 나타낸다. 균형점의 이동 방향과 그 요인으로 옳은 것은? (단, 외환 시장은 수요와 공급 법칙을 따름.)

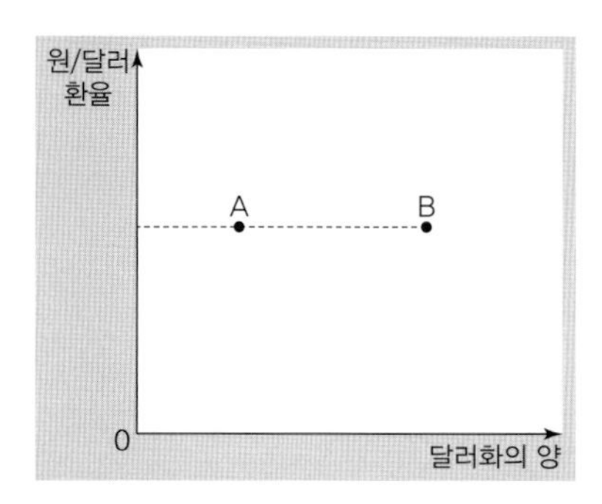

이동	수요측 요인	공급측 요인
① A → B	한국인의 미국 부동산 투자 증가	한국산 자동차에 대한 미국의 수입 증가
② A → B	미국산 제품에 대한 한국의 수입 증가	미국인의 한국 여행 감소
③ A → B	미국산 원자재에 대한 한국의 수입 감소	미국산 제품에 대한 한국의 수입 증가
④ B → A	한국인의 미국 여행 증가	한국산 제품에 대한 미국의 수입 감소
⑤ B → A	미국산 자동차에 대한 한국의 수입 감소	한국인 학생의 미국 유학 증가

02

▸ 24064-0112

다음 자료에 대한 분석으로 옳은 것은?

표는 연도별 우리나라 외환 시장의 변화를 나타낸다. t년과 t+1년 우리나라 외환 시장에서는 각각 달러화 수요 변동과 공급 변동 중 하나만 발생하였다. 단, t+1년의 환율 변동으로 인해 우리나라 기업의 달러화 표시 외채 상환 부담은 t년보다 감소하였다.

구분		t년	t+1년
변동 원인		㉠	㉡
변동 결과	원/달러 환율의 변동	상승	㉢
	달러화 거래량의 변동	증가	증가

① ㉠의 요인으로는 '미국인의 우리나라 여행 증가'를 들 수 있다.
② ㉡에는 '달러화 수요 증가'가 들어갈 수 있다.
③ ㉢은 '상승'이다.
④ t년의 환율 변동은 미국산 제품의 원화 표시 가격 상승 요인이다.
⑤ t+1년의 환율 변동으로 인한 순수출 변동은 우리나라 국민 경제의 총수요 증가 요인이다.

03

▸ 24064-0113

다음 자료에 대한 옳은 설명만을 〈보기〉에서 있는 대로 고른 것은? (단, 우리나라의 총수요 곡선은 우하향하고 총공급 곡선은 우상향함.)

교사: 지난 시간에 우리는 환율과 국내 물가와의 관계에 대해 배웠습니다. ㉠ 원/달러 환율 상승이 국내 물가에 어떤 영향을 끼치는지 설명해 볼까요?
갑: 미국산 제품의 원화 표시 가격 상승으로 국내 물가가 상승할 수 있습니다.
을: (가)
병: (나)
교사: 세 사람 모두 옳게 설명하였습니다.

보기

ㄱ. ㉠의 요인으로는 '우리나라 투자자의 미국 채권 투자 증가'를 들 수 있다.
ㄴ. (가)에는 '순수출의 증가로 총수요가 증가하여 국내 물가가 상승할 수 있습니다.'가 들어갈 수 있다.
ㄷ. (나)에는 '수입 원자재의 원화 표시 가격 상승으로 총공급이 감소하여 국내 물가가 상승할 수 있습니다.'가 들어갈 수 없다.

① ㄱ ② ㄷ ③ ㄱ, ㄴ ④ ㄴ, ㄷ ⑤ ㄱ, ㄴ, ㄷ

04

▸ 24064-0114

다음 자료에 대한 분석으로 옳은 것은?

표는 t년과 t+1년의 전년 대비 달러화에 대한 갑국~병국 통화 가치 변동률을 나타낸다. 단, 갑국~병국의 국제 거래는 달러화로만 이루어지고, 환율 변동 외에 다른 영향은 받지 않는다.

(단위: %)

구분	t년	t+1년
갑국 통화 가치 변동률	3	0
을국 통화 가치 변동률	5	2
병국 통화 가치 변동률	−3	3

① t년에 병국 통화에 대한 달러화 가치는 전년보다 하락하였다.
② t+1년에 을국 통화에 대한 달러화의 가치는 전년보다 상승하였다.
③ t+1년에 을국 통화에 대한 갑국 통화 가치는 전년보다 상승하였다.
④ t+1년에 을국은 병국과 달리 달러화 표시 외채 상환 부담이 전년보다 증가하였다.
⑤ t+1년에 갑국 시장에서 병국산 제품 대비 을국산 제품의 가격 경쟁력은 전년보다 높아졌다.

05

▸ 24064-0115

대화의 밑줄 친 ㉠~㉣에 대한 설명으로 옳은 것은?

우리 경제가 글로벌 경기 침체와 경쟁 국가의 기술 혁신으로 인해 최근 심각한 위기에 봉착하였습니다. 상반기 내내 ㉠대규모 외화 자금이 해외로 유출되었으며, 이로 인해 ㉡원/달러 환율이 급변동하고 있습니다. 이에 대한 대책으로는 무엇이 있을까요?

효율적인 연구 개발 투자를 통해 장기적으로 ㉢생산 비용을 절감시켜 수출 경쟁력을 제고함으로써 ㉣수출을 증가시키고, 핵심 부품을 국산화하여 외화의 해외 유출을 감소시켜야 합니다.

외화의 대규모 해외 유출을 억제하기 위해 단기적으로는 중앙은행의 기준 금리를 ((가))하는 정책도 긴급히 실시해야 합니다.

① ㉠은 우리나라 외환 시장의 외화 수요 감소 요인이다.
② ㉡은 원/달러 환율 하락을 의미한다.
③ ㉢은 우리나라 국민 경제의 총공급 감소 요인이다.
④ ㉣은 우리나라 외환 시장의 외화 공급 증가 요인이다.
⑤ (가)에는 '인하'가 들어갈 수 있다.

06

▸ 24064-0116

다음 자료에 대한 설명으로 옳은 것은?

그림은 양국 간에만 무역을 실시하고 다른 국제 거래는 하지 않는 갑국과 을국의 연도별 수출액을 나타낸다. 단, 양국 간 거래는 을국 통화인 달러화로 이루어지고, 양국의 외환 시장은 모두 수요와 공급 법칙을 따르며, 양국 간 통화 가치는 무역으로 인한 외환 시장의 변동에 의해서만 결정된다.

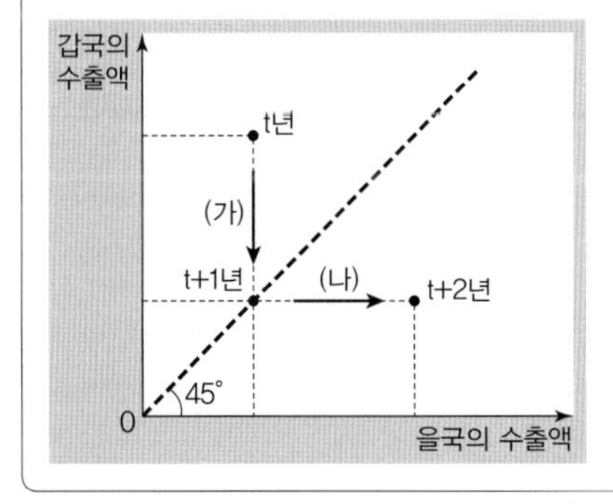

① (가)는 갑국 외환 시장의 수요 감소 요인이다.
② (나)는 을국 국내의 물가 하락 요인이다.
③ (가)와 (나)는 모두 달러화 대비 갑국 통화 가치의 하락 요인이다.
④ 갑국 통화 대비 달러화 가치는 t+1년이 t+2년보다 높다.
⑤ 갑국은 t년에, 을국은 t+2년에 순수출액이 음(−)의 값을 가진다.

07

▶ 24064-0117

교사의 질문에 대한 학생의 답변으로 옳은 것은? (단, 외환 거래 시 환전 수수료는 발생하지 않음.)

구분	t기	t+1기
달러화 환전액(달러)	800	780
엔화 환전액(엔)	110,000	112,000

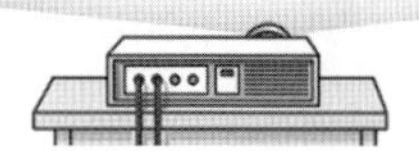

① 원/달러 환율은 하락하였습니다.
② 달러화 대비 엔화 가치는 상승하였습니다.
③ 한국 기업의 달러화 표시 외채 상환 부담은 증가하였을 것입니다.
④ 일본에 유학 중인 자녀를 둔 한국 학부모의 학비 부담은 증가하였을 것입니다.
⑤ 한국 시장에서 일본 제품과 경쟁 관계에 있는 미국 제품의 가격 경쟁력은 상승하였을 것입니다.

08

▶ 24064-0118

그림에 대한 설명으로 옳은 것은?

① (가)에는 '상승'이 들어갈 수 있다.
② ㉠은 우리나라의 물가 상승 요인이다.
③ ㉠은 우리나라의 순수출 증가 요인이다.
④ ㉠은 미국에서 원자재를 수입하는 한국 기업의 비용 절감 요인이다.
⑤ ㉠의 요인으로는 '우리나라 제품에 대한 미국의 수입 감소'를 들 수 있다.

09

▸24064-0119

밑줄 친 ㉠~㉣에 대한 옳은 설명만을 〈보기〉에서 고른 것은?

갑국은 t기까지 ㉠외환 시장에 대한 개입이 없는 상태에서의 균형 환율에 따라 환율을 결정하는 제도를 택하고 있었다. 그러나 지속적인 ㉡경상 수지 적자의 누적으로 인해 t+1기부터 갑국은 기존의 환율 제도를 유지하되, 갑국 통화/달러 환율이 급변동하는 경우 ㉢중앙은행이 보유하고 있는 달러화 자산을 외환 시장에 매각하거나 ㉣외환 시장의 달러화 자산을 중앙은행이 매입하여 환율을 조정하였다. 단, 갑국의 외환 시장은 수요와 공급 법칙을 따른다.

보기

ㄱ. ㉠은 환율 변동으로 인한 위험을 줄일 수 있다.
ㄴ. ㉡은 갑국의 국내 통화량 감소 요인이다.
ㄷ. ㉢은 달러화 대비 갑국 통화 가치의 상승 요인이다.
ㄹ. t+1기 이후 갑국 통화에 대한 달러화 가치가 급상승하는 경우 갑국 중앙은행은 ㉣을 실시할 것이다.

① ㄱ, ㄴ ② ㄱ, ㄷ ③ ㄴ, ㄷ ④ ㄴ, ㄹ ⑤ ㄷ, ㄹ

10

▸24064-0120

다음 자료에 대한 분석 및 추론으로 옳은 것은?

표는 미국, 독일, 일본에서 각국 통화로 판매하고 있는 투자 상품 A~C의 t년 초 대비 t년 말 각국 통화 기준 수익률과 원화 환산 금액 수익률을 나타낸다. 단, 환율 변동은 각국 통화 기준 수익률에 영향을 주지 않고, 원화 환산 금액은 외환 시장에서 수요와 공급에 의해 결정되는 각국 통화의 교환 비율에 의해 결정되며, 환전 비용은 발생하지 않는다.

(단위: %)

구분	A(달러화 투자 상품)	B(유로화 투자 상품)	C(엔화 투자 상품)
각국 통화 기준 수익률	5	5	0
원화 환산 금액 수익률	0	㉠	5

① t년 초 대비 t년 말에 원/달러 환율은 상승하였을 것이다.
② t년 초 대비 t년 말에 원/엔 환율의 변동 요인으로는 '한국 제품의 일본으로의 수출 증가'를 들 수 있다.
③ ㉠이 '0'보다 작은 경우 t년 말 달러화 대비 유로화 가치는 t년 초보다 높을 것이다.
④ ㉠이 '5'인 경우 t년 말 독일 기업의 달러화 표시 외채 상환 부담은 t년 초보다 감소할 것이다.
⑤ ㉠이 '10'인 경우 t년 초 대비 t년 말에 원화에 대한 엔화 가치와 달리 원화에 대한 유로화 가치는 상승할 것이다.

THEME

13 국제 수지

1 국제 수지와 국제 수지표

(1) **국제 수지**: 일정 기간 동안 한 나라가 수취한 외화와 지급한 외화의 차액

(2) **국제 수지표**: 외화의 수취와 지급 내용을 체계적으로 정리하여 기록한 표

2 국제 수지표의 구성

(1) 경상 수지

① 의미: 재화, 서비스 및 생산 요소 등의 거래(경상 거래)에 따른 외화의 수취와 지급의 차액

② 경상 수지의 구성

상품 수지	상품의 수출과 수입으로 수취한 외화와 지급한 외화의 차액 → 경상 수지 중 가장 큰 비중을 차지함.
서비스 수지	외국과의 서비스 거래(운송, 여행, 통신, 보험, 특허권 등의 지식 재산권 사용료, 기타 서비스의 수출입 등)로 수취한 외화와 지급한 외화의 차액
본원 소득 수지	외국에 노동, 자본 제공으로 얻은 임금, 투자 소득(이자, 배당금 등)과 관련하여 수취한 외화와 지급한 외화의 차액
이전 소득 수지	아무런 대가 없이 주고받는 외화의 수취와 지급의 차액 예 무상 원조, 기부금 등

(2) **자본 수지**: 자산 소유권의 무상 이전 등과 같은 자본 이전과 브랜드 네임, 상표 등의 취득과 처분에 따른 외화의 수취와 지급의 차액

(3) **금융 계정**: 직접 투자, 증권 투자, 파생 금융 상품, 기타 투자, 준비 자산으로 구분

(4) **오차 및 누락**: 경상 수지, 자본 수지, 금융 계정상의 금액이 통계적으로 불일치할 경우 이를 조정한 것

3 경상 수지의 변동과 영향

(1) 경상 수지와 국민 경제

경상 수지 흑자	• 긍정적 영향: 기업의 생산 증가와 내수 산업의 확대, 고용 확대와 소득 증대, 외환 보유액 증가로 대외 신용도 향상 등 • 부정적 영향: 국내 물가 상승, 교역 상대국과의 무역 마찰 야기 등
경상 수지 적자	• 긍정적 영향: 물가 안정 등 • 부정적 영향: 국민 경제의 위축, 대외 채무 증가, 대외 신용도 하락 등

(2) 경상 수지와 환율

① 경상 수지 불균형이 환율에 미치는 영향: 일반적으로 경상 수지의 불균형은 외환 시장에서 외화의 초과 공급 혹은 초과 수요를 발생시켜 환율에 영향을 미침.

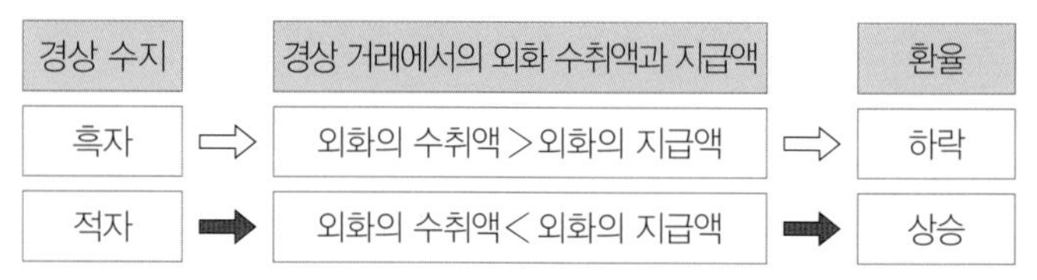

② 환율 변동이 경상 수지에 미치는 영향: 환율 변동은 수출품 및 수입품의 가격 경쟁력, 서비스의 상대적인 가격 등에 변화를 초래하여 경상 수지에 영향을 미침.

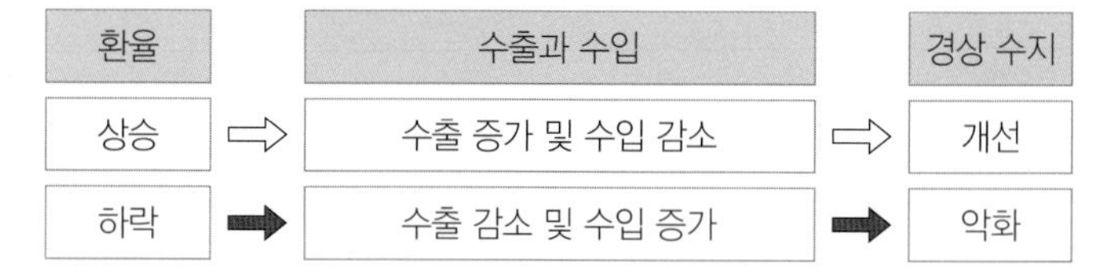

(3) 경상 수지의 균형과 경제 성장

① 경상 수지의 일시적인 불균형은 큰 문제가 되지 않으나 장기적인 불균형은 흑자와 적자 모두 국민 경제에 부담을 줄 수 있음.

② 경상 수지가 균형을 이루면 국가 간 무역 마찰이 줄어들고, 국제 거래가 안정적으로 유지될 수 있음.

자료와 친해지기  자본 수지와 금융 계정

▣ 자본 수지

자본 수지는 자본 이전과 비생산·비금융 자산의 취득 및 처분을 기록하는 항목이다. 자본 이전에는 자산 소유권의 무상 이전, 거래 상대방의 자산 취득 또는 처분과 관련된 현금 이전, 채권자에 의한 채무 면제 등이 포함된다. 비생산·비금융 자산의 취득 및 처분에는 상표권, 영업권, 독점 판매권 등과 임차권 또는 기타 양도 가능한 계약 같은 무형 자산의 취득과 처분이 포함된다.

▣ 금융 계정

• 직접 투자의 사례로는 경영 참여를 통한 지속적 이익 추구를 목적으로 기업이 외국에 공장 등을 설립하는 경우를 들 수 있다.
• 증권 투자의 사례로는 개인이나 기업이 외국의 주식이나 채권을 매입하는 경우를 들 수 있다.
• 파생 금융 상품의 사례로는 파생 금융 상품 거래로 이익과 손실이 실현된 경우를 들 수 있다.
• 기타 투자의 사례로는 차관 도입이나 차관 제공의 경우를 들 수 있다.
• 준비 자산은 통화 당국이 국제 수지 불균형 보전, 외환 시장 안정 및 자국 통화와 경제에 대한 대외 신용도 유지 등을 위해 언제든지 사용 가능하며 통제가 가능한 외화 표시 대외 자산을 의미한다.

정답과 해설 29쪽

01

▸ 24064-0121

표는 갑국의 2023년 경상 수지를 나타낸다. 이에 대한 분석으로 옳은 것은?

(단위: 억 달러)

상품 수지	서비스 수지	본원 소득 수지	이전 소득 수지
150	−50	−30	20

① 상품의 수입액이 수출액보다 많다.
② 경상 수지는 갑국의 물가 하락 요인이다.
③ 무상 원조 금액이 포함된 항목은 흑자이다.
④ 해외 투자 금액이 포함된 항목은 적자이다.
⑤ 서비스 거래를 통한 외화의 수취액은 지급액보다 많다.

02

▸ 24064-0122

그림은 경제 수업 장면이다. 교사의 질문에 대해 옳은 답변을 한 학생만을 〈보기〉에서 고른 것은?

구분	
경상 수지	상품 수지
	㉠서비스 수지
	㉡본원 소득 수지
	이전 소득 수지
㉢자본 수지	
㉣금융 계정	

국제 수지의 항목 ㉠~㉣에 대한 사례를 발표해 볼까요?

보기

갑: 원자재를 수입하고 지급한 금액은 ㉠에 포함됩니다.
을: 해외로부터 수령한 주식 배당금은 ㉡에 포함됩니다.
병: 단기간으로 체류하는 외국인 노동자에 대한 임금 지급은 ㉢에 포함됩니다.
정: 국내 기업에 대한 외국 거주자의 직접 투자는 ㉣에 포함됩니다.

① 갑, 을　② 갑, 병　③ 을, 병　④ 을, 정　⑤ 병, 정

03

▸ 24064-0123

표는 갑국의 2022년, 2023년 경상 수지를 나타낸다. 이에 대한 설명으로 옳은 것은?

(단위: 억 달러)

구분		2022년	2023년
경상 수지	상품 수지	100	80
	(가)	−30	10
	본원 소득 수지	20	−10
	이전 소득 수지	10	10

① (가)에는 해외 채권 투자 금액이 포함된다.
② 대가 없이 주고받은 거래가 포함되는 항목의 수지는 악화되었다.
③ 해외 지식 재산권 사용료가 포함되는 항목의 수지는 개선되었다.
④ 2023년에 운송료가 포함되는 항목은 수취액이 지급액보다 적다.
⑤ 2022년 대비 2023년에 상품 수출에 따른 수취액은 감소하였다.

04

▸ 24064-0124

그림에 대한 옳은 설명만을 <보기>에서 고른 것은? (단, (가), (나)는 각각 경상 수지의 항목 중 하나임.)

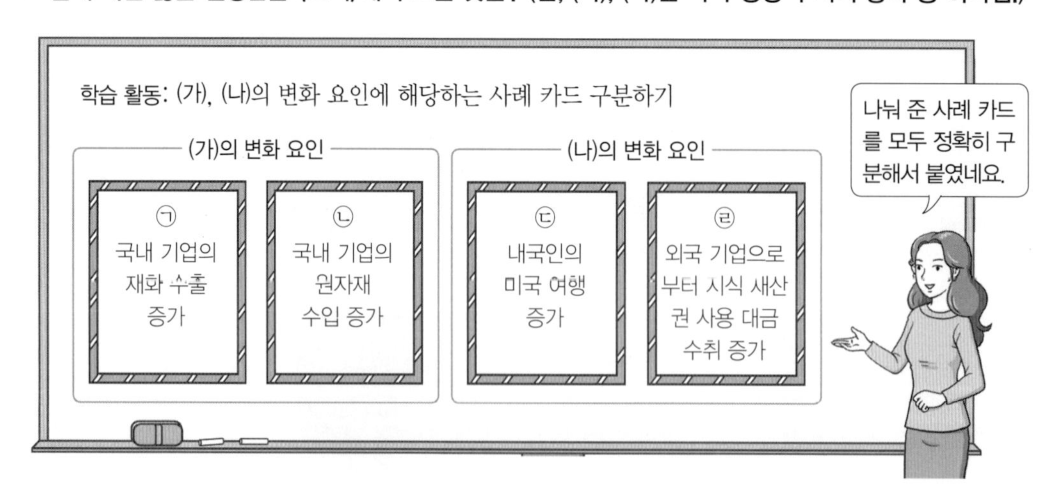

보기

ㄱ. (가)는 상품 수지, (나)는 서비스 수지이다.
ㄴ. ㉠은 경상 수지의 개선 요인이다.
ㄷ. ㉢은 달러화 대비 자국 통화 가치의 상승 요인이다.
ㄹ. ㉡은 외화 유입의 사례, ㉣은 외화 유출의 사례이다.

① ㄱ, ㄴ ② ㄱ, ㄷ ③ ㄴ, ㄷ ④ ㄴ, ㄹ ⑤ ㄷ, ㄹ

05

▸ 24064-0125

밑줄 친 ㉠~㉢에 대한 옳은 설명만을 〈보기〉에서 고른 것은? (단, 국제 거래는 달러화로만 이루어짐.)

> ○○신문 2023년 △△월 □□일
>
> 갑국의 ㉠주요 수출품인 자동차의 수출이 감소함에 따라 갑국의 ㉡경상 수지는 100억 달러 적자를 기록하였다. 한편, 을국 내에서 갑국 문화 콘텐츠에 대한 관심이 높아지면서 ㉢갑국을 방문하는 을국 여행객이 증가하고 있다.

보기

ㄱ. ㉠은 갑국의 상품 수지 개선 요인이다.
ㄴ. ㉡은 갑국의 국내 물가 상승 요인이다.
ㄷ. ㉢은 을국의 서비스 수지 악화 요인이다.
ㄹ. ㉢은 을국 외환 시장에서 달러화 대비 을국 통화 가치의 하락 요인이다.

① ㄱ, ㄴ ② ㄱ, ㄷ ③ ㄴ, ㄷ ④ ㄴ, ㄹ ⑤ ㄷ, ㄹ

06

▸ 24064-0126

그림은 갑국의 항목별 경상 수지의 변화를 나타낸다. 이에 대한 분석으로 옳은 것은?

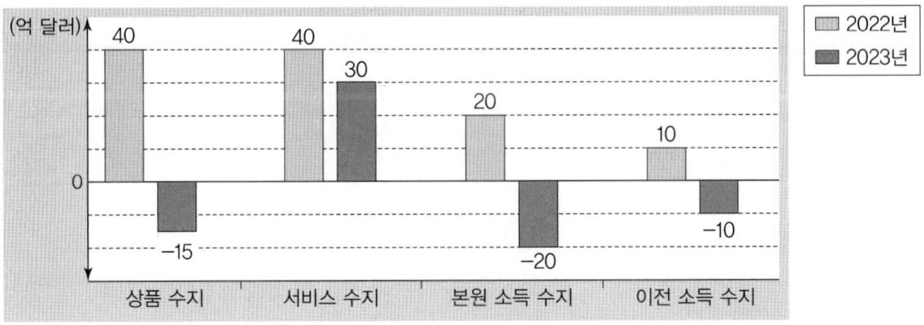

(억 달러)

	상품 수지	서비스 수지	본원 소득 수지	이전 소득 수지
2022년	40	40	20	10
2023년	−15	30	−20	−10

① 2022년에 해외 기부금이 포함되는 항목은 적자이다.
② 2023년의 경상 수지는 달러화 대비 갑국 통화 가치의 상승 요인이다.
③ 2023년에 단기 체류 외국인 노동자에게 지급한 임금이 포함되는 항목은 수취액이 지급액보다 많았다.
④ 2022년 대비 2023년에 상품 수출액과 수입액의 합은 감소하였다.
⑤ 2022년 대비 2023년에 해외 여행 경비가 포함되는 항목은 흑자 규모가 감소하였다.

07

▸ 24064-0127

표는 2023년 갑국과 을국의 경상 수지 항목별 수취액과 지급액을 나타낸다. 이에 대한 옳은 분석만을 〈보기〉에서 고른 것은? (단, 국제 거래는 갑국과 을국 사이에서만 이루어짐.)

(단위: 억 달러)

구분		갑국		을국	
		수취액	지급액	수취액	지급액
경상 수지	상품 수지	50	40	㉠	
	서비스 수지	30	㉡	20	
	본원 소득 수지	20	30		
	이전 소득 수지	30	20		
		130			

* 음영 처리(▒)는 해당 내용을 표기하지 않은 것을 나타냄.

보기

ㄱ. ㉠은 '40', ㉡은 '20'이다.
ㄴ. 갑국의 서비스 수지는 적자이다.
ㄷ. 을국의 경상 수지는 을국의 통화량 감소 요인이다.
ㄹ. 본원 소득 수지 지급액은 을국이 갑국보다 많다.

① ㄱ, ㄴ　② ㄱ, ㄷ　③ ㄴ, ㄷ　④ ㄴ, ㄹ　⑤ ㄷ, ㄹ

08

▸ 24064-0128

표는 갑국의 상품 교역 관련 자료를 나타낸다. 이에 대한 설명으로 옳은 것은?

(단위: 억 달러)

구분	2021년	2022년	2023년
상품 교역액	160	250	300
상품 수지/상품 교역액	1/4	1/5	1/5

* 상품 교역액 = 상품 수출액 + 상품 수입액

① 상품 수입액은 2021년이 2023년의 2배이다.
② 2021년 대비 2022년에 상품 수출액은 50% 증가하였다.
③ 2022년 대비 2023년에 상품 수지는 악화되었다.
④ 상품 수출액에 대한 상품 수입액의 비는 2023년이 2022년보다 크다.
⑤ 상품 교역액에서 상품 수출액이 차지하는 비율은 2023년이 2022년보다 낮다.

09

▸ 24064-0129

다음 자료에 대한 설명으로 옳은 것은?

표는 2023년 갑국~병국의 상품 수지와 서비스 수지 각각의 전년 대비 변화를 나타낸다. 단, 국제 거래는 갑국~병국 세 국가 사이에서만 이루어지며, 갑국~병국의 상품 수지와 서비스 수지는 모두 2022년에 균형이다.

(단위: 억 달러)

구분	갑국	을국	병국
상품 수지	30	−10	㉠
서비스 수지	−20	㉡	10

① ㉠은 ㉡보다 크다.
② 2022년 대비 2023년에 을국의 서비스 수지는 악화되었다.
③ 2023년에 상품 수입액에 대한 상품 수출액의 비는 갑국이 병국보다 크다.
④ 2023년에 상품 수지 항목의 수취액과 지급액의 차이는 을국과 병국이 같다.
⑤ 2023년에 본원 소득 수지와 이전 소득 수지가 모두 균형이라면, 을국과 병국은 모두 경상 수지가 적자이다.

10

▸ 24064-0130

다음 자료에 대한 설명으로 옳은 것은?

그림은 2023년 갑국과 을국의 경상 수지 수취액을 각각의 항목별 구성 비율로 나타낸 것이다. 2023년 갑국의 상품 수지는 100억 달러 흑자이며, 갑국의 경상 수지 지급액은 1,000억 달러보다 작다. 단, 국제 거래는 갑국과 을국 사이에서만 이루어진다.

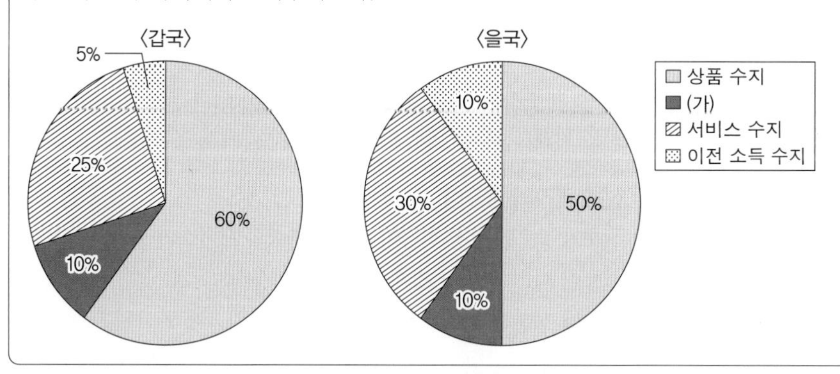

① 해외에 제공한 무상 원조액은 (가)에 해당한다.
② 갑국의 경상 수지는 갑국의 물가 하락 요인이다.
③ 을국의 경상 수지는 달러화 대비 을국 통화 가치의 상승 요인이다.
④ 을국에서 해외 투자로 인한 배당금이 포함되는 항목의 수지는 흑자이다.
⑤ 갑국의 서비스 수지 수취액이 125억 달러라면, 을국의 경상 수지는 100억 달러 적자이다.

THEME

14 금융 생활과 신용

1 금융과 금융 시장

(1) 금융

① 의미: 자금 수요자와 자금 공급자 간에 자금이 융통되는 것

② 기능

- 자금의 여유가 있는 경제 주체는 자금 활용을 통해 수익을 창출할 수 있음.
- 자금이 부족한 경제 주체는 자금 확보를 통해 경제 활동을 안정시킬 수 있음.
- 인적·물적 자본에 대한 투자 확대를 가능하게 함. → 소득 증대 및 생산성 향상으로 이어짐.

(2) 금융 시장

① 의미: 자금 수요자와 공급자 간에 자금이 거래되는 시장

② 기능

- 금리나 주가와 같은 금융 상품의 가격을 결정함.
- 금융 거래의 위험을 관리하고 금융 상품의 유동성을 높여 줌.
- 자금의 수요자와 공급자를 중개하고 자금 거래 비용을 감소시킴.

(3) 금융 기관(회사)

① 의미: 자금의 수요자와 공급자에게 각종 금융 서비스를 제공하는 기관(회사) 예 은행, 보험 회사, 증권 회사 등

② 기능: 금융 중개를 통해 금융 거래 비용을 낮추는 데 기여함.

2 화폐와 이자율

(1) 화폐: 재화와 서비스의 교환에 일반적으로 사용하는 지불 수단

(2) 이자와 이자율(금리)

① 이자: 일정 기간 동안 자금을 빌리거나 빌려준 것의 대가

② 이자율: 원금에 대한 이자의 비율 → 금융 시장에서 자금의 수요와 공급에 영향을 끼침.

③ 이자 계산 방법

단리	• 원금에 대해서만 기간별로 이자를 계산하는 방법 • 원리금=원금×{1+(이자율×기간)}
복리	• 원금에 대해 발생한 이자를 다음 기간의 원금에 합쳐 이자를 계산하는 방법 • 원리금=원금×$(1+\text{이자율})^{\text{기간}}$

④ 명목 이자율과 실질 이자율

- 명목 이자율: 물가 변동을 고려하지 않은 이자율
- 실질 이자율: 물가 변동을 고려한 이자율
- 실질 이자율 = 명목 이자율 − 물가 상승률

3 가계의 금융 생활

(1) 수입

① 의미: 일정 기간에 취득한 가계의 소득과 기타 수입의 합

② 소득의 구성

경상 소득	근로 소득	고용 계약에 따라 근로를 제공한 대가로 얻는 소득 예 봉급, 상여금 등
	사업 소득	자영업자나 고용주가 사업을 경영하여 얻는 소득 예 이윤 등
	재산 소득	자산(금융 자산 등)을 운용하여 얻는 소득 예 예금 이자, 주식 배당금 등
	이전 소득	생산 활동에 참여하지 않고 무상으로 얻는 소득 예 기초 연금 등
비경상 소득		비정기적이고 일시적 요인에 의해 발생하는 소득 예 경조금, 퇴직금, 복권 당첨금 등

(2) 지출

① 의미: 일정 기간에 이루어진 가계의 소비 지출과 비소비 지출의 합

② 결정 요인: 소득, 실질 이자율, 개인 자산의 실질 가치 등

③ 구성: 소비 지출+비소비 지출

소비 지출	재화나 서비스를 구매하기 위한 지출 예 식료품비, 교통비 등
비소비 지출	소비 지출 이외의 지출로, 의무성이 부여된 지출이나 대가 없이 발생하는 지출 예 조세, 사회 보험료, 대출 이자 등

(3) 처분 가능 소득: 소득에서 비소비 지출을 뺀 것 → 소비 지출과 저축이 이루어짐.

(4) 자산과 부채

자산	경제적 가치가 있는 유형 또는 무형의 재산
부채	과거의 거래로 인해 이행해야 할 금전적·비금전적 의무
순자산	총자산 − 총부채

4 신용과 신용 관리

(1) 신용

① 의미: 채무자의 부채 상환 능력에 대한 사회적 평가

② 신용 거래: 신용을 바탕으로 이루어지는 거래(융자 등)

(2) 신용 관리의 중요성

① 신용이 좋으면 당장 현금이 없어도 재화와 서비스의 소비가 가능함.

② 신용이 나쁘면 여러 경제 활동에 제약을 받음.

③ 오늘날 신용을 바탕으로 한 거래가 광범위하게 확산됨.

(3) 신용 관리의 방법

① 자신의 소득을 고려한 합리적 소비

② 자신의 상환 능력을 고려한 신용 카드 사용

③ 연체 없이 지출을 관리하기 위해서는 신용 카드보다 체크 카드 사용

④ 연체가 발생하지 않도록 가급적 자동 이체 이용

⑤ 자신의 신용 정보를 정기적으로 확인

정답과 해설 31쪽

01

▸ 24064-0131

다음 자료에 대한 설명으로 옳은 것은? (단, 제시된 자료 이외의 내용은 고려하지 않음.)

표는 갑국의 연도별 명목 이자율을 나타낸다. 단, 2021년~2023년 갑국의 전년 대비 물가 상승률은 3.0%로 일정하다.

구분	2021년	2022년	2023년
명목 이자율(%)	3.0	2.0	3.5

* 실질 이자율 = 명목 이자율 − 물가 상승률

① 물가 수준은 2021년과 2022년이 같다.
② 화폐 구매력은 제시된 기간 중 2023년이 가장 낮다.
③ 2021년에는 1년간 현금을 보유하는 것이 은행에 예금하는 것보다 유리하다.
④ 2022년 초에 예치한 1년 만기 정기 예금의 만기 시 원리금은 원금보다 적다.
⑤ 1년 만기 정기 예금에 동일 금액을 연초에 예치한 경우 발생한 연 이자는 2023년이 2022년의 1.5배이다.

02

▸ 24064-0132

다음 자료에 대한 설명으로 옳은 것은?

표는 1,000만 원을 3년 만기 정기 예금 상품 A, B에 각각 예치한 경우 기간별 이자와 원리금을 나타낸다. A, B의 이자 지급 방식은 각각 단리와 복리 중 하나이고, 이자는 기간별 말일에 지급되며, 예치 기간 중 연 이자율은 변함이 없다. 단, 세금이나 수수료 등의 거래 비용은 없다.

(단위: 만 원)

구분	A		B	
	이자	원리금	이자	원리금
첫째 해	100	1,100	100	1,100
둘째 해	㉠	㉡	110	㉢
셋째 해	㉣		㉤	

* 음영 처리(▒▒)는 해당 내용을 표기하지 않은 것을 나타냄.

① 연 이자율은 A가 B보다 높다.
② 만기 시 원리금은 B가 A보다 적다.
③ B는 최초 원금에 대해서만 이자를 지급하는 상품이다.
④ ㉡은 ㉢보다 크다.
⑤ ㉠과 ㉣은 같고, ㉤은 ㉣보다 크다.

03

▸ 24064-0133

표는 2022년, 2023년 갑이 얻은 소득의 항목별 비중을 나타낸다. 이에 대한 분석으로 옳은 것은? (단, 2022년과 2023년의 근로 소득액은 동일하며, (가), (나)는 각각 경상 소득, 비경상 소득 중 하나임.)

(단위: %)

구분	내용	2022년	2023년
(가)	근로 소득	70	50
	재산 소득	15	15
	㉠	1	10
	사업 소득	4	11
(나)		10	14

① (가)는 (나)와 달리 비정기적으로 발생하는 소득이다.
② 복권 당첨금에 따른 소득은 ㉠에 해당한다.
③ 이자가 포함되는 항목의 소득은 2022년과 2023년이 같다.
④ 자영업자의 이윤이 포함되는 항목의 소득은 2023년이 2022년보다 적다.
⑤ 2022년 대비 2023년에 소득의 증가 규모는 경상 소득 중 공적 연금이 포함되는 항목이 가장 크다.

04

▸ 24064-0134

표는 갑의 연도별 소득 및 지출 관련 자료이다. 이에 대한 설명으로 옳은 것은? (단, A~C는 각각 저축, 소득, 처분 가능 소득 중 하나이며, 소비 지출과 비소비 지출은 모두 양(+)의 값임.)

(단위: 만 원)

구분	2021년	2022년	2023년
A	5,000	5,500	6,000
B	1,000	800	1,200
C	4,000	4,500	4,500

* 처분 가능 소득 = 소득 – 비소비 지출
** 저축 = 처분 가능 소득 – 소비 지출

① 소비 지출은 2022년이 가장 적다.
② 비소비 지출은 지속적으로 감소하였다.
③ 소득에서 저축이 차지하는 비율은 2023년이 가장 낮다.
④ 소비 지출과 비소비 지출의 합은 2021년이 2023년보다 많다.
⑤ 처분 가능 소득에서 소비 지출이 차지하는 비율은 2022년이 2023년보다 높다.

05

▸ 24064-0135

표는 올바른 신용 관리 방법에 대한 질문과 학생의 응답을 나타낸다. 이에 대해 모두 옳게 응답한 학생은?

질문	학생의 응답				
	갑	을	병	정	무
소액이라도 연체가 되지 않도록 주의해야 하나요?	○	×	○	○	×
신용 카드는 사용하지 않고 현금만 사용해야 하나요?	×	○	×	×	×
상환 능력을 초과한 대출은 자제하는 것이 좋은가요?	○	○	○	×	○
주거래 은행 없이 최대한 여러 은행을 이용해야 하나요?	○	×	×	×	○

(○: 예, ×: 아니요)

① 갑　② 을　③ 병　④ 정　⑤ 무

06

▸ 24064-0136

그림은 갑국의 연도별 A, B를 나타낸다. 이에 대한 설명으로 옳은 것은? (단, A, B는 각각 명목 이자율, 실질 이자율 중 하나이며, 화폐 구매력은 2023년이 가장 낮음.)

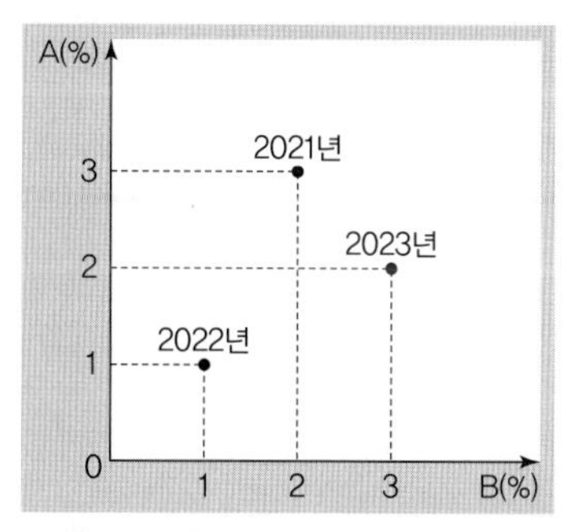

* 실질 이자율 = 명목 이자율 − 물가 상승률
** 물가 수준은 GDP 디플레이터로 측정함.

① A는 명목 이자율, B는 실질 이자율이다.
② 물가 수준은 2021년이 2022년보다 낮다.
③ 실질 이자율에 대한 명목 이자율의 비는 2021년이 2023년보다 크다.
④ 2021년에는 현금을 보유하는 것이 은행에 예금하는 것보다 유리하다.
⑤ 제시된 기간 동안 실질 GDP가 동일하다면 명목 GDP는 2023년이 가장 크다.

07

▸ 24064-0137

그림은 갑의 8월, 9월 모든 수입과 지출을 나타낸다. 이에 대한 설명으로 옳은 것은?

〈수입〉

월	일	내용	금액(만 원)
8	10	은행 이자	50
	20	월급	450
	29	복권 당첨금	50
	30	주식 배당금	50
9	10	은행 이자	50
	20	월급	450
	20	명절 상여금	200

* 처분 가능 소득 = 소득 − 비소비 지출

〈지출〉

(만 원)
140
120
100
80
60
40
20
0
8월
9월
100
140
50
60
30
40
30
50
20
20
20
40
식비
대출 이자
의류비
세금
통신비
사회 보험료

① 근로 소득은 8월과 9월이 같다.
② 재산 소득은 9월이 8월의 2배이다.
③ 처분 가능 소득은 8월이 9월보다 많다.
④ 비소비 지출에 대한 소비 지출의 비는 8월이 9월보다 크다.
⑤ 전체 소득에서 비경상 소득이 차지하는 비중은 8월이 9월보다 작다.

08

▸ 24064-0138

그림은 갑과 을의 소득 항목별 비중을 나타낸다. 이에 대한 옳은 분석만을 〈보기〉에서 고른 것은? (단, 갑과 을의 경상 소득은 동일함.)

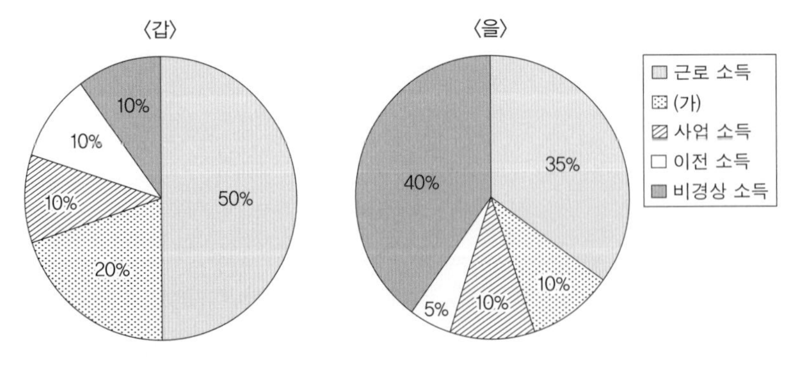

보기

ㄱ. 주식 배당금은 (가)에 해당한다.
ㄴ. 상여금이 포함되는 항목의 소득은 갑이 을보다 적다.
ㄷ. 비정기적이고 일시적 요인에 의해 얻은 소득은 을이 갑의 4배이다.
ㄹ. 생산 활동에 참여하지 않고 무상으로 얻은 소득은 갑이 을보다 적다.

① ㄱ, ㄴ ② ㄱ, ㄷ ③ ㄴ, ㄷ ④ ㄴ, ㄹ ⑤ ㄷ, ㄹ

09

▸ 24064-0139

그림은 경제 수업 시간의 한 장면이다. 이에 대한 옳은 설명만을 〈보기〉에서 고른 것은?

〈자료 1〉

(단위: 만 원)

구분	소득	소비 지출	비소비 지출
갑	500	200	100
을	400	150	100

* 처분 가능 소득 = 소득 − 비소비 지출

〈자료 2〉

(가)	(나)	(다)	(라)
대출 이자율 상승으로 대출 이자를 추가로 20만 원 납부하세요.	휴대전화를 교체하게 되어 기기값으로 50만 원을 지불하세요.	복권 당첨금 100만 원을 받으세요.	명절 상여금으로 40만 원을 받으세요.

보기

ㄱ. 갑이 (가)를 뽑을 경우 갑의 저축은 380만 원이 된다.
ㄴ. 을이 (나)를 뽑을 경우 을의 비소비 지출은 50만 원 증가한다.
ㄷ. 을이 (다)를 뽑을 경우 갑의 선택과 관계없이 을이 승리한다.
ㄹ. 갑이 (라)를, 을이 (가)를 뽑을 경우 갑이 승리한다.

① ㄱ, ㄴ ② ㄱ, ㄷ ③ ㄴ, ㄷ ④ ㄴ, ㄹ ⑤ ㄷ, ㄹ

10

▸ 24064-0140

그림의 대화에 대한 설명으로 옳은 것은? (단, 예금의 명목 이자율은 연 5%로 변화가 없음.)

* 실질 이자율 = 명목 이자율 − 물가 상승률

① 갑의 예상이 맞을 경우 예금의 실질 이자율은 −1%이다.
② 을의 예상이 맞을 경우 예금의 원리금은 원금보다 적다.
③ 갑의 예상이 맞을 경우 을의 예상과 달리 예금의 실질 이자율은 양(+)의 값이다.
④ 을의 예상이 맞을 경우 갑의 예상과 달리 물가 수준은 상승한다.
⑤ 갑의 예상이 맞을 경우와 을의 예상이 맞을 경우 모두 앞으로 1년간 현금을 보유하는 것이 은행에 예금하는 것보다 유리하다.

THEME 15 금융 상품과 재무 계획

1 자산 관리의 주요 판단 기준

안전성	• 금융 상품의 가치가 보전될 수 있는 정도 • 금융 거래에는 금융 기관 파산에 따른 채무 불이행 위험, 금융 상품의 가격 하락에 따른 손실 위험이 따름.
수익성	• 금융 상품의 가격 상승이나 이자 수익을 기대할 수 있는 정도 • 주식의 경우 향후 주식 가격 상승에 대한 기대와 주식 발행 회사가 결산 후 지급하는 배당 수익에 대한 기대가 있음.
유동성 (환금성)	• 투자한 자산을 쉽고 빠르게 현금화할 수 있는지의 정도 • 부동산은 유동성이 낮지만, 요구불 예금은 유동성이 높음.

2 금융 상품의 유형과 특성

(1) 금융 상품 선택 시 고려 사항

① 안전성, 수익성, 유동성을 적절히 고려해야 함.

② 현재 자신의 수입이나 재산 상태, 앞으로 필요한 자금의 규모 등을 고려하여 투자의 목적이나 기간 등을 살펴야 함.

(2) 금융 상품의 유형

① 예금: 이자 수익이나 자금 보관을 목적으로 금융 기관에 자금을 예치하는 것

요구불 예금	입출금이 자유로운 예금 예 보통 예금, 당좌 예금 등
저축성 예금	이자 수입을 주된 목적으로 하는 예금 예 정기 예금, 정기 적금 등

② 증권 상품

주식	• 의미: 기업이 장기적인 사업 자금 조달을 위해 발행하는 증권으로, 회사 소유권의 일부를 투자자에게 주는 증서 • 특징: 예금 상품보다 안전성은 낮지만, 배당이나 시세 차익과 같은 수익을 기대할 수 있음.
채권	• 의미: 자금을 필요로 하는 정부나 기업 등이 다수의 사람으로부터 돈을 빌리면서 언제까지 빌리고, 이자는 얼마를 줄 것인지 약속하는 증서 • 특징: 이자나 시세 차익을 기대할 수 있고, 주식보다 안전성이 높으며, 실물 자산보다 유동성이 높음.
간접 투자 상품 (펀드)	• 의미: 수익 증권, 뮤추얼 펀드와 같이 금융 기관에 돈을 맡겨서 대신 투자하도록 하는 상품 • 특징: 수익은 예금 이자보다 높을 수 있으나, 원금 손실이 발생할 수 있음.

③ 연금: 노후 생활의 안정을 위해 필요한 자금을 적립하여 노령, 퇴직 등의 사유가 발생했을 때 지급받는 금융 상품

구분	의미	종류
공적 연금	국가나 법률로 정한 공공성을 갖춘 법인이 운영하는 연금	국민연금, 군인 연금, 공무원 연금 등
사적 연금	기업 등 사적 주체가 운영하는 연금	근로자 퇴직 연금, 개인연금 등

④ 보험

• 의미: 미래의 위험에 대비하여 평소에 보험료를 내고, 사고 발생 시 보험금을 받는 금융 상품

• 보험금 지급 사유에 따른 구분

구분	보험금 지급 사유	종류
생명 보험	사망 시 또는 계약 기간까지 생존 시 지급	사망 보험, 생존 보험 등
손해 보험	재산·신체적 손해 등 계약으로 정한 손해 발생 시 지급	화재 보험, 실손 의료 보험 등

• 보험 운영 방식에 따른 구분

구분	보험 운영 방식	종류
사회 보험	국가 및 공공 단체가 운영하며, 일반적으로 가입의 강제성이 있음.	국민 건강 보험, 고용 보험 등
민영 보험	민간 단체나 민영 회사가 운영하며, 일반적으로 가입의 강제성이 없음.	생명 보험, 손해 보험 등

3 생애 주기와 재무 설계

(1) 생애 주기

① 의미: 인간 생애를 유소년기, 청소년기, 청장년기, 노년기 등으로 구분한 것으로, 개인의 성장, 취업, 혼인, 자녀 양육, 은퇴, 노후 등 일반적 삶의 단계를 나타냄.

② 생애 주기 곡선: 생애 주기에 따른 수입과 지출 또는 소득과 소비를 곡선 형태로 나타낸 것으로, 개인마다 다양하게 나타남.

③ 생애 주기 곡선의 예

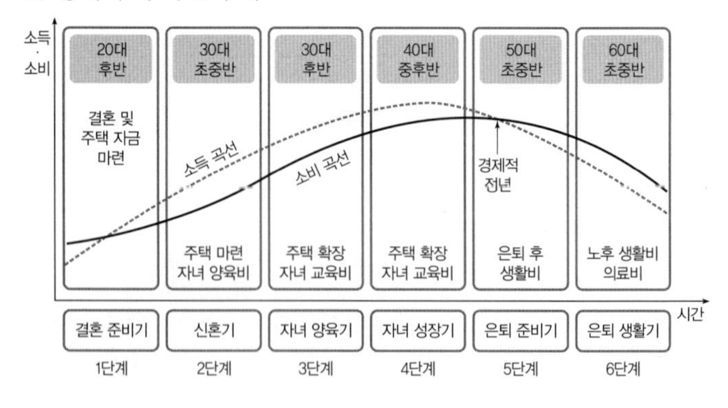

(2) 재무 설계

① 의미: 재무 목표 달성을 위해 수입, 지출과 저축 등을 합리적으로 계획하고 실천에 옮기는 것

② 필요성: 자신이 원하는 생활 수준을 유지하기 위해 재무 설계가 필요함.

③ 재무 설계의 절차: 재무 목표 설정 → 재무 상태 분석 → 행동 계획 수립 → 행동 계획 실행 → 평가와 수정

01

▸ 24064-0141

표는 금융 상품 A~C의 일반적 특징을 질문에 따라 구분한 것이다. 이에 대한 설명으로 옳은 것은? (단, A~C는 각각 주식, 채권, 정기 예금 중 하나임.)

질문	A	B	C
시세 차익을 기대할 수 있는가?	예	아니요	예
배당 수익을 기대할 수 있는가?	㉠	㉡	예
(가)	예	예	아니요

① ㉠은 '예', ㉡은 '아니요'이다.
② A는 B에 비해 안전성이 높다.
③ B는 C에 비해 수익성이 높다.
④ C는 A와 달리 예금자 보호 제도의 적용 대상이다.
⑤ (가)에는 '이자 수익을 기대할 수 있는가?'가 들어갈 수 있다.

02

▸ 24064-0142

그림은 금융 상품 A~C의 일반적인 특징을 비교한 것이다. 이에 대한 옳은 설명만을 〈보기〉에서 고른 것은? (단, A~C는 각각 주식, 채권, 요구불 예금 중 하나임.)

〈수익성〉

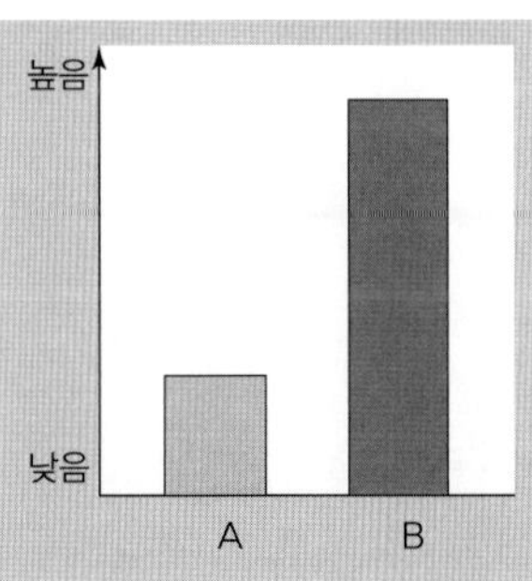

〈안전성〉

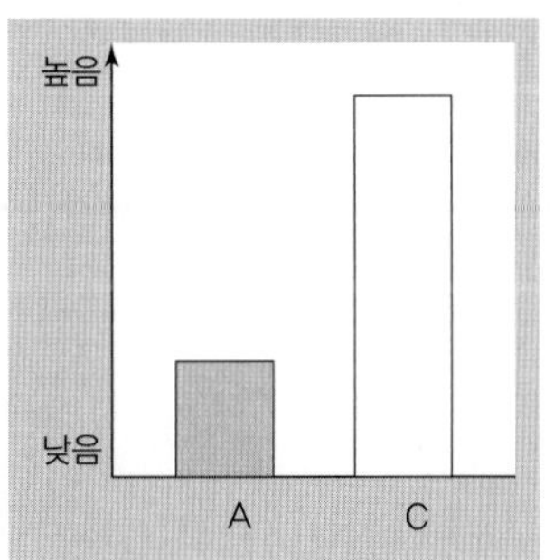

보기

ㄱ. A의 보유자는 이자 수익을 기대할 수 있다.
ㄴ. B의 보유자는 주주로서의 지위를 가진다.
ㄷ. C의 보유자는 시세 차익을 기대할 수 있다.
ㄹ. B는 C에 비해 유동성이 높다.

① ㄱ, ㄴ　② ㄱ, ㄷ　③ ㄴ, ㄷ　④ ㄴ, ㄹ　⑤ ㄷ, ㄹ

03

▸24064-0143

다음에 대한 설명으로 옳은 것은? (단, A, B는 각각 주식, 채권 중 하나임.)

〈금융 상품의 특징 서술하기〉

이름: ○○○

※ A와 구별되는 B의 일반적인 특징을 두 가지 서술하시오.

답안	채점 결과
배당 수익을 기대할 수 있다.	2점
(가)	

* 서술 내용 1개당 옳으면 1점, 틀리면 0점을 부여함.

① A는 이자 수익을 기대할 수 있다.
② B는 발행 주체의 부채를 증가시킨다.
③ A, B는 모두 제도적으로 원금이 보장된다.
④ B는 A와 달리 보유자가 채권자로서의 지위를 가진다.
⑤ (가)에는 '시세 차익을 기대할 수 있다.'가 들어갈 수 있다.

04

▸24064-0144

그림은 금융 상품 A~C의 일반적인 특징을 비교한 것이다. A~C에 대해 자신에게 주어진 질문에 모두 옳게 응답한 학생은? (단, A~C는 각각 주식, 채권, 정기 예금 중 하나임.)

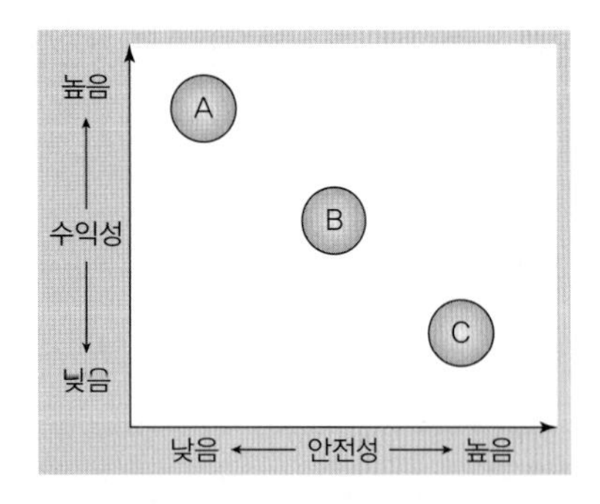

구분	질문	응답		
		A	B	C
갑	배당 수익을 기대할 수 있습니까?	아니요	예	아니요
을	이자 수익을 기대할 수 있습니까?	아니요	아니요	예
병	시세 차익을 기대할 수 있습니까?	예	아니요	예
정	만기를 정할 수 있는 금융 상품입니까?	아니요	예	예
무	예금자 보호 제도의 적용 대상입니까?	예	아니요	아니요

① 갑　② 을　③ 병　④ 정　⑤ 무

05

▸ 24064-0145

다음 자료에 대한 설명으로 옳은 것은?

그림은 t 시점과 t+1 시점에서 갑의 금융 자산 포트폴리오 구성을 나타낸다. 갑은 t 시점에 [(가)]만 원을 여러 금융 상품에 분산 투자하였으며, 일정 기간이 지난 t+1 시점에 주식의 가치는 400만 원 증가한 반면, 요구불 예금의 가치는 변화가 없었다. 이에 따라 각 금융 상품이 전체 금융 자산에서 차지하는 비중은 그림과 같이 변동되었다. 단, 제시된 투자 이외의 추가적인 투자 활동은 없었다.

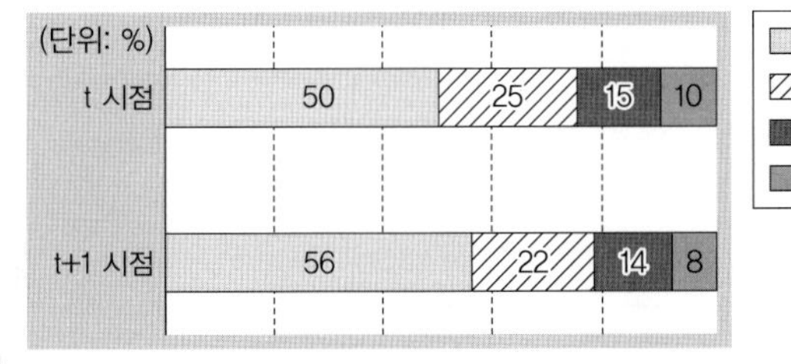

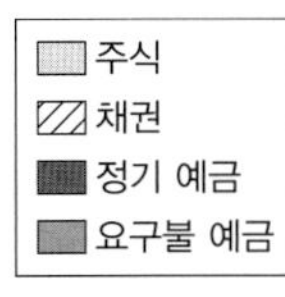

① (가)는 '1,500'이다.
② t 시점에 저축성 예금에 투자한 금액은 375만 원이다.
③ t+1 시점에서 갑의 전체 금융 자산의 가치는 2,500만 원이다.
④ t 시점과 t+1 시점 사이 채권의 가치는 100만 원 증가하였다.
⑤ t 시점 대비 t+1 시점에 시세 차익을 기대할 수 있는 금융 상품의 비중은 감소하였다.

06

▸ 24064-0146

다음 대화에 대한 옳은 설명만을 〈보기〉에서 고른 것은? (단, A~C는 각각 주식, 채권, 정기 예금 중 하나임.)

교사: 금융 상품 A~C의 일반적 특징을 비교하여 설명해 볼까요?
갑: A와 B는 모두 시세 차익을 기대할 수 있습니다.
을: C는 A와 달리 이자 수익을 기대할 수 있습니다.
병: [(가)]
교사: 세 학생 모두 옳게 설명하였습니다.

보기

ㄱ. A는 만기가 있으며 원금이 보장된다.
ㄴ. 정부는 기업과 달리 B의 발행 주체가 될 수 없다.
ㄷ. 원금 손실 위험을 기피하는 투자자일수록 A보다 C를 선호할 것이다.
ㄹ. (가)에는 'B는 A와 달리 발행 주체의 부채를 증가시킵니다.'가 들어갈 수 있다.

① ㄱ, ㄴ ② ㄱ, ㄷ ③ ㄴ, ㄷ ④ ㄴ, ㄹ ⑤ ㄷ, ㄹ

07

▶ 24064-0147

그림은 금융 상품 A～C를 일반적 특징에 대한 질문에 따라 구분한 것이다. 이에 대한 옳은 설명만을 〈보기〉에서 고른 것은? (단, A～C는 각각 주식, 채권, 정기 예금 중 하나임.)

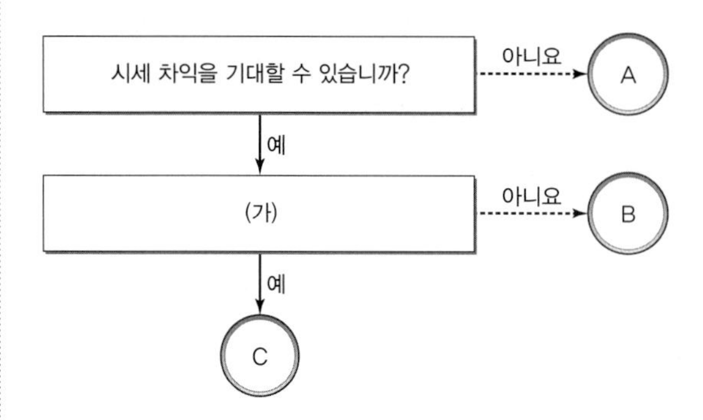

보기

ㄱ. A는 B에 비해 안전성이 낮다.
ㄴ. (가)에는 '예금자 보호 제도의 적용 대상입니까?'가 들어갈 수 있다.
ㄷ. (가)가 '배당 수익을 기대할 수 있습니까?'라면, B는 C에 비해 수익성이 낮다.
ㄹ. C가 만기를 정할 수 있는 금융 상품이라면, (가)에는 '이자 수익을 기대할 수 있습니까?'가 들어갈 수 있다.

① ㄱ, ㄴ ② ㄱ, ㄷ ③ ㄴ, ㄷ ④ ㄴ, ㄹ ⑤ ㄷ, ㄹ

08

▶ 24064-0148

그림에 대한 옳은 설명만을 〈보기〉에서 고른 것은?

〈금융 자산 포트폴리오 조정 제안서〉

선진국에서 발생한 금융 위기의 파장이 전세계적으로 확산될 것으로 예상됨에 따라 자산 관리의 원칙 중 (가) 를 중시하는 방향으로 금융 자산 포트폴리오 조정을 제안드립니다.

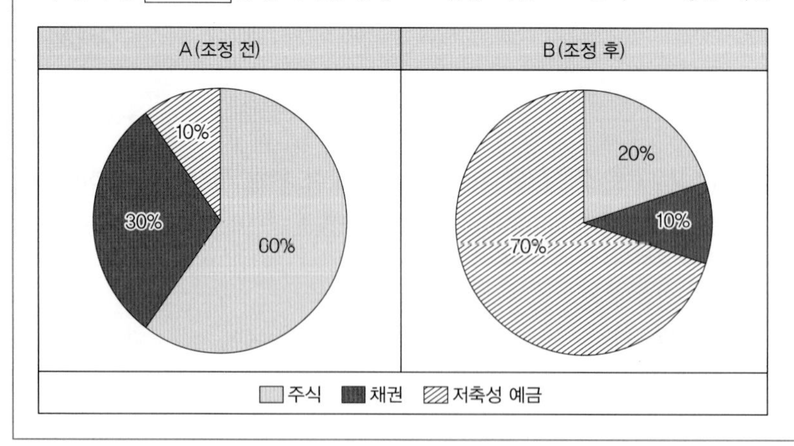

보기

ㄱ. (가)에는 '안전성'이 들어갈 수 있다.
ㄴ. 시세 차익을 기대할 수 있는 금융 상품의 비중은 A가 B보다 작다.
ㄷ. 이자 수익을 기대할 수 있는 금융 상품의 비중은 B가 A의 2배이다.
ㄹ. A, B는 모두 만기를 정할 수 있는 금융 상품의 비중이 만기를 정할 수 없는 금융 상품의 비중보다 크다.

① ㄱ, ㄴ ② ㄱ, ㄷ ③ ㄴ, ㄷ ④ ㄴ, ㄹ ⑤ ㄷ, ㄹ

09

▸ 24064-0149

다음 자료에 대한 옳은 설명만을 〈보기〉에서 있는 대로 고른 것은?

교사: 주식, 채권, 정기 예금의 공통점과 차이점을 알아보기 위한 카드 게임을 해 봅시다. 학생 갑~병 각각에게 나눠 준 여섯 장의 카드에는 금융 상품의 일반적인 특징이 적혀 있으며, 점수 배점은 다음과 같습니다. 두 가지 금융 상품에 해당하는 특징이 적힌 카드는 4점, 주식에만 해당하는 특징이 적힌 카드는 3점, 채권에만 해당하는 특징이 적힌 카드는 2점, 정기 예금에만 해당하는 특징이 적힌 카드는 1점을 받습니다. 갑~병은 각각 세 장의 카드를 뽑으며, 점수가 가장 높은 학생이 승리합니다.

〈카드 1〉	〈카드 2〉	〈카드 3〉	〈카드 4〉	〈카드 5〉	〈카드 6〉
배당 수익을 기대할 수 있다.	이자 수익을 기대할 수 있다.	시세 차익을 기대할 수 있다.	만기를 정할 수 있다.	채권자로서의 지위가 부여된다.	예금자 보호 제도가 적용된다.

갑: 저는 〈카드 1〉, 〈카드 3〉, 〈카드 5〉를 뽑았습니다.
을: 저는 〈카드 2〉, 〈카드 3〉, 〈카드 5〉를 뽑았습니다.
병: 저는 〈카드 2〉, 〈카드 4〉, 〈카드 6〉을 뽑았습니다.

보기

ㄱ. 가장 높은 점수를 받은 학생은 을이다.
ㄴ. 병이 뽑은 카드 중 주식에 해당하는 특징이 적힌 카드는 한 장이다.
ㄷ. 갑과 을은 모두 채권에 해당하는 특징이 적힌 카드를 두 장씩 뽑았다.
ㄹ. 을과 병은 모두 4점에 해당하는 카드를 두 장씩 뽑았다.

① ㄱ, ㄴ ② ㄱ, ㄹ ③ ㄷ, ㄹ ④ ㄱ, ㄴ, ㄷ ⑤ ㄴ, ㄷ, ㄹ

10

▸ 24064-0150

그림은 갑의 생애 주기 곡선을 나타낸다. 이에 대한 설명으로 옳은 것은?

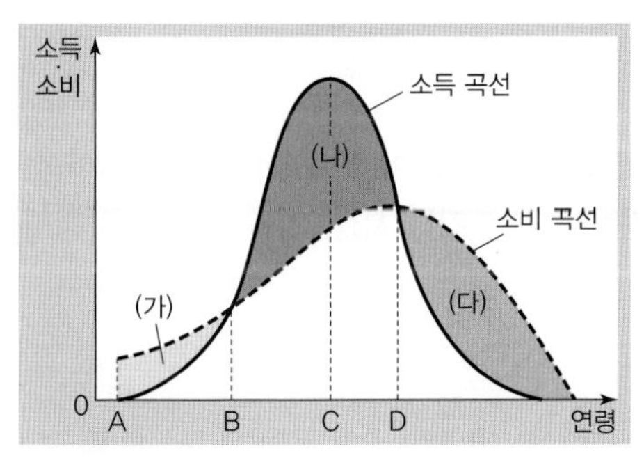

* 소득 = 소비 + 저축
** (가) ~ (다)는 각각 해당 부분의 면적을 의미함.
*** A 시점 이전에는 소득과 저축이 없음.

① C 시점에서 누적 저축액은 최대가 된다.
② D 시점 이후 소득에 대한 소비의 비는 작아진다.
③ A~B 기간에 저축은 양(+)의 값을 가진다.
④ B~C 기간에 소득 증가율은 소비 증가율보다 낮다.
⑤ A 시점 이후 소득의 합과 소비의 합이 일치할 경우 (가)와 (다)의 합은 (나)와 같다.

실전 모의고사 1회

(제한시간 30분) (배점 50점) 정답과 해설 35쪽

문항에 따라 배점이 다르니, 각 물음의 끝에 표시된 배점을 참고하시오. 3점 문항에만 점수가 표시되어 있습니다. 점수 표시가 없는 문항은 모두 2점입니다.

▸24064-0151

1 그림은 민간 경제의 순환을 나타낸다. 이에 대한 설명으로 옳은 것은? (단, A, B는 각각 가계, 기업 중 하나임.)

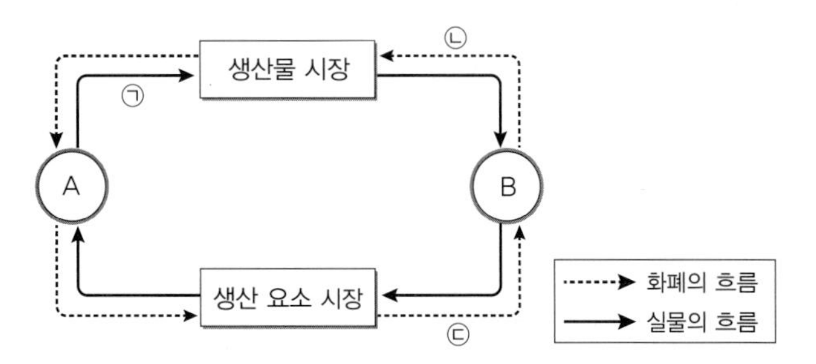

① A는 재정 활동의 주체이다.
② B는 이윤의 극대화를 추구하는 경제 주체이다.
③ 노동은 ㉠에 해당한다.
④ A가 효용을 추구하기 위해 지출한 금액은 ㉢에 해당한다.
⑤ ㉢의 증가는 ㉡의 증가 요인이다.

▸24064-0152

2 다음 자료에 대한 설명으로 옳은 것은?

표는 경제 활동의 유형과 객체에 따라 민간 부문의 경제 활동 사례를 나타낸다. 단, A, B는 각각 소비와 생산 중 하나이고 C, D는 각각 재화와 서비스 중 하나이다.

구분		경제 활동의 유형	
		A	B
경제 활동의 객체	C	(가)	(나)
	D	갑은 유료 인터넷 경제 강의를 판매 목적으로 제작하였다.	(다)

① A는 B와 달리 만족감을 얻기 위한 경제 활동에 해당한다.
② C는 D와 달리 생산 요소 시장에서 거래된다.
③ '자동차 공장에서 판매를 목적으로 자동차를 생산하였다.'는 (나)에 들어갈 수 있다.
④ (가)는 (다)와 달리 부가 가치를 창출하는 경제 활동에 해당한다.
⑤ (나)의 경제 주체는 (가)의 경제 주체와 달리 생산 요소 시장의 수요자 역할을 한다.

▸24064-0153

3 다음 자료에 대한 옳은 설명만을 〈보기〉에서 있는 대로 고른 것은? (단, X재, X재와 대체 관계에 있는 재화 모두 수요와 공급 법칙을 따름.) [3점]

교사: 표는 X재 시장의 연도별 시장 균형점 A~D를 나타냅니다. 점 A, B는 동일한 공급 곡선상에 위치하며 점 A, C, D는 동일한 수요 곡선상에 위치합니다. 표에 나타난 변화에 대해 발표해 볼까요?

구분	A	B	C	D
균형 가격(달러)	2P	P	3P	P
균형 거래량(개)	2Q	Q	Q	3Q

갑: A에서 B로 이동하면 X재의 판매 수입은 감소합니다.
을: (가)
교사: 갑과 을 중에서 한 명만 옳게 발표하였습니다.

〈보기〉
ㄱ. X재와 대체 관계에 있는 재화의 공급 증가는 A에서 B로의 이동 요인이다.
ㄴ. B에서 C로 이동할 경우 수요 곡선과 공급 곡선은 모두 우측으로 이동한다.
ㄷ. (가)에는 '수요자와 공급자의 X재 가격 상승 예상은 B에서 C로의 이동 요인입니다.'가 들어갈 수 없다.
ㄹ. (가)에는 '균형점이 B일 경우의 판매 수입은 D일 경우보다 큽니다.'가 들어갈 수 있다.

① ㄱ, ㄴ ② ㄱ, ㄷ ③ ㄴ, ㄹ
④ ㄱ, ㄷ, ㄹ ⑤ ㄴ, ㄷ, ㄹ

▸24064-0154

4 표는 질문에 따라 경제 체제를 구분한 것이다. 이에 대한 설명으로 옳은 것은? (단, A, B는 각각 시장 경제 체제, 계획 경제 체제 중 하나임.)

질문	A	B
개별 경제 주체의 자율성을 중시합니까?	예	아니요
(가)	아니요	예

① A에서는 '보이지 않는 손'의 기능을 부정한다.
② B에서는 생산 수단의 사적 소유를 중시한다.
③ B에서는 A와 달리 최소의 정부가 최선의 정부임을 강조한다.
④ (가)에는 '생산 방법을 정부가 결정합니까?'가 들어갈 수 있다.
⑤ (가)에는 '희소성에 따른 경제 문제가 발생합니까?'가 들어갈 수 있다.

▸24064-0155

5 다음 자료에 대한 분석으로 옳은 것은? [3점]

〈자료 1〉은 갑이 X재 1개를 추가로 소비할 때의 효용의 증가분을 나타내며, 〈자료 2〉는 갑이 Y재를 소비할 때의 총효용을 나타낸다. 갑은 X재와 Y재를 합하여 5개를 구입하고자 하며, X재와 Y재의 가격은 동일하다.

〈자료 1〉

X재 소비량	1개째	2개째	3개째	4개째	5개째
효용의 증가분	100	80	50	20	10

〈자료 2〉

Y재 소비량	1개	2개	3개	4개	5개
총효용	130	220	280	320	350

① X재 5개 소비의 총효용은 250이다.
② X재 2개와 Y재 3개를 소비하는 것이 합리적이다.
③ 2개째 소비할 경우 효용의 증가분은 X재가 Y재보다 크다.
④ X재 소비량이 증가할 때 X재의 총효용이 감소하는 경우가 있다.
⑤ Y재 1개를 추가로 소비할 때 얻는 효용의 증가분이 같은 경우가 있다.

▸24064-0156

6 표는 갑국의 전년 대비 실질 GDP 변동률과 전년 대비 명목 GDP 변동률을 나타낸다. 이에 대한 옳은 설명만을 〈보기〉에서 고른 것은? (단, 기준 연도는 2019년이고, 물가 수준은 GDP 디플레이터로 측정함.)

(단위: %)

구분	2020년	2021년	2022년	2023년
전년 대비 실질 GDP 변동률	1	1	0	−2
전년 대비 명목 GDP 변동률	2	0	1	−1

보기

ㄱ. 물가 수준은 2021년이 가장 높다.
ㄴ. 2022년의 경제 성장률은 영(0)이다.
ㄷ. 전년 대비 2020년의 물가 수준은 하락하였다.
ㄹ. 전년 대비 2023년의 물가 수준 변화는 화폐 구매력 하락 요인이다.

① ㄱ, ㄴ ② ㄱ, ㄷ ③ ㄴ, ㄷ
④ ㄴ, ㄹ ⑤ ㄷ, ㄹ

▸24064-0157

7 다음 자료에 대한 설명으로 옳은 것은? [3점]

표는 갑이 X재~Z재를 구입할 경우 각각의 편익과 암묵적 비용을 나타낸다. 갑은 X재~Z재 중 한 개의 재화만 구입하고자 한다. 단, 갑이 Y재를 구입할 경우의 명시적 비용은 150달러이고, 갑은 편익과 기회비용을 고려하여 합리적 선택을 한다.

(단위: 달러)

구분	X재	Y재	Z재
편익	400	200	300
암묵적 비용	150	200	㉠

① ㉠은 200보다 작다.
② Z재를 구입할 경우의 기회비용이 가장 작다.
③ X재를 구입할 경우의 기회비용은 300달러이다.
④ 명시적 비용은 Z재를 구입할 경우가 Y재를 구입할 경우보다 크다.
⑤ Y재를 구입할 경우의 순편익과 Z재를 구입할 경우의 순편익은 모두 음(−)의 값이다.

▸24064-0158

8 그림은 금융 상품의 일반적인 특징을 묻는 질문에 따라 A~C를 구분한 것이다. 이에 대한 옳은 설명만을 〈보기〉에서 고른 것은? (단, A~C는 각각 정기 예금, 채권, 주식 중 하나임.)

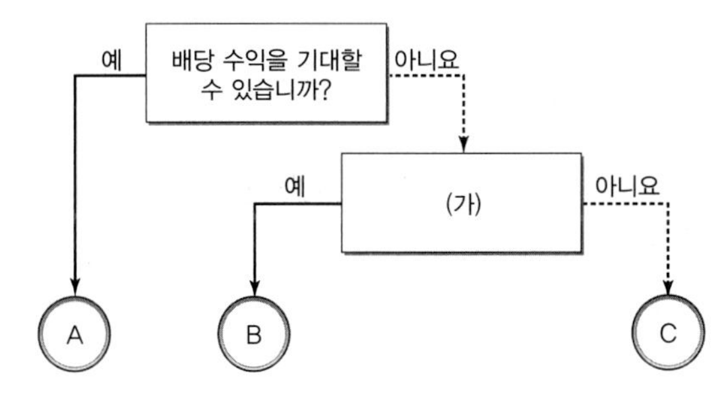

보기

ㄱ. 기업은 A의 발행 주체에 해당하지 않는다.
ㄴ. (가)에는 '이자 수익을 기대할 수 있습니까?'가 들어갈 수 있다.
ㄷ. (가)가 '시세 차익을 기대할 수 있습니까?'라면, B는 A에 비해 수익성이 낮다.
ㄹ. (가)가 '예금자 보호 제도의 적용 대상입니까?'라면, C는 B와 달리 시세 차익을 기대할 수 있다.

① ㄱ, ㄴ ② ㄱ, ㄷ ③ ㄴ, ㄷ
④ ㄴ, ㄹ ⑤ ㄷ, ㄹ

▸ 24064-0159

9 다음 자료에 대한 설명으로 옳은 것은? [3점]

표는 갑 기업의 t년 X재 생산량에 따른 평균 수입과 평균 비용을 나타낸다. t+1년에는 다른 조건은 변함없이 총비용만 각 생산 수준에서 t년 대비 각각 0.5배가 되었다. 단, 생산된 X재는 모두 판매된다.

생산량(개)	1	2	3	4
평균 수입(달러)	200	200	200	200
평균 비용(달러)	220	180	160	220

* 평균 수입 = 총수입/생산량
** 평균 비용 = 총비용/생산량

① t년에 생산량이 2개일 때의 총수입이 가장 작다.
② t+1년에 생산량이 4개일 때의 총비용이 가장 작다.
③ t+1년에 이윤은 생산량이 1개일 때만 음(−)의 값이다.
④ t+1년에 생산량이 4개일 때의 이윤은 t년과 달리 양(+)의 값이다.
⑤ X재 1개를 추가로 생산할 때 발생하는 수입의 증가분은 t년이 t+1년의 2배이다.

▸ 24064-0160

10 다음 자료에 대한 설명으로 옳은 것은?

그림은 외부 효과가 발생한 A국의 X재 시장 상황을 나타낸다. X재 시장에서 발생한 외부 효과의 유형에 대해 갑과 을의 주장이 다르다.

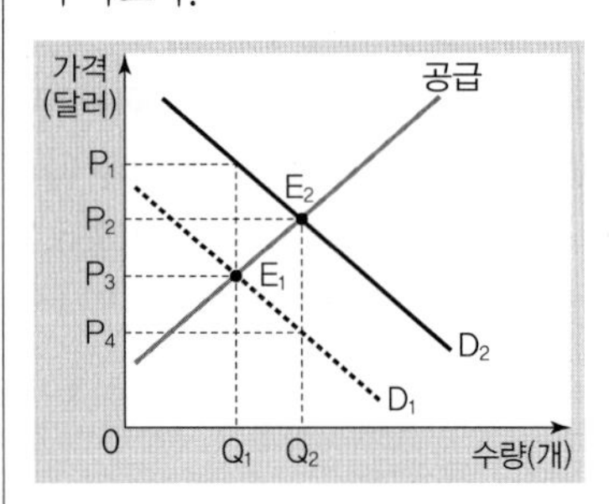

• 갑의 주장: D_1은 사적 편익만을, D_2는 사회적 편익을 반영한 수요 곡선입니다.
• 을의 주장: D_1은 사회적 편익을, D_2는 사적 편익만을 반영한 수요 곡선입니다.

① 갑의 주장이 옳다면, X재 시장에서는 생산 측면의 부정적인 외부 효과가 나타난 것이다.
② 을의 주장이 옳다면, X재 시장에서는 소비 측면의 긍정적인 외부 효과가 나타난 것이다.
③ 갑의 주장이 옳다면, 정부는 X재 생산자에게 X재 개당 P_2P_4만큼의 세금을 부과하여 자원의 효율적 배분을 유도할 수 있다.
④ 을의 주장이 옳다면, 정부는 X재 소비자에게 X재 개당 P_2P_4만큼의 세금을 부과하여 자원의 효율적 배분을 유도할 수 있다.
⑤ X재의 시장 균형 거래량은 갑의 주장이 옳을 경우가 Q_2이고, 을의 주장이 옳을 경우가 Q_1이다.

▸ 24064-0161

11 다음 자료에 대한 설명으로 옳은 것은? [3점]

표는 갑국의 연도별 경제 성장률과 전년 대비 물가 상승률을 나타낸다. 연도별 변화는 각각 총수요와 총공급 중 하나만의 변동으로 나타난다. 단, 기준 연도는 2019년이고, 갑국의 총수요 곡선은 우하향하고 총공급 곡선은 우상향하며, 물가 수준은 GDP 디플레이터로 측정한다.

(단위: %)

구분	2020년	2021년	2022년	2023년
경제 성장률	0.5	2	−1	1
전년 대비 물가 상승률	1	1	−2	1

① 전년 대비 2020년의 명목 GDP는 감소하였다.
② 수입 원자재 가격의 상승은 전년 대비 2021년의 변화 요인이다.
③ 소비 지출의 감소는 전년 대비 2022년의 변화 요인이다.
④ 실질 GDP는 2023년이 가장 크다.
⑤ 전년 대비 2023년에 실질 GDP 증가율은 명목 GDP 증가율보다 높다.

▸ 24064-0162

12 다음 자료에 대한 분석으로 옳은 것은? [3점]

그림은 X재와 Y재만을 생산하는 갑국과 을국의 생산 가능 곡선을 나타낸다. 단, X재와 Y재의 생산 가능 곡선은 직선이며, 갑국과 을국은 모두 비교 우위가 있는 재화만을 생산하여 양국 모두에게 이익이 발생하는 교환 비율에 따라 거래 비용 없이 양국 간에만 교역한다. 갑국과 을국의 생산 요소는 노동뿐이며, 양국 간 노동의 이동은 없다.

〈갑국〉

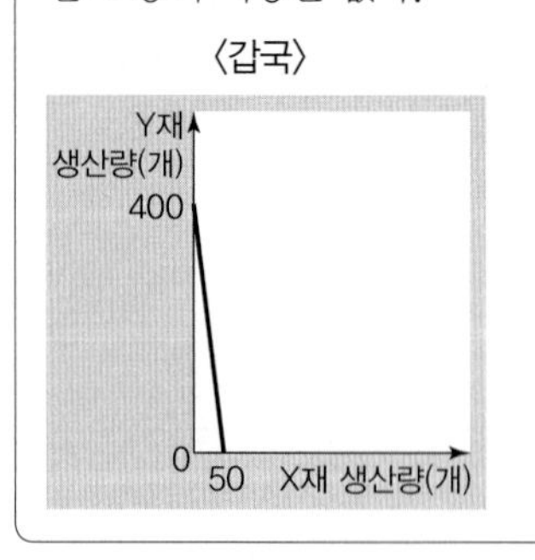

〈을국〉

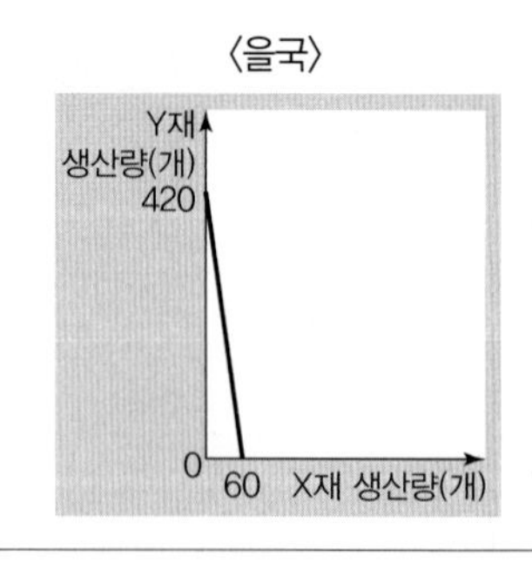

① 갑국의 X재 1개 생산의 기회비용은 Y재 1/8개이다.
② 을국의 Y재 1개 생산의 기회비용은 X재 7개이다.
③ X재 1개가 Y재 6.5개와 교환되는 조건이라면, 을국은 갑국과 달리 교역을 하려고 할 것이다.
④ X재 1개가 Y재 7.5개와 교환되는 조건이라면, 갑국은 을국과 달리 교역을 하려고 할 것이다.
⑤ 교역 후 을국이 X재 30개와 Y재 220개를 소비한다면, 갑국은 X재 30개와 Y재 180개의 소비가 가능하다.

▸ 24064-0163

13 밑줄 친 ㉠, ㉡에 대한 설명으로 옳은 것은? (단, 총수요 곡선은 우하향하고 총공급 곡선은 우상향함.)

① 소득세율 인상은 ㉠에 해당한다.
② ㉠의 시행은 실질 GDP 증가 요인이다.
③ 지급 준비율 인상은 ㉡에 해당한다.
④ ㉡의 시행은 화폐 가치 상승 요인이다.
⑤ ㉠, ㉡은 모두 통화량 감소 요인이다.

▸ 24064-0164

14 그림에 대한 옳은 설명만을 〈보기〉에서 있는 대로 고른 것은? (단, 환율 변동 이외의 다른 조건은 고려하지 않으며, 국제 거래는 달러화만 사용함.)

보기

ㄱ. ㉠은 원/달러 환율 하락을 의미한다.
ㄴ. ㉠은 미국에서 유학하고 있는 자녀를 둔 한국 부모의 학비 부담을 증가시키는 요인이다.
ㄷ. ㉡은 달러화 대비 엔화 가치의 상승을 의미한다.
ㄹ. ㉡은 미국에 수출하는 일본산 상품의 달러화 표시 가격을 하락시키는 요인이다.

① ㄱ, ㄴ ② ㄱ, ㄹ ③ ㄷ, ㄹ
④ ㄱ, ㄴ, ㄷ ⑤ ㄴ, ㄷ, ㄹ

▸ 24064-0165

15 밑줄 친 ㉠~㉣에 대한 설명으로 옳은 것은? (단, 제시된 품목 이외에는 고려하지 않고, 갑국~병국 간 모든 국제 거래는 외화인 달러화만 사용함.)

○○신문

최근 갑국의 ㉠을국으로부터의 옥수수 수입액은 약 20억 달러 증가하였다. 반면, 자동차 경량화에 필요한 요소는 마그네슘인데 갑국의 ㉡병국으로부터의 마그네슘 수입액은 10억 달러 감소하였다. …(중략)… 갑국의 ㉢을국에 대한 반도체 수출액은 50억 달러 감소한 반면, ㉣병국에 대한 반도체 수출액은 20억 달러 증가한 것으로 나타났다.

① ㉠은 갑국 외환 시장의 공급 증가 요인이다.
② ㉡은 갑국 외환 시장의 수요 감소 요인이다.
③ ㉢은 을국 외환 시장의 수요 증가 요인이다.
④ ㉣은 병국 외환 시장의 공급 감소 요인이다.
⑤ ㉠, ㉢은 ㉡, ㉣과 달리 달러화 대비 갑국 통화 가치의 상승 요인이다.

▸ 24064-0166

16 다음 자료에 대한 옳은 설명만을 〈보기〉에서 있는 대로 고른 것은? [3점]

그림은 갑국의 X재 시장을 나타낸다. 갑국은 국제 가격인 P_2에서 X재를 수입하고 있으며, 갑국 내 산업 보호를 위해 ㉠X재 단위당 P_1P_2만큼의 관세를 부과하였다. 단, 갑국에서 생산된 X재는 모두 판매되고, 갑국은 국제 가격으로 X재를 무제한 수입할 수 있다.

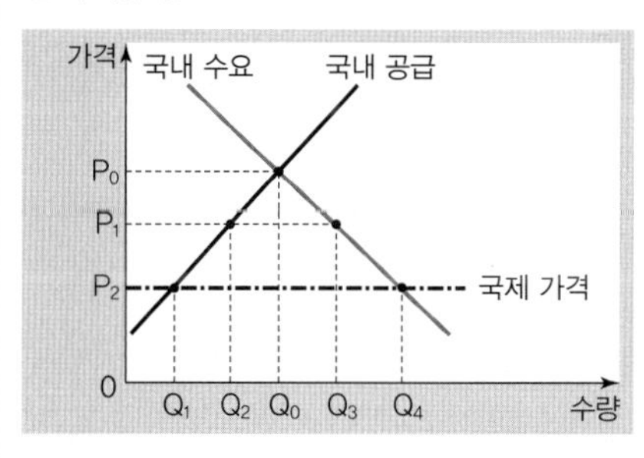

보기

ㄱ. ㉠ 이전 갑국의 X재 수입량은 Q_1Q_4이다.
ㄴ. ㉠으로 인해 갑국의 X재 수입량은 증가하였다.
ㄷ. ㉠으로 인해 갑국의 X재 국내 소비량은 감소하였다.
ㄹ. ㉠으로 인해 갑국의 X재 국내 생산량은 증가하였다.

① ㄱ, ㄴ ② ㄱ, ㄷ ③ ㄴ, ㄹ
④ ㄱ, ㄷ, ㄹ ⑤ ㄴ, ㄷ, ㄹ

▸24064-0167

17 **다음 자료에 대한 옳은 설명만을 〈보기〉에서 고른 것은?**

표의 A~D는 갑국 최초의 국민 경제 균형점에서 예상되는 물가 수준과 실질 GDP의 변화 방향을 나타낸다. A~D 방향으로의 이동은 각각 갑국의 총수요와 총공급 중 하나만 변동하여 나타난 변화이다. 단, 갑국의 총수요 곡선은 우하향하고 총공급 곡선은 우상향한다.

구분	A	B	C	D
물가 수준	상승	상승	하락	하락
실질 GDP	감소	증가	감소	증가

보기
ㄱ. 총공급 감소는 A로의 이동 요인이다.
ㄴ. 총수요 증가는 B로의 이동 요인이다.
ㄷ. 기업의 투자 지출 확대는 C로의 이동 요인이다.
ㄹ. 국제 원자재 가격의 상승은 D로의 이동 요인이다.

① ㄱ, ㄴ ② ㄱ, ㄷ ③ ㄴ, ㄷ
④ ㄴ, ㄹ ⑤ ㄷ, ㄹ

▸24064-0168

18 **다음 교사의 질문에 대한 답변으로 옳은 것은? [3점]**

교사: 그림은 갑국의 연도별 실업률과 고용률의 변화를 나타냅니다. t년 대비 t+1년의 변화와 t+1년 대비 t+2년의 변화에 대해 발표해 볼까요? 단, 15세 이상 인구는 변함이 없습니다.

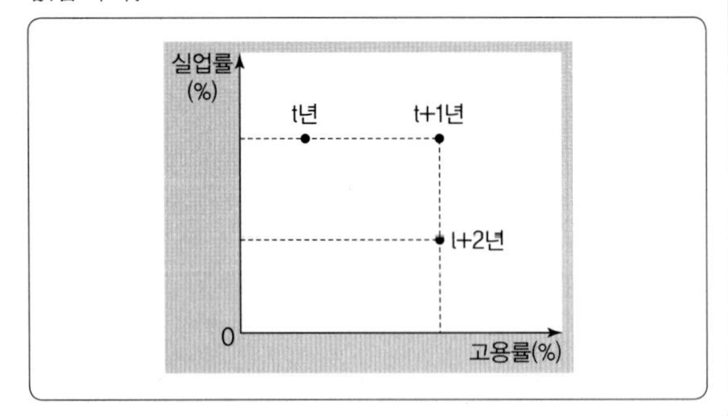

① t년 대비 t+1년에 취업자 수는 감소합니다.
② t년 대비 t+1년에 실업자 수의 증가분은 경제 활동 인구의 증가분보다 큽니다.
③ t+1년 대비 t+2년에 취업자 수는 증가합니다.
④ t+1년 대비 t+2년에 실업자 수의 감소분과 경제 활동 인구의 감소분은 같습니다.
⑤ t+1년 대비 t+2년에 비경제 활동 인구는 t년 대비 t+1년과 달리 감소합니다.

▸24064-0169

19 **다음 자료에 대한 분석으로 옳은 것은? [3점]**

표는 갑국의 연도별 실질 GDP와 명목 GDP를 나타내며, A, B는 각각 실질 GDP와 명목 GDP 중 하나이다. 2019년은 기준 연도이고, 전년 대비 2020년의 물가 수준은 하락하였다. 단, 물가 수준은 GDP 디플레이터로 측정한다.

(단위: 억 달러)

구분	2019년	2020년	2021년	2022년	2023년
A	100	110	100	100	80
B	100	100	110	120	90

① A는 해당 연도의 가격으로 계산한 GDP이다.
② 전년 대비 2021년의 물가 수준은 하락하였다.
③ 전년 대비 2022년의 명목 GDP는 변함이 없다.
④ GDP 디플레이터는 2023년이 2020년보다 작다.
⑤ 2023년의 경제 성장률은 2020년과 달리 음(−)의 값이다.

▸24064-0170

20 **다음 자료에 대한 분석으로 옳은 것은? [3점]**

그림은 갑국의 X재 시장을 나타낸다. 갑국 정부는 (가)와 (나) 중 하나를 고려하고 있다.

(가) 실효성 있는 최저 가격제 시행
(나) X재 생산자에게 X재 개당 100달러 세금 부과

X재의 균형 가격은 600달러이고, X재의 균형 거래량은 40개이다. 그리고 가격이 700달러일 때 X재 수요량은 30개이고, X재 공급량은 45개이다. 단, 갑국의 X재는 수요와 공급 법칙을 따르며, 수요 곡선과 공급 곡선은 모두 직선이다.

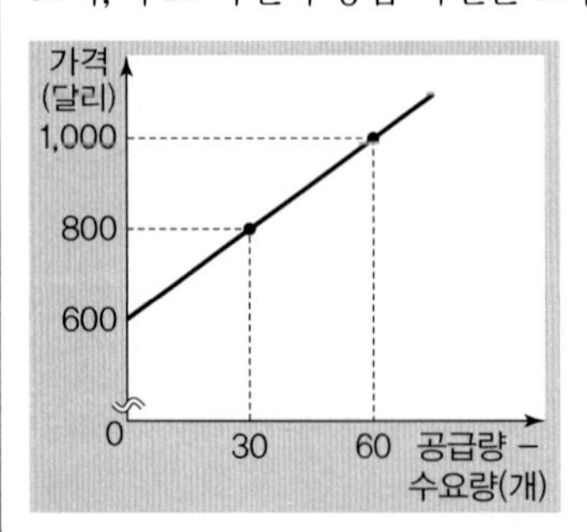

① (가)의 경우 소비자 잉여는 증가한다.
② (가)의 경우 최저 가격은 600달러 미만이다.
③ (가)의 경우 X재 공급이 증가하면 X재의 초과 공급은 감소한다.
④ (나)의 경우 균형 거래량은 감소한다.
⑤ (나)의 경우 균형 가격은 700달러가 된다.

실전 모의고사 2회

제한시간 30분 | 배점 50점 | 정답과 해설 39쪽

문항에 따라 배점이 다르니, 각 물음의 끝에 표시된 배점을 참고하시오. 3점 문항에만 점수가 표시되어 있습니다. 점수 표시가 없는 문항은 모두 2점입니다.

▸ 24064-0171

1 다음 자료에 대한 설명으로 옳은 것은? [3점]

그림은 민간 경제의 순환을 나타낸다. 가정주부 갑이 인터넷 사이트에서 주방용품을 구입하는 것은 (가) 시장에서 이루어지는 활동이다.

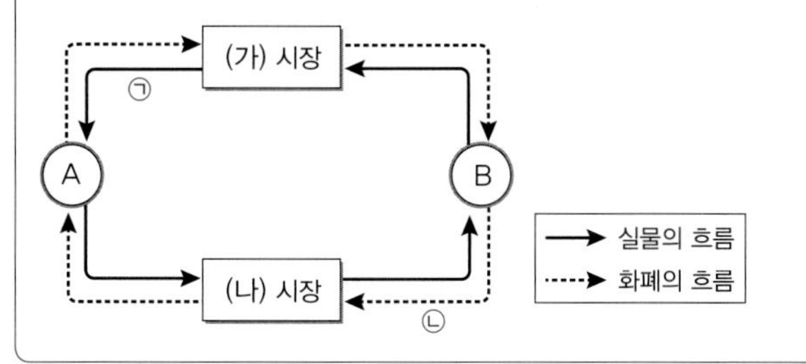

① A는 효용의 극대화를 추구한다.
② B는 (가) 시장의 수요자이다.
③ 재화는 (나) 시장에서 거래된다.
④ 자본은 ㉠에 해당한다.
⑤ 가계의 소비 지출은 ㉡에 해당한다.

▸ 24064-0172

2 다음 자료에 대한 옳은 설명만을 <보기>에서 고른 것은? (단, A~C는 각각 노트북, 공공 목초지, 치안 서비스 중 하나임.)

- '한 사람의 소비가 다른 사람의 소비를 감소시키는가?'라는 질문을 통해 A를 B, C와 구분할 수 있다.
- '대가를 지불하지 않은 사람의 소비를 막을 수 없는가?'라는 질문을 통해 B를 A, C와 구분할 수 있다.

보기

ㄱ. A는 경합성과 배제성이 모두 없다.
ㄴ. B는 경합성은 있고 배제성은 없다.
ㄷ. C는 남용되어 고갈되는 문제가 발생할 수 있다.
ㄹ. A는 B와 달리 시장에서 사회적 최적 수준보다 과다 생산된다.

① ㄱ, ㄴ　② ㄱ, ㄷ　③ ㄴ, ㄷ　④ ㄴ, ㄹ　⑤ ㄷ, ㄹ

▸ 24064-0173

3 다음 자료에 대한 분석 및 추론으로 옳은 것은?

최근 골프에 관심을 가지게 된 갑은 A~C 중 한 명에게 골프 교습을 받고자 한다. 표는 갑이 A~C를 각각 선택했을 때의 편익과 비용을 나타낸다. 단, (가), (나)는 각각 명시적 비용, 암묵적 비용 중 하나이고, 갑은 편익과 기회비용만을 고려하여 합리적으로 선택한다.

(단위: 만 원)

구분	A	B	C
편익	20	30	㉠
(가)	10	8	10
(나)	16	㉡	32

① (가)는 명시적 비용, (나)는 암묵적 비용이다.
② ㉠은 ㉡의 2배이다.
③ 갑은 C를 선택한다.
④ 갑이 A를 선택했을 때의 순편익과 B를 선택했을 때의 순편익의 합은 0이다.
⑤ B를 선택했을 때의 편익만 3만 원 감소하더라도 갑의 선택은 바뀌지 않는다.

▸ 24064-0174

4 다음 자료에 대한 분석으로 옳은 것은? [3점]

○○기업은 X재만을 4개까지 생산할 수 있고, 생산된 X재는 모두 시장에서 개당 (가) 원에 판매된다. 표는 X재 각 생산량에 따른 '평균 이윤/평균 수입'을 나타낸다. 단, 생산량이 1개일 때 ○○기업의 이윤은 100원이고, ○○기업이 얻을 수 있는 최대 이윤은 생산량이 (나) 개일 때의 이윤인 600원이다.

생산량(개)	1	2	3	4
$\frac{\text{평균 이윤}}{\text{평균 수입}}$	$\frac{1}{10}$	$\frac{1}{5}$	㉠	$\frac{1}{10}$

* 평균 수입 = 총수입/생산량
** 평균 이윤 = 이윤/생산량

① (가)는 '500'이다.
② (나)는 '2'이다.
③ ㉠은 '1/5'이다.
④ 생산량이 1개일 때와 4개일 때의 이윤은 동일하다.
⑤ 생산량이 1개에서 2개로 증가할 때 총수입 증가분은 총비용 증가분보다 작다.

▸ 24064-0175

5 다음 자료에 대한 옳은 분석만을 〈보기〉에서 있는 대로 고른 것은? [3점]

갑은 용돈 5만 원을 모두 사용하여 가격이 각각 1만 원인 X재와 Y재만을 합리적으로 소비한다. 표는 갑이 X재 또는 Y재 1개 추가 소비에 따른 효용의 증가분을 나타낸다. 단, 갑은 X재와 Y재를 원하는 만큼 구입할 수 있고, 구입하는 재화를 전량 소비한다.

(단위: 만 원)

구분	첫 번째	두 번째	세 번째	네 번째	다섯 번째
X재	7	5	4	1	−1
Y재	5	3	2	1	0

보기

ㄱ. 갑이 얻는 총효용은 20만 원보다 작다.
ㄴ. 갑의 X재 소비량은 Y재 소비량보다 적다.
ㄷ. 갑이 X재 소비를 통해 얻는 효용은 Y재 소비를 통해 얻는 효용의 2배이다.

① ㄱ ② ㄷ ③ ㄱ, ㄴ
④ ㄴ, ㄷ ⑤ ㄱ, ㄴ, ㄷ

▸ 24064-0176

6 다음 자료에 대한 설명으로 옳은 것은? (단, A, B는 각각 시장 경제 체제, 계획 경제 체제 중 하나임.) [3점]

〈경제 형성 평가〉

※ 제시된 특징이 경제 체제 A, B 중 어느 경제 체제의 특징인지 체크하시오.

특징	경제 체제	점수
원칙적으로 생산 수단의 사적 소유를 인정한다.	A☑ B☐	0점
(가)	A☑ B☐	1점
(나)	A☐ B☑	1점
(다)	A☐ B☑	㉠

* 응답 내용 1개당 옳으면 1점, 틀리면 0점을 부여함.

① A는 B와 달리 시장에서의 경제적 유인을 강조한다.
② B는 A와 달리 자원의 희소성으로 인한 경제 문제가 발생한다.
③ (가)에는 '민간 기업의 자유로운 경제 활동을 보장한다.'가 들어갈 수 있다.
④ (나)에는 '자원 배분 과정에서 시장 가격의 역할을 강조한다.'가 들어갈 수 없다.
⑤ (다)가 '정부의 계획과 명령에 따른 경제 문제 해결을 강조한다.'라면, ㉠은 '0점'이다.

▸ 24064-0177

7 다음 자료에 대한 분석 및 추론으로 옳은 것은?

균형에서 거래되는 X재 시장에는 소비자 D_1~D_5 다섯 명만 존재하고, 생산자 S_1~S_5 다섯 명만 존재한다. 표는 제시된 금액을 최대 지불 용의 금액으로 하는 소비자와 최소 요구 금액으로 하는 생산자를 나타낸다. 단, 각 소비자와 생산자는 거래가 이루어질 경우 1개씩만 거래하고, 모든 소비자는 가격과 최대 지불 용의 금액이 같은 경우에도 X재를 구입하며, 모든 생산자는 가격과 최소 요구 금액이 같은 경우에도 X재를 판매한다.

금액(원)	100	200	300	400	500	600
소비자	없음.	D_1	D_2	D_3	D_4	D_5
생산자	S_1	S_2	S_3	S_4	S_5	없음.

① 거래량은 4개이다.
② 총잉여는 900원이다.
③ 소비 지출액은 1,200원이다.
④ 정부가 생산자에게 생산 1개당 100원의 세금을 부과하면 거래량은 1개 증가한다.
⑤ 정부가 소비자에게 소비 1개당 100원의 보조금을 지급하면 가격은 100원 상승한다.

▸ 24064-0178

8 다음 자료에 대한 설명으로 옳은 것은? [3점]

그림은 현재 균형에서 거래되고 있는 갑국 X재 시장의 수요와 공급 곡선을 나타낸다. A 단체는 (가) 달러를 가격 상한선으로 하는 ㉠가격 규제 정책을, B 단체는 (나) 달러를 가격 하한선으로 하는 ㉡가격 규제 정책을 시행할 것을 갑국 정부에 요구하고 있다. 갑국 정부가 A 단체 또는 B 단체의 요구를 들어주는 경우 모두 X재 시장의 총잉여는 음영 처리된 부분만큼 감소한다. 단, 가격 규제 정책이 시행될 경우 암시장은 형성되지 않는다.

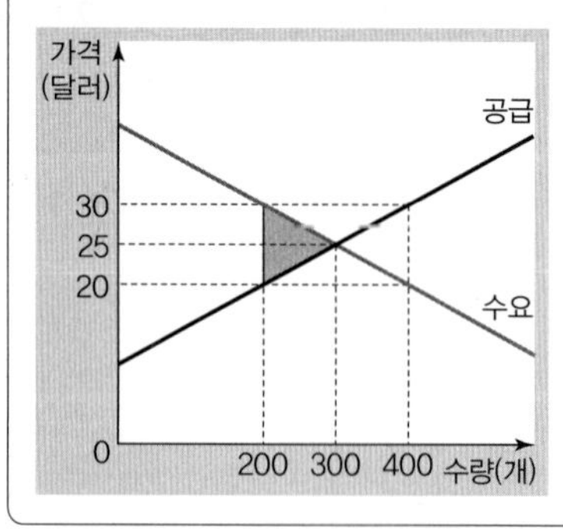

① (가)는 '30', (나)는 '20'이다.
② 일반적으로 ㉠은 ㉡과 달리 생산자 보호를 목적으로 한다.
③ ㉠을 시행할 경우의 거래량은 ㉡을 시행할 경우보다 많다.
④ ㉠을 시행할 경우의 소비자 잉여는 ㉡을 시행할 경우보다 2,000달러 크다.
⑤ ㉠을 시행한 이후 모든 가격 수준에서 공급량이 100개씩 증가하면 ㉠의 실효성은 사라진다.

▸24064-0179

9 **다음 자료에 대한 설명으로 옳은 것은?**

X재 시장에서는 소비 측면의 외부 효과가 발생하였고, 그 결과 시장 거래량이 사회적 최적 수준보다 10개 적었다. 이에 정부는 X재 시장에 개입하여 X재 소비자에게 소비 1개당 (가) 달러의 보조금을 지급하였고, 그 결과 외부 효과가 완전히 해소되었다. 그림은 정부가 개입한 이후의 X재 시장 상황을 나타낸다.

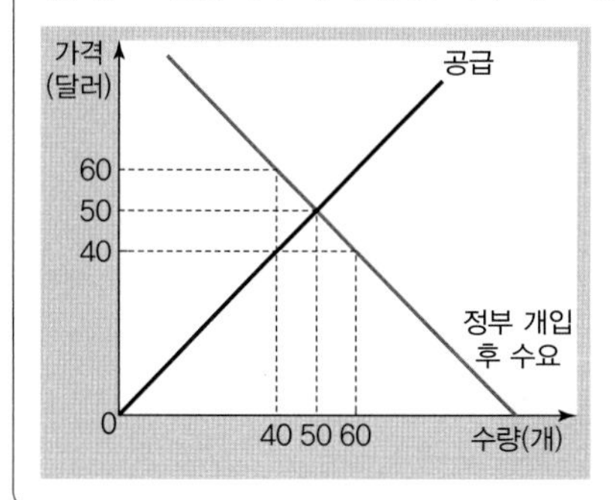

① (가)는 '10'이다.
② 정부 개입 전 X재 소비의 사적 편익은 사회적 편익보다 크다.
③ 정부 개입 전 균형 가격은 사회적 최적 수준에서의 가격보다 10달러 높다.
④ 정부 개입 후 판매 수입은 정부 개입 전보다 100달러 많다.
⑤ 정부 개입 후 생산자 잉여는 정부 개입 전보다 450달러 크다.

▸24064-0180

10 **다음 자료에 대한 설명으로 옳은 것은? (단, X재~Z재는 모두 수요와 공급 법칙을 따르며, X재와 Z재는 연관 관계에 있지 않음.)**

X재와 Y재는 서로 ㉠연관 관계이고, Y재는 Z재 생산을 위한 핵심 부품이다. X재의 공급 감소로 인해 Y재의 균형 가격이 ㉡ 하였고, 그 결과 Z재의 균형 가격이 ㉢ 하였다.

① ㉡이 '상승'이라면, ㉢은 '하락'이다.
② ㉠이 '대체 관계'라면, ㉡은 '상승'이다.
③ ㉠이 '보완 관계'라면, ㉢은 '상승'이다.
④ ㉠이 '대체 관계'라면, Y재의 균형 거래량은 감소한다.
⑤ ㉠이 '보완 관계'라면, Z재의 균형 거래량은 감소한다.

▸24064-0181

11 **다음 자료에 대한 옳은 분석만을 〈보기〉에서 있는 대로 고른 것은? [3점]**

갑국은 중간재 없이 X재만을 생산하고, 갑국이 생산하는 X재는 생산되는 연도에 모두 소비된다. 표는 갑국의 연도별 해당 연도의 가격으로 계산한 GDP와 수출액 및 수출량을 나타낸다. 단, 갑국의 수출 의존도는 t년과 t+1년이 같고, t+1년에 X재 가격은 t년 대비 20% 상승하였다. 갑국에서 소비되는 X재는 자국에서 생산하는 X재뿐이고, X재의 갑국 판매 가격과 수출 가격은 동일하다.

구분	t년	t+1년
GDP(달러)	1,000	㉠
수출액(달러)	100	㉡
수출량(개)	10	10

* 수출 의존도(%) = (수출액/GDP) × 100

〈보기〉
ㄱ. ㉠은 '1,200', ㉡은 '120'이다.
ㄴ. t+1년 갑국의 경제 성장률은 20%이다.
ㄷ. 갑국의 X재 소비량은 t년과 t+1년이 같다.

① ㄱ ② ㄴ ③ ㄱ, ㄷ
④ ㄴ, ㄷ ⑤ ㄱ, ㄴ, ㄷ

▸24064-0182

12 **다음 자료에 대한 옳은 설명만을 〈보기〉에서 고른 것은?**

표는 갑국의 연도별 실질 GDP와 명목 GDP 및 전년 대비 물가 상승률을 나타낸다. 단, 기준 연도는 t년이고, 물가 수준은 GDP 디플레이터로 측정한다.

구분	t−1년	t년	t+1년	t+2년
실질 GDP(억 달러)	㉠	100	110	100
명목 GDP(억 달러)	90	100	㉡	㉢
전년 대비 물가 상승률(%)	5	0	10	10

〈보기〉
ㄱ. ㉠은 '90'이다.
ㄴ. ㉡과 ㉢은 같다.
ㄷ. t년과 t+1년의 경제 성장률은 같다.
ㄹ. t+2년의 GDP 디플레이터는 t+1년보다 10 더 크다.

① ㄱ, ㄴ ② ㄱ, ㄷ ③ ㄴ, ㄷ
④ ㄴ, ㄹ ⑤ ㄷ, ㄹ

▸ 24064-0183

13 다음 자료에 대한 설명으로 옳은 것은?

교사: 갑은 ㉠경기 침체기에 실시하는 통화 정책 수단을, 을은 ㉡경기 과열기에 실시하는 통화 정책 수단을 발표해 보세요.
갑: (가) 입니다.
을: (나) 입니다.
교사: 모두 옳게 발표하였습니다.

① ㉠은 ㉡과 달리 총수요를 감소시키는 것을 목표로 한다.
② (가)에는 '국공채 매입'이 들어갈 수 있다.
③ (나)에는 '지급 준비율 인하'가 들어갈 수 있다.
④ 갑은 긴축 통화 정책 수단을 발표하였다.
⑤ 을이 발표한 통화 정책 수단은 이자율 하락 요인이다.

▸ 24064-0184

14 표는 갑국의 연도별 고용 관련 자료를 나타낸다. 이에 대한 옳은 설명만을 〈보기〉에서 고른 것은? [3점]

구분	2022년	2023년
고용률/경제 활동 참가율	9/10	19/20
취업자 수(만 명)	18	19
비경제 활동 인구(만 명)	2	4

보기
ㄱ. 2022년의 고용률은 90%이다.
ㄴ. 실업자 수는 2022년이 2023년의 2배이다.
ㄷ. 경제 활동 참가율은 2022년이 2023년보다 높다.
ㄹ. 15세 이상 인구는 2022년과 2023년이 동일하다.

① ㄱ, ㄴ ② ㄱ, ㄷ ③ ㄴ, ㄷ
④ ㄴ, ㄹ ⑤ ㄷ, ㄹ

▸ 24064-0185

15 다음 자료에 대한 설명으로 옳은 것은? (단, X재의 달러화 표시 가격은 변화가 없음.) [3점]

그림은 미국이 우리나라와 일본에 수출하는 X재의 원화와 엔화 표시 가격의 변화를 나타낸다. 단, 그림에 나타난 변화는 같은 기간에 나타난 변화이고, 원화 표시 가격에 변화를 준 요인은 ㉠원/달러 환율 변동뿐이며, 엔화 표시 가격에 변화를 준 요인은 ㉡엔/달러 환율 변동뿐이다.

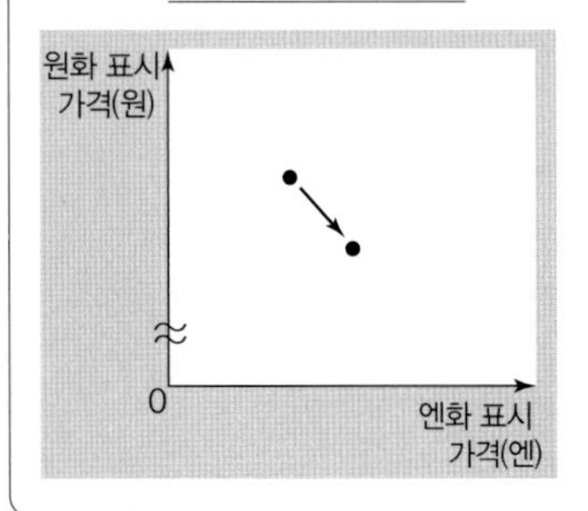

① 원화 대비 엔화 가치는 상승하였다.
② 우리나라 외환 시장에서 달러화의 수요 증가는 ㉠의 요인이다.
③ 일본 외환 시장에서 달러화의 공급 증가는 ㉡의 요인이다.
④ ㉠은 우리나라 기업의 달러화 표시 채무 상환 부담을 감소시키는 요인이다.
⑤ ㉡은 미국으로 자녀를 유학 보낸 일본 학부모의 학비 부담을 감소시키는 요인이다.

▸ 24064-0186

16 다음 갑국의 2023년 상황에 대한 설명으로 옳은 것은?

표는 갑국의 2023년 상품 수지 수취액과 지급액에 대한 경상 수지 다른 항목의 수취액과 지급액 각각의 비를 나타낸다. 갑국의 2023년 경상 수지 수취액은 90억 달러이고, 상품 수지는 10억 달러 흑자를 기록하였다.

구분	수취액	지급액
서비스 수지/상품 수지	2/5	1/2
본원 소득 수지/상품 수지	3/10	1/2
이전 소득 수지/상품 수지	1/10	1/4

① 경상 수지는 흑자를 기록하였다.
② 상품 수입액은 상품 수출액의 90%이다.
③ 해외 지식 재산권 사용료가 포함되는 항목은 적자를 기록하였다.
④ 해외 투자에 따른 배당금이 포함되는 항목은 흑자를 기록하였다.
⑤ 해외 무상 원조 금액이 포함되는 항목은 지급액이 수취액의 2배이다.

▸24064-0187

17 다음 자료에 대한 분석 및 추론으로 옳은 것은? [3점]

표는 X재를 자급자족하고 있는 갑국의 X재 시장에서의 가격별 초과 수요량을 나타낸다. 최근 X재를 수입하기로 한 갑국은 ㉠관세 없이 국제 가격으로 수입할지, ㉡국제 가격에 2달러의 관세를 부과하여 수입할지 고민 중이다. 관세 없이 수입할 때의 국내 공급량은 20개, 개당 2달러의 관세를 부과하여 수입할 때의 국내 공급량은 40개이다. 단, 갑국의 X재 국내 수요 곡선은 우하향하는 직선이고, X재 국내 공급 곡선은 우상향하는 직선이다. 또한 갑국은 국제 가격인 2달러로 X재를 무제한 수입할 수 있다.

가격(달러)	1	2	3	4	5	6	7
초과 수요량(개)	100	80	60	40	20	0	−20

* 초과 수요량 = 수요량 − 공급량

① ㉠을 선택할 경우 국내 거래 가격은 50% 하락한다.
② ㉠을 선택할 경우 국내 소비자 지출액은 40달러 감소한다.
③ ㉡을 선택할 경우 관세 수입이 40달러 발생한다.
④ 수입량은 ㉠을 선택할 경우가 ㉡을 선택할 경우보다 20개 많다.
⑤ 국내 생산자 잉여는 ㉡을 선택할 경우가 ㉠을 선택할 경우보다 60달러 크다.

▸24064-0188

18 표는 갑의 지난달 모든 수입과 지출을 나타낸다. 이에 대한 설명으로 옳은 것은?

구분		금액(만 원)
수입	월 급여	400
	정기 예금 이자	100
	복권 당첨금	100
	계	600
지출	세금 및 사회 보장 보험료	100
	대출 이자	50
	노트북 구입비	60
	식료품비 및 교통비	80
	이동 통신 서비스 사용료	10
	계	300

① 이전 소득은 100만 원이다.
② 경상 소득은 400만 원이다.
③ 근로 소득은 재산 소득의 5배이다.
④ 비소비 지출은 비경상 소득보다 50만 원 많다.
⑤ 지출 중 소비 지출이 차지하는 비율은 50%를 넘는다.

▸24064-0189

19 다음 자료에 대한 설명으로 옳은 것은? (단, A~C는 각각 정기 예금, 주식, 채권 중 하나임.)

A와 B는 시세 차익을 기대할 수 있는 금융 상품이고, B와 C는 이자 수익을 기대할 수 있는 금융 상품이다. 그림은 금융 상품 A~C를 일반적인 특징을 묻는 질문에 따라 구분한 것이다.

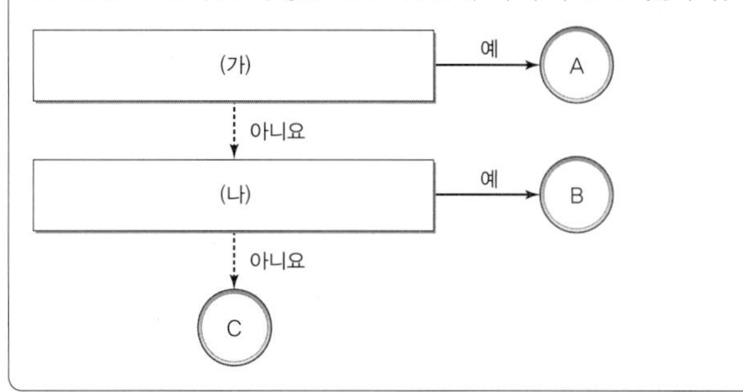

① (가)에는 '배당 수익을 기대할 수 있는가?'가 들어갈 수 있다.
② (나)에는 '소유자는 주주로서 지위를 가지는가?'가 들어갈 수 있다.
③ 일반적으로 수익성은 B가 A보다 높다.
④ 일반적으로 안전성은 C가 B보다 낮다.
⑤ A는 B, C와 달리 예금자 보호 제도의 적용 대상이다.

▸24064-0190

20 다음 자료에 대한 옳은 분석 및 추론만을 〈보기〉에서 고른 것은? [3점]

X재와 Y재만을 생산하여 소비하고 있던 갑국과 을국은 비교 우위를 가지는 재화만을 생산하여 교역하였고, 그 결과 양국 모두 이익을 얻었다. 표는 갑국의 X재와 Y재의 최대 생산 가능량 및 교역 조건이 서로 다른 t 시기와 t+1 시기의 교역 후 소비량을 나타낸다. 단, 갑국과 을국은 노동만을 이용하여 직선인 생산 가능 곡선상에서 생산하고, 양국의 생산 가능 곡선은 변함이 없다. 그리고 생산된 재화는 해당 시기에 전량 소비되며, 교역은 거래 비용 없이 양국 간에만 이루어진다.

구분	최대 생산 가능량(개)	교역 후 소비량(개)	
		t 시기	t+1 시기
X재	100	40	100
Y재	200	180	100

보기

ㄱ. X재 1개 생산의 기회비용은 갑국이 을국보다 크다.
ㄴ. 을국의 Y재 1개 소비의 기회비용은 t 시기가 t 시기 이전보다 크다.
ㄷ. X재 1개당 교환된 Y재의 수량은 t+1 시기가 t 시기의 2배이다.
ㄹ. 을국의 X재 최대 생산 가능량이 150개라면, t+1 시기에 교역 후 X재 소비량은 을국이 갑국보다 많다.

① ㄱ, ㄴ ② ㄱ, ㄷ ③ ㄴ, ㄷ
④ ㄴ, ㄹ ⑤ ㄷ, ㄹ

실전 모의고사 3회

제한시간 30분 배점 50점 정답과 해설 43쪽

문항에 따라 배점이 다르니, 각 물음의 끝에 표시된 배점을 참고하시오. 3점 문항에만 점수가 표시되어 있습니다. 점수 표시가 없는 문항은 모두 2점입니다.

▸ 24064-0191

1 그림은 민간 경제 주체 A, B 간의 경제 활동을 나타낸다. 이에 대한 설명으로 옳은 것은? (단, (가)는 생산물 시장 또는 생산 요소 시장 중 하나임.)

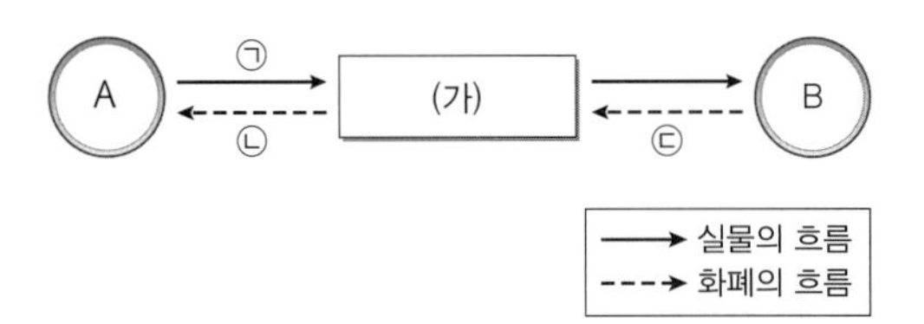

① A가 생산 활동의 주체라면, 재화는 서비스와 달리 ㉠에 해당한다.
② B가 효용의 극대화를 추구하는 주체라면, 임금은 ㉡에 해당한다.
③ A가 생산 요소 시장의 공급자라면, 지대와 이자는 ㉢에 해당한다.
④ (가)가 생산물 시장이라면, 노동은 ㉠, 임금은 ㉡에 해당한다.
⑤ (가)가 생산 요소 시장이라면, A는 B와 달리 부가 가치를 창출하는 경제 활동의 주체이다.

▸ 24064-0192

2 다음 자료의 (가)~(다)에 들어갈 수 있는 질문으로 옳은 것은? (단, A, B는 각각 시장 경제 체제, 계획 경제 체제 중 하나임.)

그림은 질문 (가)~(다)에 따라 A, B를 구분한 것이다. A는 B와 달리 시장 가격 기구에 의한 경제 문제 해결을 중시한다.

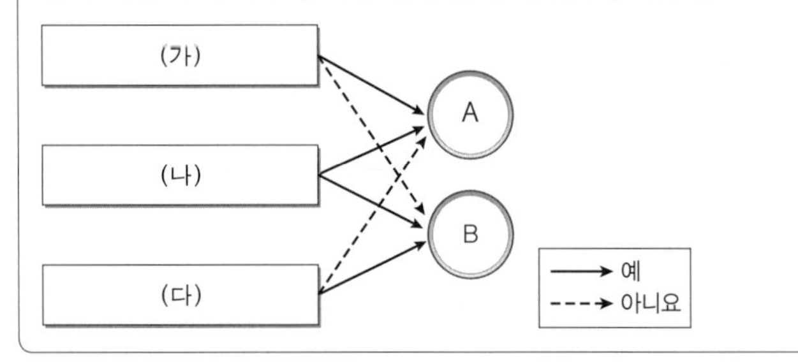

① (가) – 원칙적으로 생산 수단의 사적 소유가 제한되는가?
② (가) – 경제 문제 해결 과정에서 효율성보다 형평성을 중시하는가?
③ (나) – 민간 경제 주체들 간의 자유로운 의사 결정을 중시하는가?
④ (다) – 자원의 희소성으로 인한 경제 문제가 발생하는가?
⑤ (다) – 정부의 명령이나 계획에 따라 자원 배분이 이루어지는가?

▸ 24064-0193

3 다음 자료에 대한 옳은 분석만을 〈보기〉에서 고른 것은? [3점]

갑은 A사~C사 제품 중 한 제품을 구입하려고 한다. 표는 각 제품 구입의 명시적 비용과 편익을 나타낸다.

(단위: 만 원)

구분	A사 제품	B사 제품	C사 제품
명시적 비용	12	15	20
편익	20	30	40

보기

ㄱ. A사 제품 구입의 암묵적 비용과 편익은 같다.
ㄴ. C사 제품 구입의 암묵적 비용은 명시적 비용보다 크다.
ㄷ. B사 제품 구입의 기회비용과 C사 제품 구입의 기회비용은 같다.
ㄹ. C사 제품 구입의 순편익은 B사 제품 구입의 순편익보다 5만 원 크다.

① ㄱ, ㄴ ② ㄱ, ㄷ ③ ㄴ, ㄷ
④ ㄴ, ㄹ ⑤ ㄷ, ㄹ

▸ 24064-0194

4 다음 자료에 대한 분석으로 옳은 것은? [3점]

표는 X재만 생산하는 갑 기업의 생산량에 따른 비용과 이윤을 분석한 것이다. 단, X재의 가격은 변함이 없고, 갑 기업은 X재를 5개까지만 생산하며, 생산된 X재는 모두 판매된다.

생산량(개)	1	2	3	4	5
평균 비용(달러)	8	5	5	4	4
이윤/생산량(달러)	2	5	5	6	6

* 평균 비용=총비용/생산량
** 평균 이윤=이윤/생산량

① 생산량이 4개일 때 이윤이 극대화된다.
② 생산량이 5개일 때의 총비용은 총수입의 50%를 넘지 않는다.
③ 생산량을 1개 더 늘릴 때마다 추가적으로 발생하는 수입은 감소한다.
④ 총수입에 대한 이윤의 비는 생산량이 2개일 때가 생산량이 3개일 때보다 높다.
⑤ 생산량을 1개에서 2개로 늘릴 때 추가되는 비용은 생산량을 3개에서 4개로 늘릴 때 추가되는 비용보다 작다.

▸ 24064-0195

5 다음 자료에 대한 설명으로 옳은 것은? [3점]

표는 X재~Z재의 수요만 변동하여 발생한 결과를 나타낸다. 단, X재~Z재는 모두 수요 법칙을 따르며, 수요와 공급 곡선은 모두 직선이고, X재~Z재는 서로 연관 관계가 아니다.

(단위: %)

구분	X재	Y재	Z재
균형 가격 변동률	−5	0	3
균형 거래량 변동률	−3		0
판매 수입 변동률		−2	

* 음영 처리(▒▒)는 해당 내용을 표기하지 않은 것을 나타냄.

① X재의 수요 변동 요인으로는 X재와 대체 관계에 있는 재화의 가격 상승을 들 수 있다.
② X재는 Z재와 달리 가격이 변동해도 공급량이 변하지 않는다.
③ Y재의 수요는 증가하였고, Z재의 수요는 감소하였다.
④ Z재는 X재와 달리 공급 법칙을 따른다.
⑤ Z재는 X재와 달리 판매 수입이 증가하였다.

▸ 24064-0196

6 다음 자료에 대한 분석으로 옳은 것은? (단, X재와 Y재는 모두 수요와 공급 법칙을 따름.) [3점]

t기에 X재 시장과 Y재 시장은 모두 시장 균형에서 거래되고 있었는데, 갑국 정부는 두 시장의 참여자를 보호하고자 t+1기에 규제 가격을 100달러로 하는 실효성 있는 가격 규제 정책을 두 시장 모두에 실시하였다. 그림은 X재 시장과 Y재 시장의 시기별 '가격이 100달러일 때의 시장 수요량−시장 거래량'을 나타낸다.

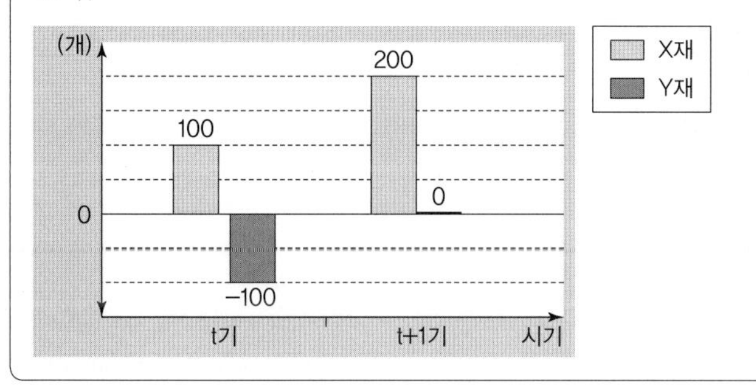

① 균형 가격은 X재가 Y재보다 낮다.
② 가격이 100달러일 경우 X재 시장에서는 초과 공급이, Y재 시장에서는 초과 수요가 나타난다.
③ X재 시장에서는 생산자를, Y재 시장에서는 소비자를 보호하려는 가격 규제 정책이 실시되었다.
④ t기 대비 t+1기에 X재 시장에서는 Y재 시장과 달리 시장 거래량이 100개 감소하였다.
⑤ t기 대비 t+1기에 X재 시장은 생산자 잉여가 감소하였고, Y재 시장은 소비자 잉여가 감소하였다.

▸ 24064-0197

7 다음 자료에 대한 분석으로 옳은 것은? [3점]

표는 현재 시장 균형 상태인 X재의 시장 상황을 나타낸다. 단, X재는 수요와 공급 법칙을 따르고, 수요 곡선과 공급 곡선은 모두 직선이다. 또한 8만 원에서의 공급량은 4만 개이며, 균형 가격에서 소비자 잉여와 생산자 잉여는 같고, 균형 거래량은 3만 개이다.

가격(만 원)	1	2	3	4	5	6	7	8	9
초과 수요량(만 개)	5	4	3	2	1	0			
초과 공급량(만 개)						0	1	2	3

* 음영 처리(▒▒)는 해당 내용을 표기하지 않은 것을 나타냄.

갑국 정부는 X재 시장에 대해 〈정책 1〉 또는 〈정책 2〉의 실시를 검토하고 있다.

- 〈정책 1〉: 소비자에게 X재 개당 2만 원의 세금을 부과
- 〈정책 2〉: X재의 가격 하한선을 7만 원으로 규제

① 〈정책 1〉을 실시할 경우 판매 수입은 증가한다.
② 〈정책 1〉을 실시할 경우 소비자 잉여는 증가한다.
③ 〈정책 1〉을 실시할 경우 균형 가격은 1만 원 하락한다.
④ 〈정책 2〉를 실시할 경우 총잉여는 증가한다.
⑤ 〈정책 2〉를 실시할 경우 시장 거래량은 2만 개 감소한다.

▸ 24064-0198

8 그림은 A~C를 질문 (가), (나)에 따라 구분한 것이다. 이에 대한 옳은 설명만을 〈보기〉에서 고른 것은? (단, A~C는 각각 공공재, 공유 자원, 사적 재화 중 하나임.)

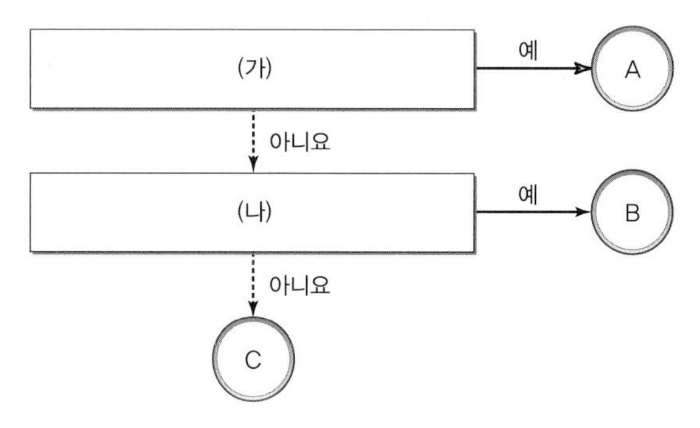

보기

ㄱ. (가)에는 '경합성이 있습니까?'라는 질문이 들어갈 수 없다.
ㄴ. (가)가 '배제성이 있습니까?'라면, A의 사례로는 '공해상의 물고기'를 들 수 있다.
ㄷ. A가 사적 재화이고 (나)가 '경합성이 있습니까?'라면, B는 남용으로 인한 자원 고갈 문제가 나타나기 쉽다.
ㄹ. A가 공공재이고 (나)가 '배제성이 있습니까?'라면, C는 B와 달리 비용을 지불한 사람만 소비할 수 있다.

① ㄱ, ㄴ　② ㄱ, ㄷ　③ ㄴ, ㄷ
④ ㄴ, ㄹ　⑤ ㄷ, ㄹ

▸ 24064-0199

9 **다음 자료에 대한 설명으로 옳은 것은? [3점]**

그림은 생산 또는 소비 측면에서 하나의 외부 효과만 발생한 X재와 Y재 시장에 정부가 개입하여 외부 효과가 해소된 결과를 나타낸다. 단, X재와 Y재는 모두 수요와 공급 법칙을 따르며, 수요 곡선과 공급 곡선은 모두 직선이다.

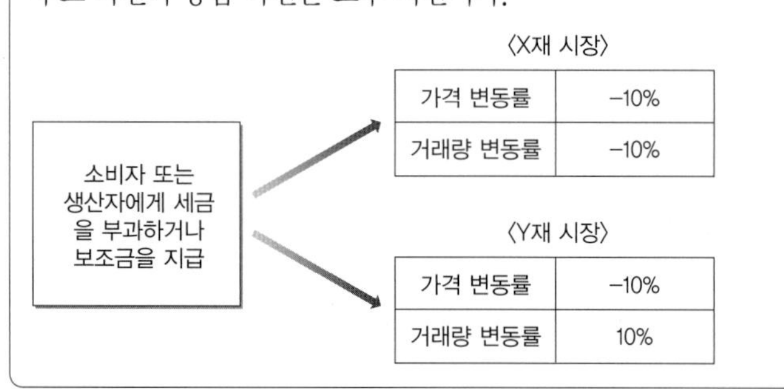

① 정부는 X재 시장의 소비자에게 보조금을 지급하였다.
② 정부의 시장 개입 전 X재 시장에서는 생산 측면의 외부 효과가 발생하였다.
③ 정부의 시장 개입 전 Y재 시장에서는 사적 비용이 사회적 비용보다 작다.
④ 정부의 시장 개입 전 X재 시장에서는 Y재 시장에서와 달리 '시장 균형 거래량/사회적 최적 수준에서의 거래량'이 1보다 크다.
⑤ 정부의 시장 개입으로 인해 Y재 시장에서는 X재 시장에서와 달리 소비자 잉여가 감소하였다.

▸ 24064-0200

10 **다음 자료에 대한 옳은 분석만을 〈보기〉에서 고른 것은?**

표는 갑국과 을국의 연도별 명목 GDP 증가율 및 GDP 디플레이터 상승률을 나타낸다. 단, 양국 모두 물가 수준은 GDP 디플레이터로 측정하며, 기준 연도는 2021년이다.

(단위: 전년 대비, %)

구분		2022년	2023년
갑국	명목 GDP 증가율	5	0
	GDP 디플레이터 상승률	5	7
을국	명목 GDP 증가율	5	0
	GDP 디플레이터 상승률	−5	3

보기

ㄱ. 2022년에 명목 GDP는 갑국이 을국보다 크다.
ㄴ. 2023년에 경제 성장률은 갑국과 을국 모두 음(−)의 값이다.
ㄷ. 2021년 대비 2022년에 갑국은 을국과 달리 '실질 GDP/명목 GDP'가 감소하였다.
ㄹ. 2021년 대비 2022년에 을국은 갑국과 달리 물가가 상승하였다.

① ㄱ, ㄴ ② ㄱ, ㄷ ③ ㄴ, ㄷ
④ ㄴ, ㄹ ⑤ ㄷ, ㄹ

▸ 24064-0201

11 **그림은 연도별 갑국의 A~C에 해당하는 인구 간 비(比)를 나타낸다. 이에 대한 설명으로 옳은 것은? (단, A~C는 각각 경제 활동 인구, 실업자, 15세 이상 인구 중 하나이며, 15세 이상 인구는 변함이 없음.) [3점]**

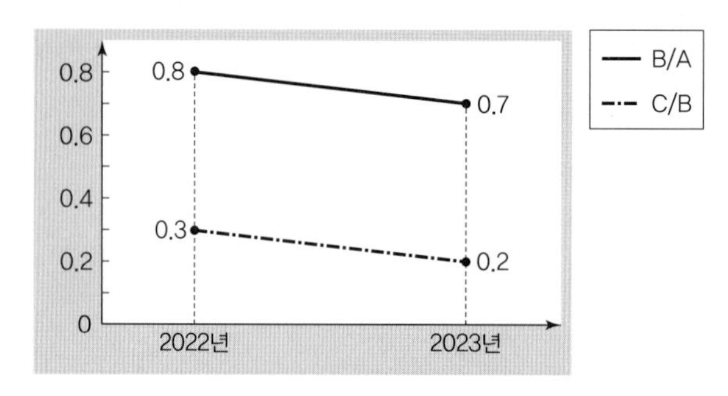

① 실업률은 2022년이 2023년보다 높다.
② 취업자 수는 2023년이 2022년보다 적다.
③ 경제 활동 참가율은 2023년이 2022년보다 높다.
④ 2023년 15세 이상 인구 중 비경제 활동 인구의 비율은 20%이다.
⑤ 구직을 포기한 사람은 C에 해당하지만 A, B에는 해당하지 않는다.

▸ 24064-0202

12 **다음 자료에 대한 분석으로 옳은 것은? [3점]**

〈자료 1〉은 갑국의 X재 시장을 나타내며, 〈자료 2〉는 시기별 갑국의 X재 시장 상황을 나타낸다. 단, X재의 국제 가격은 변함이 없다.

〈자료 1〉

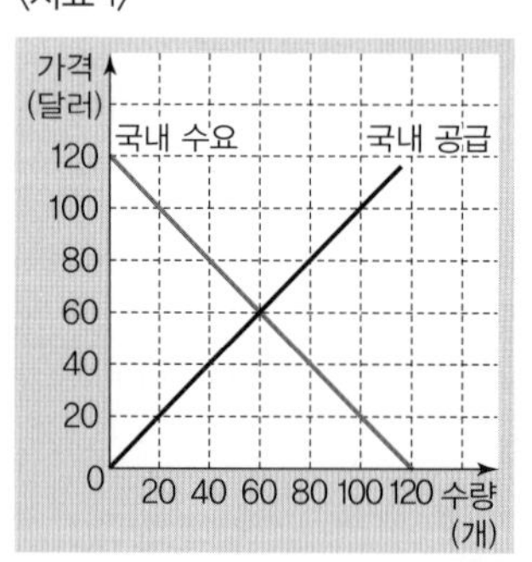

〈자료 2〉

구분	t기	t+1기
시장 상황	갑국은 X재에 대해 자유 무역을 실시한 결과 ㉠국제 가격에서 X재가 무제한 수입되었고, X재의 국내 생산자 잉여는 200달러가 됨.	갑국 정부가 X재 수입에 대해 개당 ㉡일정액의 관세를 부과하였고, 그 결과 X재의 국내 생산자 잉여는 800달러가 됨.

① ㉠은 ㉡보다 크다.
② t기에 갑국의 X재 국내 소비량은 80개이다.
③ t기에 갑국의 X재 수입액은 2,000달러이다.
④ t+1기에 갑국 정부의 관세 수입은 800달러이다.
⑤ t기 대비 t+1기에 갑국의 X재 국내 생산량은 50% 증가하였다.

▸ 24064-0203

13 다음 자료에 대한 설명으로 옳은 것은? (단, A, B는 각각 수요 견인 인플레이션, 비용 인상 인플레이션 중 하나임.)

표는 인플레이션의 유형 A, B의 일반적인 특징을 묻는 질문에 대한 학생 갑~병의 응답을 나타낸다. 단, 갑은 2개의 질문에 대해 옳은 응답을 하였다.

질문	응답		
	갑	을	병
㉠A는 소비 지출 증가로 발생할 수 있는가?	예	아니요	아니요
㉡B는 실질 GDP 증가를 수반하는가?	아니요	예	아니요
(가)	예	아니요	아니요

① A는 총공급의 변동으로 인해 발생한다.
② B는 일반적으로 경기 호황기에 발생한다.
③ ㉠에 대해 갑은 을, 병과 달리 옳지 않은 응답을 하였다.
④ ㉡에 대해 병은 을과 달리 옳은 응답을 하였다.
⑤ (가)에는 'B는 A와 달리 스태그플레이션을 초래하는가?'가 들어갈 수 있다.

▸ 24064-0204

14 다음 자료에 대한 옳은 설명만을 〈보기〉에서 고른 것은?

표는 2024년 2월~4월 갑국 기업이 생산하는 X재의 대미 수출량 변동률과 수출액 변동률을 나타낸다. 단, 달러화 표시 수출액 변동은 갑국 통화 표시 수출액과 달러화 대비 갑국 통화 가치 변동에 의한 결과이다.

구분	2월	3월	4월
전월 대비 수출량 변동률	변동 없음.	음(−)의 값	양(+)의 값
전월 대비 갑국 통화 표시 수출액 변동률	변동 없음.	양(+)의 값	변동 없음.
전월 대비 달러화 표시 수출액 변동률	음(−)의 값	음(−)의 값	양(+)의 값

보기
ㄱ. 달러화 대비 갑국 통화 가치는 2월이 1월보다 높다.
ㄴ. X재의 갑국 통화 표시 가격은 3월이 4월보다 높다.
ㄷ. 1월 대비 3월의 달러화 대비 갑국 통화 가치 변동은 부채를 달러화로 가지고 있는 갑국 투자자의 상환 부담 증가 요인이다.
ㄹ. 3월 대비 4월의 달러화 대비 갑국 통화 가치 변동은 미국에서 유학 중인 자녀를 둔 갑국 학부모의 학비 부담 증가 요인이다.

① ㄱ, ㄴ ② ㄱ, ㄷ ③ ㄴ, ㄷ
④ ㄴ, ㄹ ⑤ ㄷ, ㄹ

▸ 24064-0205

15 다음 자료에 대한 설명으로 옳은 것은?

① 갑은 을과 달리 디플레이션을 우려하고 있다.
② 소득세율 인하는 ㉠에 해당한다.
③ 국공채 매각은 ㉡에 해당한다.
④ ㉡의 실시는 물가 상승 요인이다.
⑤ ㉠과 ㉡을 함께 실시할 경우 총수요는 증가한다.

▸ 24064-0206

16 다음 자료에 대한 옳은 분석만을 〈보기〉에서 고른 것은?

• 갑국과 을국은 모두 직선인 생산 가능 곡선상에서 X재와 Y재만을 생산하여 소비하며, 양국은 비교 우위가 있는 재화에만 특화하여 양국 모두 이익이 발생하는 조건에서 양국 간에만 교역을 실시하였다. 단, 교역에 따른 거래 비용은 없고, 생산된 재화는 전량 소비되며, 보유한 생산 요소의 양은 갑국이 을국의 50%이다.
• 〈자료 1〉은 을국의 X재(Y재) 최대 생산 가능량 대비 갑국의 X재(Y재) 최대 생산 가능량을 나타내고, 〈자료 2〉는 교역 후 양국의 X재와 Y재의 소비량을 나타낸다.

〈자료 1〉

갑국의 X재 최대 생산 가능량 / 을국의 X재 최대 생산 가능량	갑국의 Y재 최대 생산 가능량 / 을국의 Y재 최대 생산 가능량
0.4	0.8

〈자료 2〉

교역 후 갑국의 소비량	X재 30개, Y재 40개
교역 후 을국의 소비량	X재 70개, Y재 40개

보기
ㄱ. 을국은 X재 생산에 절대 우위를 가진다.
ㄴ. 양국 간 X재와 Y재의 교환 비율은 3 : 4이다.
ㄷ. 갑국의 Y재 1개 생산의 기회비용은 X재 2개이다.
ㄹ. 교역 후 을국의 Y재 1개 소비의 기회비용은 교역 전보다 증가한다.

① ㄱ, ㄴ ② ㄱ, ㄷ ③ ㄴ, ㄷ
④ ㄴ, ㄹ ⑤ ㄷ, ㄹ

▸ 24064-0207

17 다음 자료에 대한 분석으로 옳은 것은? [3점]

그림은 2023년 갑국의 경상 수지 수취액 구성 비율과 지급액 구성 비율을 나타낸다. 단, 2023년 갑국의 상품 수지는 균형이고, 본원 소득 수지는 흑자이며, 적자 규모는 서비스 수지가 이전 소득 수지보다 크다.

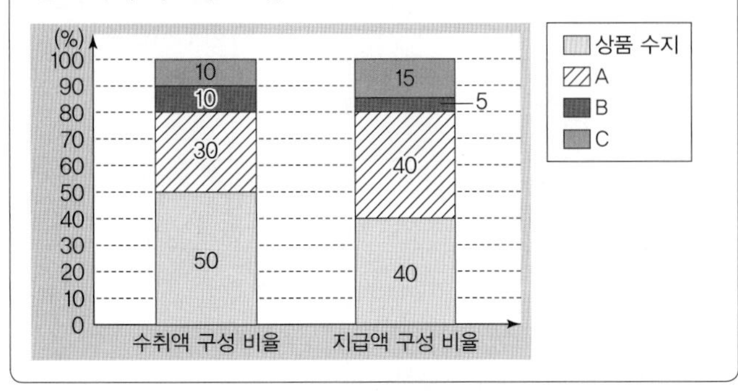

① A는 본원 소득 수지, C는 서비스 수지이다.
② 해외 무상 원조 금액은 B에 포함된다.
③ '지급액/수취액'은 서비스 수지가 본원 소득 수지보다 작다.
④ 경상 수지 적자액이 25억 달러라면, 본원 소득 수지 수취액은 12.5억 달러이다.
⑤ 경상 수지 수취액이 200억 달러라면, 지식 재산권 사용료를 포함하는 항목은 40억 달러 적자이다.

▸ 24064-0208

18 다음 자료에 대한 옳은 분석만을 <보기>에서 있는 대로 고른 것은? [3점]

표는 갑국의 연도별 '명목 이자율/실질 이자율'을 나타낸다. 단, '실질 이자율=명목 이자율−물가 상승률'이며, 명목 이자율은 매년 양(+)의 값을 가진다. 또한 기준 연도는 2020년이며, 물가 수준은 GDP 디플레이터로 측정한다.

구분	2021년	2022년	2023년
명목 이자율 / 실질 이자율	1보다 큼.	1	1보다 큼.

보기

ㄱ. 2021년에 실질 GDP는 명목 GDP보다 작다.
ㄴ. 물가 수준은 2021년이 2022년보다 높다.
ㄷ. 명목 이자율은 2021년이 2023년보다 낮다.
ㄹ. 물가 상승률은 2023년이 2022년보다 높다.

① ㄱ, ㄴ ② ㄱ, ㄹ ③ ㄷ, ㄹ
④ ㄱ, ㄴ, ㄷ ⑤ ㄴ, ㄷ, ㄹ

▸ 24064-0209

19 빈칸 (가)~(다)에 들어갈 내용으로 옳은 것은?

〈2023년 1/4분기 가계 소득 및 지출 동향〉

- 가계 소득은 2022년 1/4분기에 비해 4.7% 증가
  - 처분 가능 소득은 3.4% 증가
  - 경상 소득은 4.3% 증가, 비경상 소득은 …(생략)…
- 소비 지출은 2022년 1/4분기에 비해 11.5% 증가 …(생략)…

교사: 위 내용을 통해 파악할 수 있는 전년 대비 2023년 1/4분기 소득과 지출의 변화에 대해 발표해 보세요.
학생: 비경상 소득은 (가), 비소비 지출은 (나), 처분 가능 소득에서 소비 지출이 차지하는 비중은 (다)하였습니다.
교사: 모두 옳게 발표하였습니다.

	(가)	(나)	(다)
①	감소	감소	감소
②	감소	증가	감소
③	감소	증가	증가
④	증가	감소	증가
⑤	증가	증가	증가

▸ 24064-0210

20 다음 자료에 대한 설명으로 옳지 않은 것은? (단, A~C는 각각 정기 예금, 주식, 채권 중 하나이며, 을의 점수는 0점이 아님.)

〈경제 형성 평가〉

※ 제시된 특징에 해당하는 금융 상품의 유형을 쓰시오.

특징	갑의 응답	을의 응답
배당 수익을 기대할 수 있다.	A	B
소유자는 채권자로서의 지위를 가진다.	C	A
예금자 보호 제도에 의해 일정액의 원리금이 보장된다.	B	C
채점 결과(총점)	0점	

* 응답 내용 1개당 옳으면 1점, 틀리면 0점을 부여함. 총 3점임.

① 을의 점수는 3점이다.
② B의 소유자는 주주로서의 지위를 가진다.
③ B는 C에 비해 일반적으로 수익성이 높다.
④ C는 A와 달리 시세 차익을 기대할 수 있다.
⑤ A, C는 B와 달리 이자 수익을 기대할 수 있다.

실전 모의고사 4회

제한시간 30분 | 배점 50점 | 정답과 해설 47쪽

문항에 따라 배점이 다르니, 각 물음의 끝에 표시된 배점을 참고하시오. 3점 문항에만 점수가 표시되어 있습니다. 점수 표시가 없는 문항은 모두 2점입니다.

▶ 24064-0211

1 그림은 민간 경제의 순환을 나타낸다. 이에 대한 설명으로 옳은 것은? (단, A, B는 각각 가계, 기업 중 하나임.)

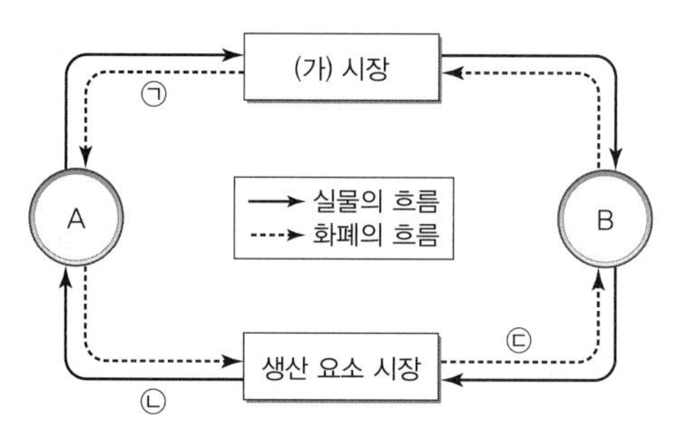

① A는 (가) 시장의 수요자이다.
② B는 이윤의 극대화를 추구한다.
③ 소비 지출은 ㉠에 해당한다.
④ 재화와 서비스는 ㉡에 해당한다.
⑤ 노동자가 받는 임금은 ㉢에 해당한다.

▶ 24064-0212

2 다음 자료에 대한 설명으로 옳은 것은? (단, A, B는 각각 시장 경제 체제, 계획 경제 체제 중 하나임.)

> 교사: A와 구별되는 B만의 특징은 무엇일까요?
> 갑: 주로 정부의 계획에 의해 경제 문제를 해결합니다.
> 을: (가)
> 병: 자원의 희소성으로 인한 경제 문제가 발생합니다.
> 교사: ㉠두 학생만 옳게 답변하였습니다.

① ㉠은 갑과 병이다.
② A에서는 B보다 시장에서의 경제적 유인을 중시한다.
③ A와 B에서는 모두 경제 주체들의 자율적인 의사 결정을 중시한다.
④ (가)에는 '경쟁의 원리를 중시합니다.'가 들어갈 수 있다.
⑤ (가)에는 '원칙적으로 생산 수단의 사적 소유가 제한됩니다.'가 들어갈 수 없다.

▶ 24064-0213

3 다음 자료에 대한 분석 및 추론으로 옳은 것은? [3점]

> 갑은 A재~C재 중 한 재화만을 1개 구입하려고 한다. 표는 각 재화의 가격을 나타낸다. 갑은 편익과 기회비용을 고려한 합리적 선택으로 C재를 1개 구입하였다. 단, A재 구입의 편익은 C재 구입의 편익보다 크고, 제시된 내용 이외의 다른 사항은 고려하지 않는다.

구분	A재	B재	C재
가격(만 원)	10	5	㉠

① 재화 1개 구입의 암묵적 비용은 A재가 B재보다 크다.
② 재화 1개 구입의 기회비용은 C재가 가장 작다.
③ ㉠에는 '10'이 들어갈 수 없다.
④ ㉠이 '5'인 경우 재화 1개 구입의 편익은 B재가 A재보다 크다.
⑤ ㉠이 '8'인 경우 'C재 구입의 편익－B재 구입의 편익'은 3만 원보다 작다.

▶ 24064-0214

4 밑줄 친 ㉠, ㉡이 동시에 발생하여 나타난 X재 시장의 변화로 옳은 것은? (단, X재~Z재는 모두 수요와 공급 법칙을 따름.) [3점]

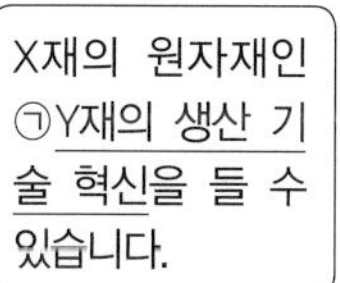

	균형 가격	균형 거래량
①	상승	증가
②	상승	불분명
③	하락	불분명
④	불분명	증가
⑤	불분명	감소

▸ 24064-0215

5 표는 수요와 공급 곡선이 모두 직선인 X재의 가격별 수요량과 초과 공급량을 나타낸다. 이에 대한 옳은 분석 및 추론만을 〈보기〉에서 고른 것은? [3점]

가격(원)	수요량(개)	초과 공급량(개)
P+200	50	40
P+100	60	20
P	70	0
P−100	80	−20
P−200	90	−40

* 초과 공급량 = 공급량 − 수요량

보기

ㄱ. X재의 공급량은 가격과 무관하게 항상 일정하다.
ㄴ. 가격이 P−200원일 때 가격 상승 압력이 발생한다.
ㄷ. 모든 가격 수준에서 수요량이 20개씩 증가하는 경우 시장 균형 가격은 100원 상승한다.
ㄹ. 모든 가격 수준에서 공급량이 20개씩 감소하는 경우 시장 균형 거래량은 20개 감소한다.

① ㄱ, ㄴ ② ㄱ, ㄷ ③ ㄴ, ㄷ
④ ㄴ, ㄹ ⑤ ㄷ, ㄹ

▸ 24064-0216

6 다음 자료에 대한 설명으로 옳은 것은?

표는 서로 다른 시장 실패 유형 A~C를 구분할 수 있는 질문과 응답을 나타낸다. 단, A~C는 각각 독점, 공공재의 부족, 외부 불경제 중 하나이다.

구분	질문	응답
A	재화의 비배제성으로 인해 자원 배분의 왜곡이 발생합니까?	예
B	공급자의 시장 지배력을 남용하는 현상과 관련있습니까?	예
C	자원이 사회적 최적 수준보다 과소 배분되는 결과가 나타납니까?	아니요

① 재화의 배제성과 경합성이 모두 없는 경우 A로 인한 시장 실패가 나타난다.
② B로 인해 시장 실패가 발생하는 경우 일반적으로 자원은 사회적 최적 수준보다 과다하게 배분된다.
③ 생산자의 사적 비용이 사회적 비용보다 커서 나타나는 시장 실패는 C에 해당한다.
④ 무임승차자 문제는 A가 아닌 B와 관련있다.
⑤ 정부가 개입하여 생산량을 증가시키는 정책은 B가 아닌 C에 대한 대책에 해당한다.

▸ 24064-0217

7 다음 자료에 대한 설명으로 옳은 것은? [3점]

그림은 정부가 서로 다른 가격 규제 정책을 시행하여 변화된 X재와 Y재 시장 상황을 나타낸다. 단, X재와 Y재의 수요와 공급 곡선은 모두 직선이고, 가격 규제 정책 시행 전 X재와 Y재는 모두 시장 균형에서 거래되었다.

〈X재 시장〉

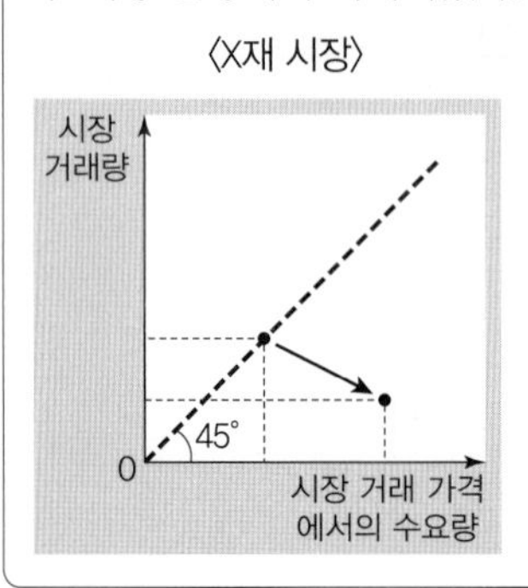

〈Y재 시장〉

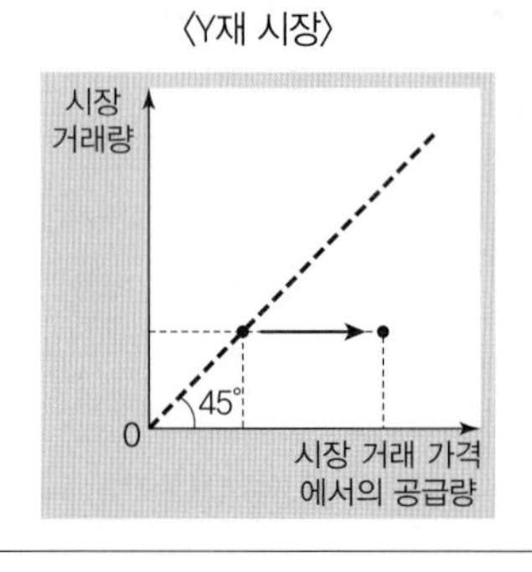

① X재 시장에서는 생산자를 보호하기 위한 가격 규제 정책이 시행되었다.
② Y재 시장에서는 정부의 규제 가격이 시장 균형 가격보다 낮다.
③ 가격 규제 정책 시행으로 인해 X재 시장에서는 Y재 시장과 달리 공급량이 증가하였다.
④ 가격 규제 정책 시행으로 인해 Y재 시장에서는 X재 시장과 달리 생산자 잉여가 증가하였다.
⑤ 가격 규제 정책 시행으로 인해 X재 시장과 Y재 시장 모두에서 판매 수입이 감소하였다.

▸ 24064-0218

8 다음 자료에 대한 분석으로 옳은 것은?

표는 X재만 생산하는 갑 기업의 X재 각 생산량에 따른 '이윤/총비용'을 나타낸다. 갑 기업은 X재를 4개까지만 생산하고, 생산된 X재는 개당 100달러의 가격에 모두 판매된다.

생산량(개)	1	2	3	4
이윤/총비용	1/4	2/3	3/7	1/4

① 이윤은 생산량이 2개일 때가 4개일 때보다 크다.
② '총수입/총비용'은 생산량이 2개일 때가 가장 작다.
③ '총비용/생산량'은 생산량이 3개일 때가 4개일 때보다 크다.
④ 이윤이 극대화되는 생산량에서의 총비용은 이윤의 4배이다.
⑤ 생산량을 2개에서 3개로 늘리는 경우 추가되는 수입은 추가되는 비용보다 크다.

▸ 24064-0219

9 다음 자료에 대한 분석으로 옳은 것은? [3점]

갑국 정부는 생산 측면과 소비 측면 중 각각 하나의 외부 효과만 발생하였던 X재와 Y재 시장에 개입하여 외부 효과를 해소시켰다. 표는 정부 개입 전 대비 정부 개입 후 X재 시장과 Y재 시장에 나타난 변화를 제시한 것이다. 단, X재와 Y재는 모두 수요와 공급 법칙을 따른다.

구분	X재	Y재
가격 변동률	양(+)의 값	음(−)의 값
거래량 변동률	양(+)의 값	양(+)의 값

① 정부 개입 전 X재 시장의 사적 비용은 사회적 비용보다 작다.
② 정부 개입 전 Y재는 사회적 최적 수준보다 많이 거래되었다.
③ X재 시장의 생산자 잉여는 정부 개입 후가 정부 개입 전보다 크다.
④ Y재 시장의 소비자 잉여는 정부 개입 전이 정부 개입 후보다 크다.
⑤ 정부 개입 후 Y재 시장의 총잉여는 X재 시장과 달리 증가하였다.

▸ 24064-0220

10 그림은 갑의 8월 한 달간 소득과 지출 내역을 모두 정리한 것이다. 이에 대한 설명으로 옳은 것은? (단, 갑의 저축액과 비경상 소득은 같음.)

소득		지출	
내역	금액(만 원)	내역	금액(만 원)
월급	350	생활비(식료품비)	300
㉠주식 배당금	20	세금	50
돌잔치 축하금	80	대출 이자	40
이자 소득	50	통신비	㉡

* 처분 가능 소득 = 소득 − 비소비 지출
** 저축 = 처분 가능 소득 − 소비 지출

① ㉠은 이전 소득에 해당한다.
② ㉡은 '110'이다.
③ 처분 가능 소득은 410만 원이다.
④ 비경상 소득은 비소비 지출보다 30만 원 많다.
⑤ 경상 소득에서 재산 소득이 차지하는 비중은 10%이다.

▸ 24064-0221

11 다음 자료에 대한 분석으로 옳은 것은? [3점]

갑국은 X재만, 을국은 Y재만 생산하며 교역은 거래 비용 없이 양국 간에만 이루어진다. X재는 중간재 없이 노동으로만 생산되며, 최종재 또는 Y재의 원료로 사용된다. Y재는 1개 생산 시 X재 1개가 원료로 투입되며 최종재로만 소비된다. 표는 t년에 갑국과 을국에서 발생한 X재와 Y재의 거래 정보를 나타낸다. 단, 갑국과 을국은 자국에서 생산한 재화만 수출하고, 생산된 재화는 전량 시장에서 거래되며, 양국 간 재화의 가격 차이는 없다. 또한 t년의 거래 결과 갑국과 을국의 소비자 총지출액은 같았다.

구분		국내 소비 지출액(달러)	국내 판매량(개)	수출량(개)
갑국	X재	400	200	㉠
을국	Y재	600	200	200

① ㉠은 '400'이다.
② 수출액은 갑국이 을국의 2배이다.
③ 국내 총생산은 갑국과 을국이 같다.
④ X재 생산으로 창출한 부가 가치는 400달러이다.
⑤ 최종재로 소비된 X재의 판매량은 Y재의 판매량보다 적다.

▸ 24064-0222

12 다음 자료에 대한 분석으로 옳은 것은?

표는 갑국의 전년 대비 경제 지표 변화를 나타낸다. 단, 2021년과 2022년의 갑국 GDP 디플레이터는 각각 100이고, 2021년 갑국의 명목 GDP 증가율은 영(0)이다.

(단위: %p)

구분	2022년	2023년
GDP 디플레이터 상승률의 증감	0	−5
명목 GDP 증가율의 증감	2	0

* %p(%포인트)는 %의 차를 나타내는 단위임. 예를 들어, 인구 증가율이 3%에서 2%로 하락하면 인구 증가율의 증감은 −1%p임.

① 실질 GDP는 2021년과 2022년이 같다.
② 명목 GDP는 2022년과 2023년이 같다.
③ 경제 성장률은 2022년이 2023년보다 높다.
④ 2022년에 실질 GDP 증가율과 명목 GDP 증가율은 같다.
⑤ 2023년에 명목 GDP는 실질 GDP보다 크다.

▸ 24064-0223

13 밑줄 친 ㉠, ㉡에 대한 설명으로 옳은 것은? (단, 갑국과 을국에서 발생한 인플레이션은 각각 비용 인상 인플레이션, 수요 견인 인플레이션 중 하나임.)

① ㉠의 요인으로는 정부 지출 증가를 들 수 있다.
② ㉡은 실질 GDP 감소를 수반한다.
③ ㉡은 주로 경기 침체기에 나타난다.
④ ㉠은 ㉡과 달리 스태그플레이션을 야기할 수 있다.
⑤ ㉡은 ㉠과 달리 경상 수지를 악화시키는 요인으로 작용한다.

▸ 24064-0224

14 그림은 갑국의 경제 뉴스이다. 4월 대비 5월 갑국의 고용 지표 변화에 대한 분석으로 옳은 것은? [3점]

① 고용률은 상승하였다.
② 실업률은 하락하였다.
③ 경제 활동 참가율은 하락하였다.
④ '취업자 수/실업자 수'는 상승하였다.
⑤ '비경제 활동 인구/경제 활동 인구'는 하락하였다.

▸ 24064-0225

15 밑줄 친 ㉠~㉣에 대한 설명으로 옳은 것은? (단, 총수요 곡선은 우하향하고 총공급 곡선은 우상향함.)

> ㉠경기가 침체되는 경우 실업이 증가하고 소득이 감소하여 국민 생활이 어려워지기 때문에 ㉡경기를 활성화시키기 위한 정책이 필요하다. 한편, 경기 호황을 넘어 ㉢경기가 과열되는 경우에도 인플레이션이 나타나 다양한 사회적 비용이 발생하기 때문에 ㉣경기를 진정시키기 위한 정책이 필요하다.

① 기업의 투자 지출 증가는 ㉠의 요인이다.
② 소득세율 인상은 ㉡의 수단에 해당한다.
③ 가계의 소비 지출 감소는 ㉢의 요인이다.
④ 지급 준비율 인상은 ㉣의 수단에 해당한다.
⑤ ㉣은 ㉡과 달리 실질 GDP 증가 요인이다.

▸ 24064-0226

16 다음 자료에 대한 옳은 분석만을 〈보기〉에서 고른 것은? [3점]

> X재와 Y재만 생산하는 갑국과 을국은 직선인 생산 가능 곡선상에서 재화를 생산한다. 양국은 비교 우위가 있는 재화만을 생산한 후 양국 모두 이익이 발생하는 조건에서 양국 간에만 무역을 실시하였다. 갑국의 Y재 1개 생산의 기회비용은 X재 (가) 개이다. 갑국의 Y재 1개 소비의 기회비용은 무역 후가 무역 전보다 작고, 을국의 X재 1개 생산의 기회비용은 Y재 2개이다. 단, 무역에 따른 거래 비용은 발생하지 않으며, 생산된 재화는 전량 소비된다.

보기
ㄱ. (가)는 1/2보다 작다.
ㄴ. 갑국은 X재 생산에 비교 우위를 가진다.
ㄷ. 을국은 Y재 생산에 절대 우위를 가진다.
ㄹ. 양국 간 무역에서 X재 1개와 교환되는 Y재의 수량은 2개보다 적다.

① ㄱ, ㄴ ② ㄱ, ㄷ ③ ㄴ, ㄷ
④ ㄴ, ㄹ ⑤ ㄷ, ㄹ

▸ 24064-0227

17 표는 갑국의 연도별 경상 수지 구성을 나타낸다. 이에 대한 분석으로 옳은 것은? (단, 국제 거래는 달러화로 이루어짐.)

(단위: 억 달러)

구분	2022년	2023년
경상 수지	200	250
상품 수지	250	300
서비스 수지	㉠	−100
본원 소득 수지	20	60
이전 소득 수지	10	㉡

① ㉠은 '−80', ㉡은 '−20'이다.
② 상품 수출액은 2023년이 2022년보다 50억 달러 많다.
③ 2023년의 경상 수지는 2022년과 달리 갑국의 통화량 감소 요인이다.
④ 해외 주식 매매 금액이 포함되는 항목은 2023년이 2022년의 3배이다.
⑤ 해외 무상 원조가 포함되는 항목은 2022년 흑자에서 2023년 적자로 전환되었다.

▸ 24064-0228

18 다음 자료에 대한 분석으로 옳은 것은? [3점]

그림은 갑국의 X재 국내 수요 곡선 및 국내 공급 곡선을 나타낸다. 갑국은 외국에서 수입되는 X재에 개당 2달러의 관세를 부과하고 있었으나, 최근에 관세를 철폐하였다. 관세 철폐 전 갑국의 X재 소비량은 수입량의 2배였다. 단, X재의 국제 가격은 변함이 없고, 갑국은 국제 가격으로 X재를 무제한 수입할 수 있다.

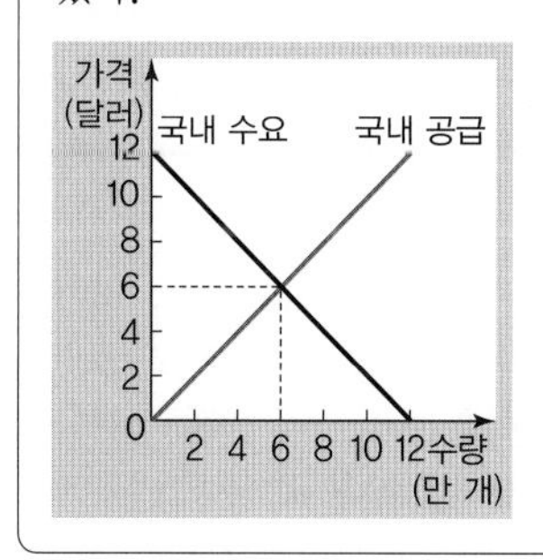

① X재의 국제 가격은 4달러이다.
② 관세 철폐 전 갑국의 X재 시장은 초과 수요 상태였다.
③ 관세 철폐 전 갑국 X재 시장의 생산자 잉여는 16만 달러이다.
④ 관세 철폐로 인해 관세 수입은 16만 달러 감소하였다.
⑤ 관세 철폐로 인해 갑국 X재 시장의 소비자 잉여는 18만 달러 증가하였다.

▸ 24064-0229

19 표는 t기와 t+1기 갑국~병국 통화 간 교환 비율을 나타낸다. t기 대비 t+1기 각국의 통화 가치 변동에 대한 분석 및 추론으로 옳은 것은? (단, 갑국~병국의 국제 거래는 환율 변동 외에 다른 영향은 받지 않음.) [3점]

구분	각국 통화 간 교환 비율	
	t기	t+1기
갑국 통화 : 을국 통화	2 : 5	3 : 4
을국 통화 : 병국 통화	5 : 3	5 : 2

① 갑국 통화 대비 을국 통화 가치는 하락하였다.
② 병국 통화 대비 을국 통화 가치는 상승하였다.
③ 갑국 기업의 을국 통화 표시 외채 상환 부담은 감소하였을 것이다.
④ 을국산 제품에 대한 갑국의 수요 증가는 을국 통화 대비 갑국 통화 가치의 변동 요인에 해당한다.
⑤ 을국 시장에서 갑국산 제품의 가격 경쟁력은 하락하였고, 병국산 제품의 가격 경쟁력은 상승하였을 것이다.

▸ 24064-0230

20 금융 상품 A~C의 일반적인 특징에 대한 설명으로 옳은 것은? (단, A~C는 각각 정기 예금, 주식, 채권 중 하나임.)

① A의 소유자는 주주로서의 지위를 가진다.
② 정부는 B를 발행할 수 없다.
③ A는 B와 달리 예금자 보호 제도의 적용을 받지 못한다.
④ A는 C와 달리 만기가 존재한다.
⑤ 기업 입장에서 B와 C는 모두 부채에 해당한다.

실전 모의고사 5회

제한시간 30분 배점 50점 정답과 해설 51쪽

문항에 따라 배점이 다르니, 각 물음의 끝에 표시된 배점을 참고하시오. 3점 문항에만 점수가 표시되어 있습니다. 점수 표시가 없는 문항은 모두 2점입니다.

▸ 24064-0231

1 그림은 민간 경제의 순환을 나타낸다. 이에 대한 설명으로 옳은 것은? (단, A, B는 각각 가계, 기업 중 하나임.)

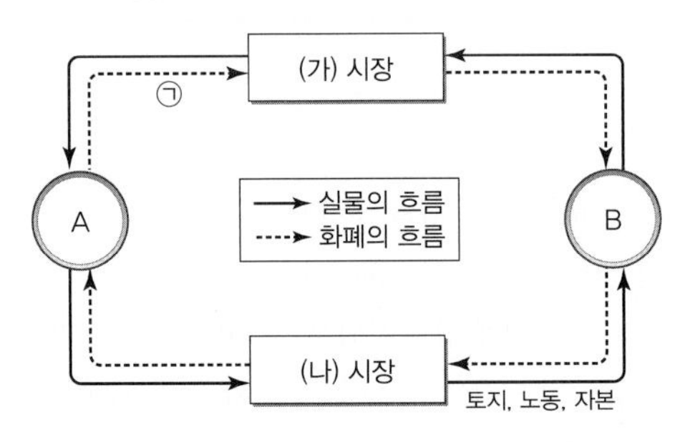

① A는 생산물 시장의 공급자이다.
② B는 이윤의 극대화를 추구한다.
③ 임금, 지대, 이자는 ㉠에 해당한다.
④ (가) 시장은 생산 요소 시장이다.
⑤ (나) 시장에서 생산물의 가격과 거래량이 결정된다.

▸ 24064-0232

2 표는 질문에 따라 경제 체제 A, B를 구분한 것이다. 이에 대한 설명으로 옳은 것은? (단, A, B는 각각 시장 경제 체제, 계획 경제 체제 중 하나임.)

질문	A	B
경제 활동에 대한 정부의 통제를 중시하는가?	예	아니요
(가)	아니요	예

① A에서는 '보이지 않는 손'의 기능을 강조한다.
② B에서는 원칙적으로 생산 수단의 사적 소유를 인정하지 않는다.
③ A에서는 B에 비해 경제 활동에서 경제적 유인을 강조한다.
④ B에서는 A와 달리 민간 경제 주체의 이윤 추구 활동이 보장된다.
⑤ (가)에는 '희소성으로 인한 경제 문제가 발생하는가?'가 들어갈 수 있다.

▸ 24064-0233

3 그림에 대한 설명으로 옳은 것은? (단, A재, B재는 각각 무상재, 경제재 중 하나임.)

희소성의 유무에 따라 재화를 다음과 같이 구분할 수 있습니다.

구분	A재	B재
의미	대가를 지불해야 소비할 수 있는 재화	대가를 지불하지 않고도 소비할 수 있는 재화
사례	(가)	(나)

① A재는 무상재이다.
② A재는 B재와 달리 희소성이 없다.
③ B재는 A재와 달리 인간의 욕구보다 적게 존재한다.
④ (가)에는 '자동차와 같은 사적 재화'가 들어갈 수 있다.
⑤ (나)에는 '가로등과 같은 공공재'가 들어갈 수 있다.

▸ 24064-0234

4 다음 자료에 대한 설명으로 옳은 것은? (단, 갑국의 빵 시장은 수요와 공급 법칙을 따름.) [3점]

> 갑국은 이상 기후에 따른 흉작으로 밀 가격이 급등하고, 이의 영향으로 빵 가격이 P_1로 급등하자 갑국 정부는 빵 시장의 (가) 보호를 위해 P_2를 상한으로 하는 ㉠가격 규제 정책을 실시하였다. 그 결과 빵 가격은 안정되었으나, 갑국 국민들은 심각한 빵 부족에 시달리게 되었다.

① P_2는 P_1보다 높다.
② (가)는 '생산자'이다.
③ ㉠은 최저 가격제이다.
④ ㉠ 시행 이후 시장 거래량은 이전보다 증가하였다.
⑤ ㉠ 시행 이후 빵 시장에서는 초과 수요가 발생하였다.

▸ 24064-0235

5 그림에서 갑의 선택에 대한 옳은 설명만을 〈보기〉에서 고른 것은? (단, 갑은 기회비용과 편익만을 고려하여 합리적으로 선택함.) [3점]

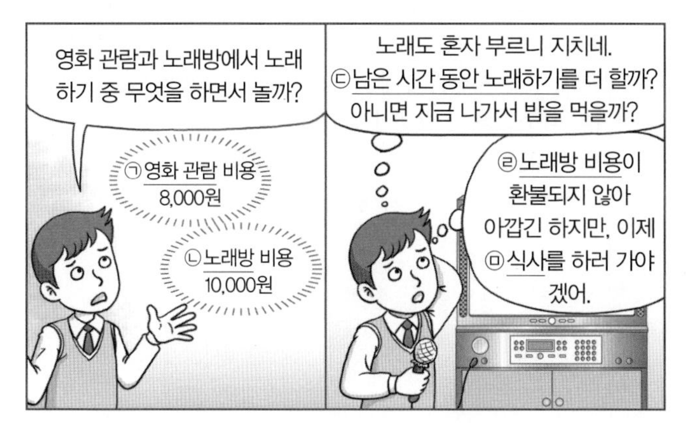

보기
ㄱ. ㉠ 선택의 순편익은 음(−)의 값이다.
ㄴ. ㉡ 선택의 편익은 ㉠ 선택의 편익보다 작다.
ㄷ. ㉢ 선택으로 얻게 되는 편익은 ㉤ 선택의 암묵적 비용이다.
ㄹ. ㉣은 ㉤ 선택의 기회비용에 포함된다.

① ㄱ, ㄴ ② ㄱ, ㄷ ③ ㄴ, ㄷ
④ ㄴ, ㄹ ⑤ ㄷ, ㄹ

▸ 24064-0236

6 다음 자료에 대한 설명으로 옳은 것은? [3점]

갑 기업은 시장 가격이 개당 (가) 만 원인 X재만을 생산하여 판매한다. 표는 X재 생산량에 따른 총비용을 나타내며, 최대로 얻을 수 있는 이윤은 생산량이 4개일 때 20만 원이다. 단, 갑 기업은 X재를 최대 6개까지 생산할 수 있으며, 생산된 X재는 모두 판매되고, X재 가격은 일정하다.

생산량(개)	1	2	3	4	5	6
총비용(만 원)	7	10	12	20	32	48

* 총비용 = 평균 비용 × 생산량

① (가)는 '15'이다.
② 생산량이 5개일 때 총비용은 총수입보다 크다.
③ 평균 비용이 최소가 되는 생산량에서의 이윤은 18만 원이다.
④ 생산량이 1개씩 증가할 때마다 추가적으로 얻게 되는 수입은 감소한다.
⑤ 생산량이 1개씩 증가할 때마다 추가적으로 발생하는 비용은 증가한다.

▸ 24064-0237

7 표는 갑국의 고용 관련 통계를 나타낸다. 2022년 대비 2023년의 변화에 대한 옳은 설명만을 〈보기〉에서 고른 것은? (단, 15세 이상 인구는 일정함.)

구분	2022년	2023년
취업자 수/경제 활동 인구	9/10	10/11
고용률(%)	45	50

보기
ㄱ. 실업률은 하락하였다.
ㄴ. 경제 활동 참가율은 상승하였다.
ㄷ. 비경제 활동 인구는 변화가 없다.
ㄹ. 실업자 수와 취업자 수는 모두 증가하였다.

① ㄱ, ㄴ ② ㄱ, ㄷ ③ ㄴ, ㄷ
④ ㄴ, ㄹ ⑤ ㄷ, ㄹ

▸ 24064-0238

8 다음 자료에 대한 설명으로 옳은 것은? (단, A, B는 각각 주식, 채권 중 하나임.)

〈자료 1〉은 금융 상품 A, B에 대한 설명이고, 〈자료 2〉는 A, B의 일반적인 특징을 연결하여 공통점과 차이점을 나타낸다.

〈자료 1〉

• A: 기업이 사업 자금 조달을 위해 발행하는 증권으로, 투자자 지분을 표시하여 발행하는 증서
• B: 정부나 기업 등이 다수의 사람으로부터 돈을 빌리면서 언제까지 빌리고, 이자는 얼마를 줄 것인지 약속하는 증서

〈자료 2〉

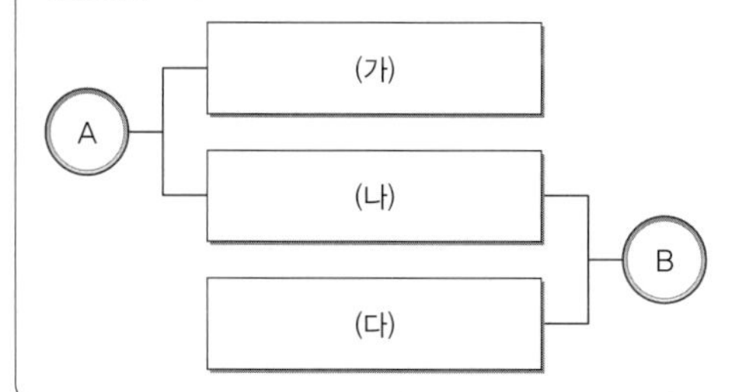

① A는 B에 비해 일반적으로 안전성이 높다.
② B는 A와 달리 발행자 입장에서 부채에 해당한다.
③ (가)에는 '이자 수익을 기대할 수 있다.'가 들어갈 수 있다.
④ (나)에는 '배당 수익을 기대할 수 있다.'가 들어갈 수 있다.
⑤ (다)에는 '시세 차익을 기대할 수 있다.'가 들어갈 수 있다.

▸ 24064-0239

9 다음 자료에 대한 설명으로 옳은 것은?

그림은 갑국의 X재 시장 상황을 나타낸다. t기에 갑국은 국제 가격으로 X재를 무제한 수입하였다. t+1기에 갑국 정부는 ㉠수입되는 X재 단위당 P_1P_2의 관세를 부과하는 방안과 ㉡갑국 생산자에게 X재 단위당 P_1P_2의 보조금을 지급하는 방안 중 하나의 시행을 고려하고 있다. 단, 갑국에서 생산된 X재는 모두 국내 시장에서 판매되며, X재의 국제 가격은 t기와 t+1기에 변화가 없다.

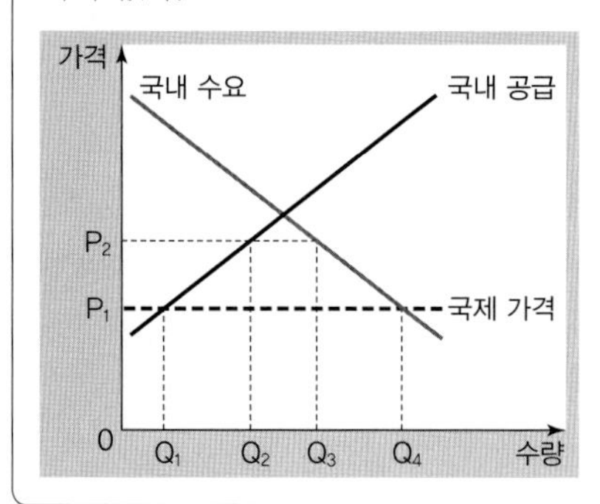

① t기의 X재 수입량은 Q_3Q_4이다.
② ㉠을 시행할 경우 X재의 국내 생산량은 Q_1이다.
③ ㉡을 시행할 경우 X재의 국내 생산량은 Q_1Q_2만큼 증가한다.
④ X재의 국내 가격은 ㉠보다 ㉡을 시행할 경우가 높다.
⑤ X재의 국내 소비량은 ㉡보다 ㉠을 시행할 경우가 많다.

▸ 24064-0240

10 다음 자료에 대한 분석으로 옳은 것은?

표는 갑국의 연도별 경상 수지 항목을 나타낸다. 국제 거래는 갑국과 을국 사이에서만 이루어지며, 을국의 경상 수지는 2022년 대비 2023년에 적자 규모가 20억 달러 증가하였고, 2023년의 경우 (가)와 이전 소득 수지는 모두 균형을 이루었다.

(단위: 억 달러)

구분	2022년	2023년
상품 수지	200	220
서비스 수지	−20	㉠
(가)	5	
이전 소득 수지	−5	

* 음영 처리( )는 해당 내용을 표기하지 않은 것을 나타냄.

① ㉠은 '−20'이다.
② (가)에는 해외 지식 재산권 사용료로 지급한 비용이 포함된다.
③ 갑국은 해외 무상 원조를 포함하는 항목이 2022년과 2023년에 모두 적자이다.
④ 을국의 상품 수입액은 2022년 대비 2023년에 20억 달러 증가하였다.
⑤ 을국에서 해외 투자에 따른 배당금이 포함되는 항목은 2022년 대비 2023년에 악화되었다.

▸ 24064-0241

11 다음 자료에 대한 분석으로 옳은 것은? [3점]

그림은 외부 효과가 발생한 X재 시장 상황과 Y재 시장 상황을 나타낸다. X재와 Y재 시장에서 모두 A는 시장 균형점, B는 사회적 최적 균형점이며, X재와 Y재는 모두 수요와 공급 법칙을 따른다. 단, X재 시장과 Y재 시장에는 각각 소비와 생산 측면 중 하나의 외부 효과만 발생하고 있다.

〈X재 시장〉 〈Y재 시장〉

① X재 시장에서는 부정적 외부 효과가 발생하고 있다.
② X재 시장에서는 소비의 사회적 편익이 사적 편익보다 크다.
③ Y재 시장에서는 소비 측면에서 외부 효과가 발생하고 있다.
④ Y재 시장에서는 생산에 보조금을 지급하여 외부 효과를 개선할 수 있다.
⑤ X재 시장에서는 과다 소비의 문제, Y재 시장에서는 과소 생산의 문제가 발생하고 있다.

▸ 24064-0242

12 다음 자료에 대한 옳은 설명만을 〈보기〉에서 고른 것은? [3점]

〈경제 형성 평가〉

※ 실업의 유형 A~C와 관련하여 제시된 조건에 알맞은 답안을 빈칸에 적으시오. (단, A~C는 각각 마찰적 실업, 경기적 실업, 계절적 실업 중 하나임.)

구분	A와 C를 구분할 수 없는 질문	A와 B를 구분할 수 있는 질문	채점 결과
답안	이직 과정에서 일시적으로 발생하는 실업입니까?	계절의 변화가 주요 요인으로 작용합니까?	2점

* 서술 내용 1개당 옳으면 1점, 틀리면 0점을 부여함.

보기
ㄱ. A는 경기적 실업이다.
ㄴ. B는 자발적 실업에 해당한다.
ㄷ. C에 대한 대책으로는 경기 부양 정책을 들 수 있다.
ㄹ. C는 B와 달리 경기 호황기에도 발생할 수 있다.

① ㄱ, ㄴ ② ㄱ, ㄷ ③ ㄴ, ㄷ
④ ㄴ, ㄹ ⑤ ㄷ, ㄹ

▸ 24064-0243

13 다음 자료에 대한 분석으로 옳은 것은?

갑국 정부와 중앙은행은 경제 성장률 및 물가 상승률 목표치와 실제 수치에 차이가 있을 경우 차이를 줄이기 위해 경제 안정화 정책을 시행한다. 표는 전년 대비 2023년의 갑국 경제 지표 목표치와 실제 수치를 나타내며, 갑국 정부와 중앙은행은 경제 안정화를 위해 ㉠재정 정책 및 ㉡통화 정책을 시행할 예정이다. 단, 총수요 곡선은 우하향하고 총공급 곡선은 우상향한다.

(단위: %)

구분	목표	실제
물가 상승률	3.0	5.8
경제 성장률	2.5	5.5

① ㉠으로는 소득세율 인하를 들 수 있다.
② ㉡으로는 국공채 매각을 들 수 있다.
③ ㉡은 ㉠과 달리 총수요 증가를 초래한다.
④ 2023년에 갑국은 경기 침체에 직면하고 있다.
⑤ 전년 대비 2023년에 화폐 구매력은 상승하였다.

▸ 24064-0244

14 다음 자료에 대한 옳은 설명만을 〈보기〉에서 고른 것은? (단, X재 시장의 수요와 공급 곡선은 모두 직선임.) [3점]

표는 갑국 X재 시장의 수요와 공급 곡선상에 있는 점들의 일부를 나타낸다. 갑국 정부는 X재 거래량을 늘리기 위해 생산자에게 X재 1개당 ㉠일정 금액의 보조금을 지급하였으며, 그 결과 균형 거래량이 100개 증가하였다.

가격(만 원)	2	3	4	5	6
수요량(개)	1,200	1,100	1,000	900	800
공급량(개)	800	900	1,000	1,100	1,200

보기

ㄱ. ㉠은 1만 원이다.
ㄴ. 정부가 지급한 보조금 총액은 2,200만 원이다.
ㄷ. 소비자 잉여는 생산자 잉여와 달리 감소하였다.
ㄹ. 정부의 시장 개입 이후 소비 지출액은 700만 원 감소하였다.

① ㄱ, ㄴ　② ㄱ, ㄷ　③ ㄴ, ㄷ
④ ㄴ, ㄹ　⑤ ㄷ, ㄹ

▸ 24064-0245

15 다음 자료에 대한 옳은 분석만을 〈보기〉에서 있는 대로 고른 것은? [3점]

그림은 X재와 Y재만을 생산하는 갑국과 을국의 자료로 (가), (나)는 각각 갑국과 을국의 생산 가능 곡선 중 하나이다. 양국은 비교 우위가 있는 재화의 생산에만 특화하여 양국 모두 이익을 얻는 경우에 양국 간에만 교역한다. 교역 이후 X재 1개 소비의 기회비용은 교역 전에 비해 갑국은 감소하였고, 을국은 증가하였다. 단, 양국 간 교역은 거래 비용 없이 이루어지고, 생산은 생산 가능 곡선상에서만 이루어지며, 생산된 재화는 전량 소비된다.

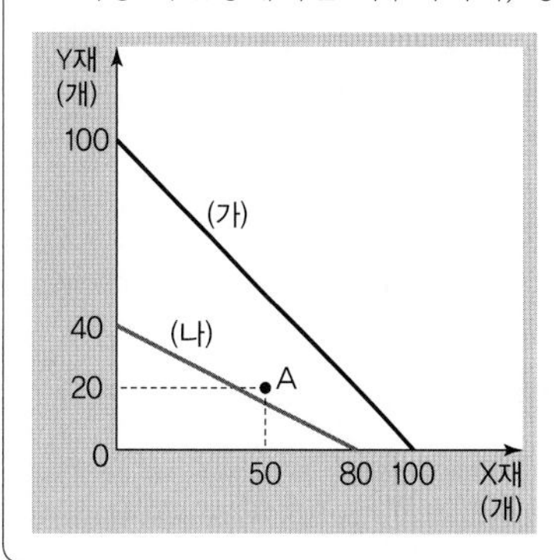

보기

ㄱ. (가)는 갑국, (나)는 을국의 생산 가능 곡선이다.
ㄴ. Y재 1개 생산의 기회비용은 갑국이 을국보다 작다.
ㄷ. 교역 후 을국의 소비점이 A라면, X재와 Y재의 교환 비율은 2:3이다.

① ㄱ　② ㄴ　③ ㄷ
④ ㄱ, ㄴ　⑤ ㄴ, ㄷ

▸ 24064-0246

16 그림은 외환 시장에서의 균형 환율 변동을 나타낸다. 환율 변동의 영향으로 옳은 것은? (단, 환율 변동 이외의 다른 조건은 고려하지 않음.)

〈원/달러 외환 시장〉　〈엔/달러 외환 시장〉

① 일본 기업의 미국산 원자재 수입 부담이 증가한다.
② 한국으로 여행오는 미국인의 경비 부담이 증가한다.
③ 일본 기업의 달러화 표시 외채 상환 부담이 증가한다.
④ 자녀를 한국으로 유학 보낸 일본 학부모의 학비 부담이 감소한다.
⑤ 미국 시장에서 일본 기업과 경쟁하는 한국 기업의 수출품 가격 경쟁력이 하락한다.

▸ 24064-0247

17 그림은 갑국의 연도별 GDP 디플레이터를 나타낸다. 이에 대한 옳은 설명만을 〈보기〉에서 고른 것은? (단, 물가 수준은 GDP 디플레이터로 측정하며, 기준 연도는 2020년임.) [3점]

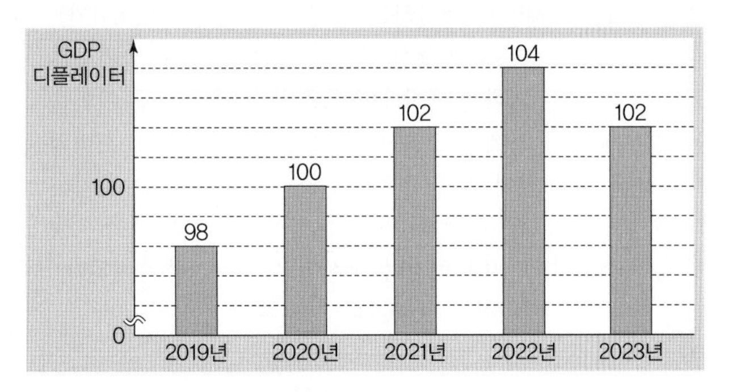

보기

ㄱ. 전년 대비 물가 상승률은 2020년이 2021년보다 높다.
ㄴ. 전년 대비 물가 상승률은 2021년과 2023년이 모두 양(+)의 값이다.
ㄷ. 2019년과 2020년의 명목 GDP가 같다면, 실질 GDP는 2020년이 2019년보다 작다.
ㄹ. 2023년의 경제 성장률이 음(−)의 값이라면, 명목 GDP는 2023년이 2022년보다 크다.

① ㄱ, ㄴ ② ㄱ, ㄷ ③ ㄴ, ㄷ
④ ㄴ, ㄹ ⑤ ㄷ, ㄹ

▸ 24064-0248

18 그림은 갑의 12월 소득 및 지출 전부를 나타낸다. 이에 대한 설명으로 옳은 것은?

(단위: 만 원)

소득		지출	
항목	금액	항목	금액
급여	400	식비	400
상여금	500	㉡세금	40
주식 배당금	100	대출 이자	30
㉠결혼식 축의금	800	사회 보험료	30

* 처분 가능 소득 = 소득 − 비소비 지출
** 저축 = 처분 가능 소득 − 소비 지출

① ㉠은 이전 소득에 해당한다.
② ㉡의 증가는 처분 가능 소득의 증가 요인이다.
③ 저축액은 근로 소득보다 크다.
④ 경상 소득과 비경상 소득이 같다.
⑤ 재산 소득은 비소비 지출보다 크다.

▸ 24064-0249

19 다음은 2023년 갑국에서 발생한 모든 생산 활동을 나타낸다. 이에 대한 분석으로 옳은 것은? (단, 갑국의 기업은 A 기업~C 기업만 존재함.) [3점]

A 기업은 중간재 없이 밀을 재배한 후 밀가루를 생산하여 빵을 제조하는 B 기업에 150만 달러어치를, ㉠소비자에게 50만 달러어치를 판매하였다. B 기업은 밀가루로 빵을 생산하여 소비자에게 50만 달러어치를, 샌드위치를 생산하는 C 기업에 200만 달러어치를 판매하였고, ㉡을국에 50만 달러어치를 수출하였다. C 기업은 샌드위치를 생산하여 소비자에게 300만 달러어치를 판매하였다.

① ㉠은 갑국의 국내 총생산에 포함되지 않는다.
② ㉡은 을국의 국내 총생산에 포함된다.
③ 갑국의 국내 총생산은 450만 달러이다.
④ 갑국에서 중간재의 시장 가치의 합은 300만 달러이다.
⑤ 기업이 창출한 부가 가치는 A~C 기업 중 C 기업이 가장 크다.

▸ 24064-0250

20 다음 자료에 대한 분석으로 옳은 것은? [3점]

〈자료 1〉은 연도별 갑국의 명목 GDP와 경제 성장률을 나타내며, 〈자료 2〉는 〈자료 1〉에 나타난 변화의 요인을 총수요 또는 총공급 측면에서 분석한 것이다. 물가 수준은 GDP 디플레이터로 측정하며 기준 연도는 2021년이다. 단, 갑국의 총수요 곡선은 우하향하고 총공급 곡선은 우상향하며, 각 기간별 변화는 총수요와 총공급 중 하나만의 이동으로 발생하였다.

〈자료 1〉

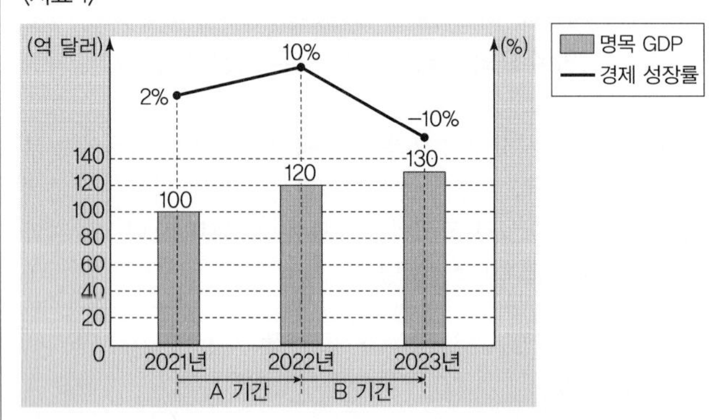

〈자료 2〉

구분	A 기간	B 기간
변화 요인	(가)	(나)

① (가)에는 '기업 투자 감소'가 들어갈 수 있다.
② (나)에는 '생산 기술 향상'이 들어갈 수 있다.
③ 2022년에는 스태그플레이션이 발생하였다.
④ 실질 GDP는 2023년이 2021년보다 크다.
⑤ 물가 수준은 2023년이 2022년보다 높다.

학생 · 교원 · 학부모 온라인 소통 공간

함께학교

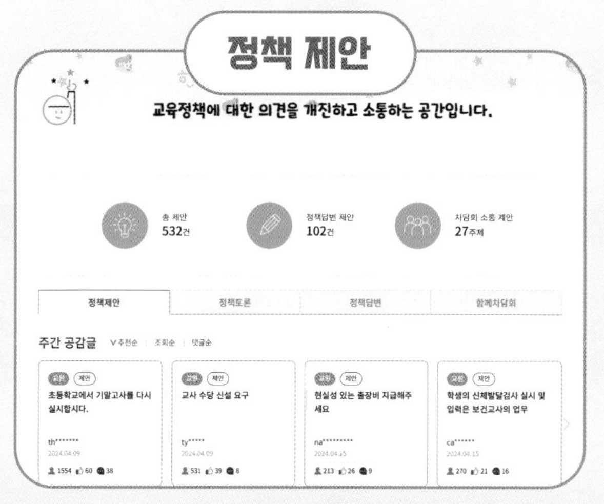

내가 생각한 교육 정책!
여러분의 생각이 정책이 됩니다

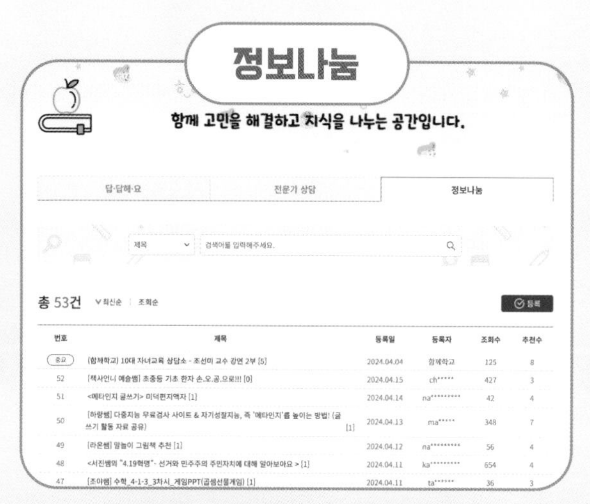

실시간으로 학생·교원·학부모 대상
최신 교육자료를 함께 나눠요

학교생활 답답할 때, 고민될 때
동료 선생님, 전문가에게 물어보세요

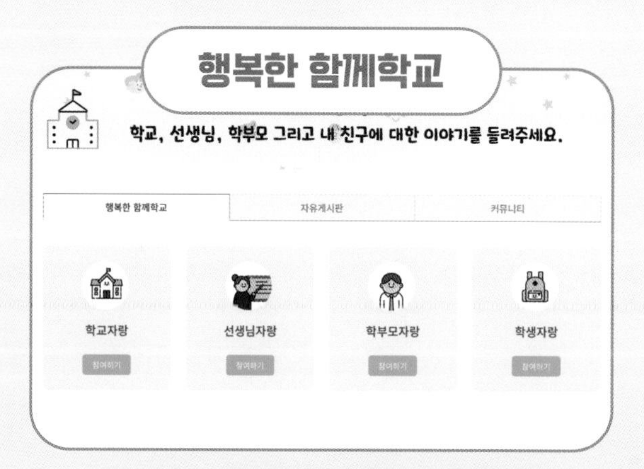

우리 학교, 선생님, 부모님, 친구들과의
소중한 순간을 공유해요

안드로이드

ios

인스타그램 @togetherschool_moe
유튜브 '함께학교_교육부'를 통해서도 함께학교에 방문할 수 있어요!

EBS

한국교육과정평가원 감수
본 교재는 2025학년도 수능 연계교재로서 한국교육과정평가원이 감수하였습니다.

2025학년도

수능 연계교재

수능완성

한 권에 수능 에너지 가득

YOU MADE IT!

5회분 실전 모의고사 수록

테마편 + 실전편

사회탐구영역 정답과 해설

경제

본 교재는 대학수학능력시험을 준비하는 데 도움을 드리고자 사회과 교육과정을 토대로 제작된 교재입니다.
학교에서 선생님과 함께 교과서의 기본 개념을 충분히 익힌 후 활용하시면 더 큰 학습 효과를 얻을 수 있습니다.

MY BRIGHT FUTURE
수요일 3교시
빅벤
네가 원하는 곳에서 배우면 돼!

한눈에 보는 정답

01 희소성과 합리적 선택

수능 실전 문제 본문 5~9쪽

01 ③	02 ④	03 ⑤	04 ⑤
05 ④	06 ④	07 ③	08 ④
09 ⑤	10 ⑤		

02 경제 체제 및 시장 경제의 원리

수능 실전 문제 본문 11~14쪽

01 ⑤	02 ①	03 ③	04 ④
05 ③	06 ④	07 ③	08 ②

03 가계, 기업, 정부의 경제 활동

수능 실전 문제 본문 16~21쪽

01 ⑤	02 ④	03 ④	04 ④
05 ⑤	06 ②	07 ④	08 ③
09 ⑤	10 ③	11 ④	12 ③

04 시장 가격의 결정과 변동

수능 실전 문제 본문 23~28쪽

01 ③	02 ⑤	03 ③	04 ⑤
05 ④	06 ⑤	07 ④	08 ⑤
09 ②	10 ①	11 ④	12 ①

05 잉여와 자원 배분의 효율성

수능 실전 문제 본문 30~34쪽

01 ①	02 ④	03 ④	04 ⑤
05 ②	06 ④	07 ⑤	08 ③
09 ③	10 ④		

06 수요와 공급의 가격 탄력성

수능 실전 문제 본문 36~39쪽

01 ④	02 ⑤	03 ⑤	04 ②
05 ⑤	06 ②	07 ④	08 ②

07 시장 실패와 정부 실패

수능 실전 문제 본문 41~45쪽

01 ②	02 ③	03 ④	04 ④
05 ④	06 ③	07 ③	08 ①
09 ①	10 ⑤		

08 경제 순환과 경제 성장

수능 실전 문제 본문 47~51쪽

01 ⑤	02 ⑤	03 ④	04 ⑤
05 ②	06 ①	07 ②	08 ⑤
09 ④	10 ④		

09 실업과 인플레이션

수능 실전 문제 본문 54~58쪽

01 ③	02 ⑤	03 ③	04 ①
05 ④	06 ②	07 ⑤	08 ③
09 ④	10 ①		

10 경기 변동과 안정화 정책

수능 실전 문제 본문 61~65쪽

01 ②	02 ③	03 ③	04 ④
05 ④	06 ⑤	07 ④	08 ③
09 ②	10 ③		

11 무역 원리와 무역 정책

수능 실전 문제 본문 67~71쪽

01 ⑤	02 ④	03 ③	04 ④
05 ⑤	06 ③	07 ④	08 ①
09 ④	10 ⑤		

12 외환 시장과 환율

수능 실전 문제 본문 73~77쪽

01 ①	02 ④	03 ③	04 ⑤
05 ④	06 ③	07 ③	08 ④
09 ③	10 ④		

13 국제 수지

수능 실전 문제 본문 79~83쪽

01 ③	02 ④	03 ③	04 ①
05 ⑤	06 ⑤	07 ②	08 ②
09 ③	10 ⑤		

14 금융 생활과 신용

수능 실전 문제 본문 85~89쪽

01 ②	02 ⑤	03 ⑤	04 ⑤
05 ③	06 ⑤	07 ④	08 ①
09 ⑤	10 ③		

15 금융 상품과 재무 계획

수능 실전 문제 본문 91~95쪽

01 ⑤	02 ①	03 ①	04 ④
05 ③	06 ⑤	07 ⑤	08 ②
09 ②	10 ⑤		

실전 모의고사 1회

본문 96~100쪽

1 ⑤	2 ④	3 ④	4 ④	5 ②
6 ④	7 ⑤	8 ⑤	9 ④	10 ④
11 ③	12 ⑤	13 ②	14 ②	15 ②
16 ④	17 ①	18 ④	19 ⑤	20 ④

실전 모의고사 2회

본문 101~105쪽

1 ①	2 ②	3 ②	4 ③	5 ②
6 ⑤	7 ②	8 ④	9 ⑤	10 ②
11 ③	12 ①	13 ②	14 ③	15 ④
16 ⑤	17 ⑤	18 ④	19 ①	20 ②

실전 모의고사 3회

본문 106~110쪽

1 ③	2 ⑤	3 ②	4 ②	5 ⑤
6 ⑤	7 ③	8 ②	9 ④	10 ③
11 ①	12 ④	13 ④	14 ③	15 ④
16 ①	17 ⑤	18 ②	19 ⑤	20 ④

실전 모의고사 4회

본문 111~115쪽

1 ⑤	2 ②	3 ③	4 ④	5 ③
6 ①	7 ④	8 ⑤	9 ③	10 ③
11 ②	12 ④	13 ④	14 ③	15 ④
16 ④	17 ⑤	18 ⑤	19 ④	20 ④

실전 모의고사 5회

본문 116~120쪽

1 ②	2 ④	3 ④	4 ⑤	5 ②
6 ③	7 ①	8 ②	9 ③	10 ①
11 ②	12 ③	13 ②	14 ④	15 ④
16 ④	17 ②	18 ③	19 ③	20 ⑤

THEME 01 희소성과 합리적 선택

수능실전문제

본문 5~9쪽

01 ③	02 ④	03 ⑤	04 ⑤
05 ④	06 ④	07 ③	08 ④
09 ⑤	10 ⑤		

01 경제 활동 유형의 이해

문제분석 생산물 시장에서는 재화와 서비스가 거래되고, 생산 요소 시장에서는 토지, 노동, 자본 등의 생산 요소가 거래된다. 기업이 재화와 서비스를 만들어 판매하기 위해 원료를 구입하는 것은 소비가 아닌 생산 요소를 구입하는 활동이라는 점에 유의해야 한다.

정답찾기 ③ 기업이 직원을 고용하는 것은 생산 요소 시장에서 노동을 구입하는 활동에 해당한다.

오답피하기 ① 기업이 제품을 만들어 판매하기 위해 폐타이어를 구입하는 것은 생산 요소를 구입하는 활동으로 생산에 해당한다. 효용의 극대화를 추구하는 활동은 소비이다.

② 기업이 가방이나 모자와 같은 제품을 만드는 것은 재화를 생산하는 활동이다.

④ 기업이 직원들에게 성과급을 지급하는 것은 노동 공급에 대한 대가를 지급하는 활동이다.

⑤ 기업이 취약 계층 청년들의 학비를 지원하는 것은 노동 공급에 대한 대가를 지급하는 활동으로 보기 어렵다.

02 경제 주체의 이해

문제분석 '이윤의 극대화를 목적으로 경제 활동을 합니까?'에 '예'라고 답한 C는 기업이다. (가), (나) 질문의 내용에 따라 A, B는 각각 가계와 정부 중 하나이다.

정답찾기 ④ 가계와 정부는 모두 생산물 시장에서 수요자 역할을 한다.

오답피하기 ① C가 기업이므로 A, B는 각각 가계와 정부 중 하나이다.

② C는 기업이다. 조세를 걷는 경제 주체는 정부이다.

③ 효용의 극대화를 추구하는 경제 주체는 가계이며, 재정 활동의 경제 주체는 정부이다.

⑤ 생산 요소 시장에서 공급자 역할을 하는 경제 주체는 가계이다. A와 B 중 하나는 가계이므로 ㉠, ㉡에는 모두 '아니요'가 들어갈 수 없다.

03 민간 경제의 순환 이해

문제분석 그림에서 토지, 노동, 자본의 실물 흐름을 통해 A는 기업, B는 가계, (가)는 생산물 시장, (나)는 생산 요소 시장임을 알 수 있다. ㉠은 재화와 서비스, ㉡은 소비 지출, ㉢은 요소 소득(지대, 임금, 이자)이다.

정답찾기 ⑤ 보리 음료를 제조 및 판매하기 위해 보리를 구입한 경제 주체는 생산 요소를 구입한 것이다. 따라서 기업의 역할을 하고 있으므로 A에 해당한다.

오답피하기 ① (가)는 생산물 시장, (나)는 생산 요소 시장이다.

② 개업 의사는 기업의 역할을 한다. 개업 의사의 유료 진료 행위는 서비스이므로 ㉠에 해당한다.

③ 요소 소득의 증가는 소비 지출의 증가 요인이다.

④ B는 가계이다. 이윤의 극대화를 위해 경제 활동을 하는 주체는 기업이다.

04 경제적 유인의 이해

문제분석 A 백화점의 가격 할인 행사는 구매 고객들에게 긍정적인 경제적 유인에 해당한다. B국 정부가 담배 소비세를 5배 인상한 것은 흡연자들에게 부정적인 경제적 유인에 해당한다. C 냉면집의 가격 할인 행사는 동네 주민들에게 긍정적인 경제적 유인에 해당하지만, 상승된 배달료는 동네 주민들에게 부정적인 경제적 유인에 해당한다. 갑과 을 중에서 한 명만 옳게 발표하였으므로 (가)의 내용에 따라 (나)에는 틀린 진술이나 옳은 진술이 들어갈 수 있다.

정답찾기 ㄴ. 담배 소비세의 5배 인상은 부정적인 경제적 유인이고, 가격 할인 행사는 긍정적인 경제적 유인에 해당한다.

ㄷ. (가)가 '감소'라면, 갑의 발표 내용은 옳다. 따라서 (나)에는 틀린 내용이 들어가야 한다. 상승된 배달료가 동네 주민들의 비용 감소 요인이라는 것은 틀린 진술이므로 (나)에는 해당 내용이 들어갈 수 있다.

ㄹ. (가)가 '증가'라면, 갑의 발표 내용은 옳지 않다. 따라서 (나)에는 옳은 내용이 들어가야 한다. B국 정부의 담배 소비세 5배 인상이나 C 냉면집의 가격 할인 행사는 모두 인간의 행동은 합리적이라는 것을 전제로 하므로 (나)에는 해당 내용이 들어갈 수 있다.

오답피하기 ㄱ. 담배 소비세 5배 인상은 흡연자들에게 비용 증가 요인으로 부정적인 경제적 유인에 해당한다.

05 희소성과 희귀성의 이해

문제분석 인간의 욕구에 비해 자원의 양이 상대적으로 부족한 상태는 희소성이고, 인간의 욕구와 관계없이 자원의 양이 절대적으로 부족한 상태는 희귀성을 의미한다. 따라서 (가)는 희소성, (나)는 희귀성이다.

정답찾기 ④ 경매 시장에서 낙찰 받은 유명 화가의 유일한 유고작은 희소성과 희귀성을 동시에 가지는 재화에 해당한다.

오답피하기 ① 재화의 경제적 가치는 희귀성이 아닌 희소성에 의해 결정된다.

② A는 희소성을 가지지 않는 재화이므로 경제적 가치를 가지는 재화로 보기 어렵다.

③ 문구점에서 판매하는 학용품은 희소성만 가지는 재화이므로 B에 해당한다.

⑤ 강가를 비추고 있는 햇빛은 희소성과 희귀성을 모두 가지지 않는 무상재이므로 A에 해당한다.

06 기회비용의 이해

문제분석 제시된 자료를 바탕으로 갑이 A~C를 선택할 경우 각각의 암묵적 비용과 순편익을 구하면 다음과 같다.

(단위: 달러)

구분		A	B	C
편익		200	300	100
기회 비용	명시적 비용	30	150	50
	암묵적 비용	150	170	170
순편익		20	−20	−120

정답찾기 ④ A를 선택할 경우의 순편익은 20달러, B와 C를 선택할 경우의 순편익은 각각 −20달러와 −120달러이다.

오답피하기 ① ㉠은 '220'이다.

② C를 선택할 경우의 암묵적 비용은 170달러이다.

③ A를 선택할 경우의 암묵적 비용은 150달러, B를 선택할 경우의 암묵적 비용은 170달러이다. 따라서 암묵적 비용은 A를 선택할 경우보다 B를 선택할 경우가 크다.

⑤ A, B, C를 선택할 경우 모두 명시적 비용이 순편익보다 크다.

07 기본적인 경제 문제의 이해

문제분석 기본적인 경제 문제에는 생산물의 종류와 수량을 결정하는 '무엇을 얼마나 생산할 것인가', 생산 요소의 결합 방법을 결정하는 '어떻게 생산할 것인가', 분배 방식을 결정하는 '누구를 위해 생산할 것인가'가 있다.

정답찾기 ③ A 영화사가 액션 영화 대신 공포 영화를 제작하려는 것은 생산물의 종류를 결정하는 경제 문제와 관련있다. 따라서 '무엇을 얼마나 생산할 것인가'와 관련된 의사 결정을 한 것이다.

오답피하기 ① 기본적인 경제 문제는 희소성에 의해 발생한다.

② '무엇을 얼마나 생산할 것인가'의 경제 문제 해결 기준으로 효율성이 중시된다.

④ B 회사가 공장의 모든 생산 설비를 자동화 시스템으로 교체하려는 것은 생산 요소의 결합 방법을 결정하는 '어떻게 생산할 것인가'의 경제 문제와 관련된 의사 결정이다.

⑤ C 회사가 기대 이상의 매출액을 기록하여 전 직원들에게 작년보다 높은 성과급을 지급하려는 것은 분배 방식과 관련된 경제 문제이므로 '누구를 위해 생산할 것인가'의 경제 문제와 관련된 의사 결정이다. 이는 효율성과 형평성을 모두 고려한다.

08 생산 가능 곡선의 이해

문제분석 갑국의 X재 1개 생산의 기회비용을 연도별로 살펴보면 t년에는 Y재 4/3개, t+1년에는 Y재 4개, t+2년에는 Y재 2개이다.

정답찾기 ④ Y재 1개 생산의 기회비용을 연도별로 살펴보면 t년에는 X재 3/4개, t+1년에는 X재 1/4개, t+2년에는 X재 1/2개이다. 따라서 Y재 1개 생산의 기회비용의 크기는 t년>t+2년>t+1년 순이다.

오답피하기 ① t년에 X재 1개 생산의 기회비용은 Y재 4/3개이다. 따라서 (가)는 '40'이다.

② t+1년에 X재 10개와 Y재 30개의 생산 조합은 t+1년 생산 가능 곡선 내부의 조합이므로 동시에 생산할 수 있다.

③ X재 1개 생산의 기회비용은 t+1년이 Y재 4개로 가장 크다.

⑤ t년 대비 t+1년에는 X재 최대 생산 가능량만 감소하였고, t+1년 대비 t+2년에는 X재와 Y재 모두의 최대 생산 가능량이 증가하였다. 따라서 두 경우 모두 X재 생산 기술만 발전하는 것을 변화 요인으로 보기 어렵다.

09 경제 활동 유형의 이해

문제분석 A~D는 각각 재화, 서비스, 지대, 임금 중 하나이고, 그림에서 '생산 요소 제공에 대한 대가에 해당합니까?'라고 하였으므로 A, B는 각각 지대와 임금 중 하나이고, C, D는 각각 재화와 서비스 중 하나이다.

정답찾기 ㄷ. (가)가 '가계가 토지를 제공하고 받은 대가입니까?'라면, '예'라고 답한 A는 지대이고, '아니요'라고 답한 B는 임금이다. 회사원이 받는 월급은 임금에 해당한다.

ㄹ. (나)가 '학생이 용돈으로 구입한 게임기가 해당됩니까?'라면, '예'라고 답한 C는 재화이고, '아니요'라고 답한 D는 서비스이다. 영어 학원 유료 강의는 서비스에 해당한다.

오답피하기 ㄱ. 가계가 만족감을 얻기 위해 구입하는 경제 객체는 재화와 서비스이다. A, B는 각각 지대와 임금 중 하나이다.

ㄴ. C, D는 각각 재화와 서비스 중 하나이므로 생산물 시장에서 거래된다.

10 합리적 선택의 이해

문제분석 제시된 자료를 바탕으로 A~D 조합 각각의 편익, 기회비용(명시적 비용+암묵적 비용), 순편익을 나타내면 다음과 같다.

(단위: 달러)

구분	A 조합	B 조합	C 조합	D 조합
편익	770	950	940	750
기회비용	950	940	950	950
명시적 비용	300	300	300	300
암묵적 비용	650	640	650	650
순편익	−180	10	−10	−200

을과 병 중에서 한 명만 옳게 발표하였고, 을의 발표 내용은 옳으므로 (가)에는 틀린 내용이 들어가야 한다.

정답찾기 ⑤ B 조합을 선택할 경우의 순편익은 10달러, D 조합을 선택할 경우의 순편익은 −200달러이다. 따라서 '순편익은 D 조합을 선택할 경우가 B 조합을 선택할 경우보다 작습니다.'는 옳은 내용이므로 (가)에는 해당 내용이 들어갈 수 없다.

오답피하기 ① X재와 Y재 가격은 각각 100달러로 같다.

② A 조합을 선택할 경우와 D 조합을 선택할 경우의 기회비용은 각각 950달러로 같다.

③ B 조합을 선택할 경우의 순편익은 C 조합을 선택할 경우와 달리 양(+)의 값이다.

④ 'X재 1개와 Y재 2개를 선택하는 것이 합리적입니다.'는 옳은 내용이므로 (가)에는 해당 내용이 들어갈 수 없다.

THEME 02 경제 체제 및 시장 경제의 원리

수능실전문제

본문 11~14쪽

01 ⑤	02 ①	03 ③	04 ④
05 ③	06 ④	07 ③	08 ②

01 경제 체제의 특징 이해

문제분석 '전통과 관습에 의한 기본적인 경제 문제 해결을 강조합니까?'에 '예'라고 답한 C는 전통 경제 체제이다. A, B는 (가), (나)의 질문에 따라 각각 시장 경제 체제와 계획 경제 체제 중 하나이다.

정답찾기 ⑤ '시장 가격에 의한 경제 문제 해결을 강조합니까?'에 '예'라고 답한 B는 시장 경제 체제이고, A는 계획 경제 체제이다. (가)가 해당 질문이고 ㉠, ㉡이 모두 '아니요'라면, (나)에는 '생산 요소의 결합 방법을 정부가 결정합니까?'가 들어갈 수 있다.

오답피하기 ① '누구를 위해 생산할 것인가'는 기본적인 경제 문제 중 하나이다. 기본적인 경제 문제는 어느 경제 체제에서나 모두 발생한다.

② '정부의 통제에 의한 자원 배분을 강조합니까?'에 '예'라고 답한 B는 계획 경제 체제, '아니요'라고 답한 A는 시장 경제 체제이다. 경제적 유인을 경시하는 것은 시장 경제 체제의 특징으로 보기 어렵다.

③ '개별 경제 주체의 자유로운 경제 활동을 강조합니까?'에 '예'라고 답한 B는 시장 경제 체제, '아니요'라고 답한 A는 계획 경제 체제이다. 생산 수단의 사적 소유를 인정하는 것은 계획 경제 체제의 특징으로 보기 어렵다.

④ 자원의 희소성에 따른 경제 문제는 어느 경제 체제에서나 모두 발생한다. 따라서 ㉠, ㉡에는 모두 '예'가 들어간다.

02 정부의 시장 개입 이해

문제분석 산업 발전을 위한 정부의 역할에 있어 갑의 경우에는 시장의 자율성 존중과 시장에 대한 정부의 개입을 최소화할 것을 주장하고 있으므로 작은 정부를 지지하는 입장을 취하고 있다. 반면, 을의 경우에는 시장의 기능을 인정하지만 시장에 대한 정부의 적극적인 개입을 주장하고 있으므로 큰 정부를 지지하는 입장을 취하고 있다.

정답찾기 ① 갑은 시장의 자율성을 존중하고 시장에 대한 정부의 개입을 최소화해야 한다는 입장이므로 '보이지 않는 손'을 통한 경제 문제 해결을 강조할 것이다.

오답피하기 ② 갑과 을은 모두 인간의 행동은 합리적이라는 전제를 인정하는 입장이다.

③ 갑은 시장의 자율성을 존중하고 시장에 대한 정부의 개입을 최소화해야 한다는 입장이므로 을에 비해 정부의 세율을 높이고 세출을 늘리는 정책을 강조한다고 보기 어렵다.

④ 을은 시장의 기능을 인정하면서 정부의 시장에 대한 적극적인 개입을 주장하고 있으므로 계획 경제 체제를 지지한다고 보기 어렵다.

⑤ 갑과 을의 주장을 살펴보면 갑이 큰 정부를, 을이 작은 정부를 지지한다고 보기 어렵다.

03 경제 체제의 특징 이해

문제분석 그림의 A, B는 시장 경제 체제와 계획 경제 체제를 구분하는 질문이다. 갑과 을 중에서 한 명만 옳게 발표하였고, 갑의 발표 내용이 틀렸으므로 (가)에는 옳은 내용이 들어가야 한다.

정답찾기 ③ B에 '생산물의 종류와 수량이 정부에 의해 결정됩니까?'가 들어갈 수 있다는 것은 옳은 내용이다. 따라서 (가)에는 해당 내용이 들어갈 수 있다.

오답피하기 ① A에 '생산 수단의 국공유화가 원칙입니까?'가 들어갈 수 있다는 것은 틀린 내용이다. 따라서 (가)에는 해당 내용이 들어갈 수 없다.

② A에 '기업의 이윤 추구 동기를 중시합니까?'가 들어갈 수 없다는 것은 틀린 내용이다. 따라서 (가)에는 해당 내용이 들어갈 수 없다.

④ B에 '생산 요소의 결합 방법이 시장에 의해 결정됩니까?'가 들어갈 수 있다는 것은 틀린 내용이다. 따라서 (가)에는 해당 내용이 들어갈 수 없다.

⑤ '자원의 희소성에 따른 기본적인 경제 문제에 직면합니까?'는 A가 아닌 B에 적절하다는 것은 틀린 내용이다. 따라서 (가)에는 해당 내용이 들어갈 수 없다.

04 분업, 특화, 교환의 이해

문제분석 A는 분업, B는 특화, C는 교환이다. 갑과 을 중에서 한 명만 옳게 발표하였고, 갑의 발표 내용이 옳으므로 (가)에는 틀린 내용이 들어가야 한다.

정답찾기 ㄴ. B는 특화이다. 특화는 생산성을 높이고 자원의 효율적 활용을 가능하게 한다.

ㄹ. 특화와 교환은 거래 당사자 간에 이익을 가져다 줄 수 있으므로 (가)에는 해당 내용이 들어갈 수 없다.

오답피하기 ㄱ. A는 분업이다. 분업이 대량 생산을 위한 생산 방식에 적합하지 않다고 보기 어렵다.

ㄷ. (가)에는 틀린 내용이 들어가야 한다. 분업, 특화, 교환이 모두 시장 경제의 기본 원리에 해당한다는 것은 옳은 내용이므로 (가)에는 해당 내용이 들어갈 수 없다.

05 경제 체제의 특징 이해

문제분석 그림에서 '보이지 않는 손'의 기능을 중시합니까?의 질문을 통해 A는 시장 경제 체제, B는 계획 경제 체제임을 알 수 있다.

정답찾기 ㄴ. '무엇을 얼마나 생산할 것인가'를 정부가 결정하는 것은 계획 경제 체제의 특징에 해당한다.

ㄷ. 개별 경제 주체의 자율성을 강조하는 것은 시장 경제 체제의 특징에 해당한다.

오답피하기 ㄱ. A는 시장 경제 체제이다. 효율성보다 형평성을 중시하는 것은 시장 경제 체제의 특징으로 보기 어렵다.

ㄹ. 원칙적으로 생산 수단의 사적 소유를 인정하는 것은 시장 경제 체제의 특징이다.

06 특화, 교환의 이해

문제분석 X재 1개 생산의 기회비용은 갑국의 경우 Y재 2개, 을국의 경우 Y재 1/3개이다. Y재 1개 생산의 기회비용은 갑국의 경우 X재 1/2개, 을국의 경우 X재 3개이다.

정답찾기 ④ Y재 1개 생산의 기회비용은 갑국이 X재 1/2개, 을국이 X재 3개이므로 을국이 갑국보다 크다.

오답피하기 ① 갑국의 X재 1개 생산의 기회비용은 Y재 2개이다.
② 을국은 X재 생산에 비교 우위를 가진다.
③ 노동자 1명당 X재 생산량은 갑국이 1/12개, 을국이 1/5개이므로 을국이 갑국보다 많다.
⑤ 비교 우위론에 따르면 갑국은 Y재에 특화하고, 을국은 X재에 특화하므로 교역 시 갑국은 Y재 수출국, 을국은 X재 수출국이다.

07 시장과 정부의 역할 이해

문제분석 유명 연예인의 대규모 콘서트에 따른 ○○지역 숙박업소의 요금 폭등과 관련하여 갑은 정부의 강력한 규제를 주장하고 있으므로 시장에 대한 정부의 적극적인 개입을 강조할 것이다. 을은 시장 원리에 따라 자동 조절되는 것을 주장하고 있으므로 시장의 자율성을 중시할 것이다.

정답찾기 ㄴ. 갑은 바가지 요금에 대한 정부의 강력한 규제를 주장하고 있으므로 을에 비해 시장에 대한 정부의 적극적인 개입을 강조할 것이다.
ㄷ. 을은 지역 숙박료가 시장 원리에 따라 자동 조절되는 것이 바람직하다고 주장하고 있으므로 갑에 비해 시장의 자율성을 중시할 것이다.

오답피하기 ㄱ. 갑은 공정한 거래 질서를 저해하는 행위에 대한 정부의 강력한 규제를 주장하고 있다. 따라서 바가지 요금이 국내외 팬들에게 긍정적인 경제적 유인을 제공한다는 것은 갑의 입장으로 보기 어렵다.
ㄹ. 제시된 내용으로 보아 갑과 을이 모두 '보이지 않는 손'의 기능을 경시할 것으로 보기 어렵다.

08 교역의 이해

문제분석 Y재 1개 생산의 기회비용은 갑국의 경우 X재 2개, 을국의 경우 X재 1/3개이다.

정답찾기 ㄱ. 갑국은 X재 생산에, 을국은 Y재 생산에 비교 우위를 가진다.
ㄹ. 생산 가능 곡선상에서 생산하는 경우 갑국은 X재 25개와 Y재 37.5개를 동시에 생산할 수 있고, 을국은 X재 25개와 Y재 75개를 동시에 생산할 수 있다.

오답피하기 ㄴ. Y재 최대 생산 가능량은 갑국의 경우 50개, 을국의 경우 150개이다.
ㄷ. Y재 1개 생산의 기회비용은 갑국의 경우 X재 2개, 을국의 경우 X재 1/3개이다.

THEME 03 가계, 기업, 정부의 경제 활동

수능실전문제

본문 16~21쪽

01 ⑤	02 ④	03 ④	04 ④
05 ⑤	06 ②	07 ④	08 ③
09 ⑤	10 ③	11 ④	12 ③

01 민간 경제의 순환 이해

문제분석 생산물 시장의 수요자인 A는 가계, 공급자인 B는 기업이고, (가) 시장은 생산 요소 시장이다.

정답찾기 ⑤ 가계는 효용의 극대화, 기업은 이윤의 극대화를 추구한다.

오답피하기 ① ㉠은 재화와 서비스 구입에 대한 대가이다. 생산 요소에 대한 대가인 임금과 이자의 흐름은 생산 요소 시장에서 나타난다.
② ㉡은 노동, 자본, 토지 등과 같은 생산 요소이다.
③ 생산 요소 시장에서 가계는 공급자, 기업은 수요자이다.
④ 소비 활동의 주체는 가계이다.

02 경제 주체의 이해

문제분석 가계, 기업, 정부 중 민간 경제 주체는 가계와 기업이므로 병의 발표 내용은 옳지 않고, 갑과 을의 발표 내용은 옳다. 따라서 B는 정부이고, A와 C는 각각 가계와 기업 중 하나이며, (가)에는 옳은 내용이 들어가야 한다.

정답찾기 ④ A가 '기업'이라면, C는 '가계'이다. 가계는 생산 요소 시장의 공급자이므로 (가)에는 해당 내용이 들어갈 수 있다.

오답피하기 ① ㉠은 '병'이다.
② 이윤의 극대화를 추구하는 경제 주체는 기업이다. 따라서 (가)에는 해당 내용이 들어갈 수 없다.
③ A가 '가계'라면, C는 '기업'이다. 공공 서비스를 제공하는 경제 주체는 정부이다.
⑤ (가)가 'A는 C와 달리 소비 활동의 주체입니다.'라면, A는 '가계'이고 C는 '기업'이다. 효용의 극대화를 추구하는 것은 가계이고, 기업은 이윤의 극대화를 추구한다.

03 가계와 기업의 이해

문제분석 갑의 총점이 3점이므로 갑은 모든 특징에 대해 옳은 응답을 하였다. '효용의 극대화를 추구한다.'는 기업과 구분되는 가계의 특징이므로 A는 기업, B는 가계이다.

정답찾기 ㄴ. ㉠이 '예'라면, (가)에 대한 을의 응답은 옳지 않다. 따라서 을의 총점이 2점이 되기 위해서는 (나)에 대한 을의 응답이 옳아야 한다. 기업과 달리 가계는 노동 시장의 공급자이므로 (나)에는 해당 내용이 들어갈 수 있다.
ㄹ. 사회적 후생의 극대화를 추구하는 경제 주체는 정부이다. 따라서 (가)가 해당 내용이라면, ㉠은 '아니요'이므로 (나)에 대한 을의 응답은 옳지 않다. 따라서 ㉡도 '아니요'이다.

오답피하기 ㄱ. 민간 경제 활동을 규제하고 조정하는 경제 주체는 정부이다.
ㄷ. ㉡이 '아니요'라면, (나)에 대한 을의 응답은 옳지 않다. 따라서 을의 총점이 2점이 되기 위해서는 (가)에 대한 을의 응답이 옳아야 한다. 가계는 기업과 달리 소비 활동의 주체이므로 (가)에는 해당 내용이 들어갈 수 없다.

04 가계, 기업, 정부의 이해

문제분석 정부는 가계와 기업에 공공 서비스를 제공한다. 따라서 A는 정부이다. 기업과 정부는 생산 요소 시장의 수요자로서 생산 요소를 제공받은 대가를 지급하고, 가계는 생산 요소 시장의 공급자로서 생산 요소를 제공한 대가를 지급받는다. 따라서 B는 기업, C는 가계이다.

정답찾기 ④ 가계는 효용의 극대화를 추구한다.

오답피하기 ① ㉠은 임금, 이자, 지대 등과 같은 생산 요소 제공에 대한 대가이다. 기업의 판매 수입 흐름은 생산물 시장에서 나타난다.
② 이윤의 극대화를 추구하는 경제 주체는 기업이다. 정부는 사회적 후생의 극대화를 추구한다.
③ 재정 활동의 주체는 정부이다. 기업은 생산 활동의 주체이다.
⑤ 기업은 생산물 시장의 공급자, 가계는 생산물 시장의 수요자이다.

05 경제 주체의 특징 파악

문제분석 가계, 기업, 정부 중 이윤의 극대화를 추구하는 경제 주체는 기업뿐이고 갑의 점수가 1점이므로 A는 기업이다. 가계, 기업, 정부 중 민간 경제 주체는 가계와 기업이고 병의 점수가 0점이므로 C는 정부이다. 따라서 B는 가계이다.

정답찾기 ⑤ 가계, 기업, 정부 중 생산 요소 시장의 공급자는 가계뿐이고 을의 점수가 1점이므로 (가)에는 해당 내용이 들어갈 수 있다.

오답피하기 ① 소비 활동의 주체는 가계이다.
② 사회적 후생의 극대화를 추구하는 경제 주체는 정부이다.
③ 생산물 시장의 공급자는 기업이다.
④ 정부는 가계, 기업의 경제 활동을 규제하거나 조정하기도 한다.

06 소비 관련 자료의 분석

문제분석 제시된 자료를 통해 표와 같은 결과를 얻을 수 있다.

소비량(개)	1	2	3	4
총편익(만 원)	20	36	48	56
총지출액(만 원)	10	20	30	40
순편익(만 원)	10	16	18	16
순편익/소비량	10	8	6	4
총편익/총지출액	2	1.8	1.6	1.4

정답찾기 ② 소비량이 3개에서 4개로 증가하면 순편익은 18만 원에서 16만 원으로 감소한다.

오답피하기 ① 소비량이 1개일 때보다 2개일 때의 순편익이 6만 원 크다.
③ 소비량이 증가할수록 '순편익/소비량'은 지속적으로 감소한다.
④ 소비량이 증가할수록 '총편익/총지출액'은 지속적으로 감소한다.
⑤ 소비량이 1개에서 2개로 증가하면 총편익 증가율은 80%, 총지출액 증가율은 100%이다.

07 합리적 소비의 이해

문제분석 소비량이 1개씩 증가할 때마다 추가되는 지출액은 X재가 5달러, Y재가 10달러이므로 X재 가격은 5달러, Y재 가격은 10달러이다. 따라서 30달러를 전액 사용하여 소비할 수 있는 조합에 따른 각 재화의 편익과 총편익을 나타내면 다음과 같다.

소비량(개)		편익(달러)		총편익(달러)
X재	Y재	X재	Y재	
6	0	30	0	30
4	1	28	20	48
2	2	18	35	53
0	3	0	45	45

정답찾기 ㄴ. 갑이 최대로 얻을 수 있는 총편익은 X재와 Y재를 각각 2개씩 소비할 때의 총편익인 53달러이다.
ㄹ. Y재를 2개 소비하는 경우의 총편익은 53달러로 Y재를 1개 소비하는 경우의 총편익인 48달러보다 크다.

오답피하기 ㄱ. Y재 가격이 X재 가격의 2배이다.
ㄷ. X재 2개와 Y재 2개를 소비하는 것이 합리적이다.

08 기업의 역할 파악

문제분석 첫 번째 사례에는 기업의 친환경 경영, 두 번째 사례에는 기업의 기부 활동이 나타나 있다.

정답찾기 ③ 기업의 친환경 경영과 기업의 기부 활동은 윤리 경영, 투명 경영 등과 더불어 사회 구성원으로서의 기업의 사회적 책임에 해당한다.

오답피하기 ①, ②, ④, ⑤ 제시된 두 사례에서 공통적으로 부각된 기업의 역할로 보기 어렵다.

09 기업의 경제 활동 이해

문제분석 생산량이 1개일 때 총수입은 가격을 의미한다. 생산량이 1개일 때 총수입을 5a원이라고 가정하면 총비용은 4a원이고, 이윤이 200원이므로 a는 '200'이다. 따라서 X재 가격은 1,000원이다. 이를 바탕으로 X재 생산량에 따른 총수입, 총비용, 이윤을 계산하면 다음과 같다.

생산량(개)	1	2	3	4
총수입(원)	1,000	2,000	3,000	4,000
총비용(원)	800	1,700	2,500	3,600
이윤(원)	200	300	500	400

정답찾기 ⑤ 생산량이 1개에서 2개로 증가할 때 추가되는 비용은 900원으로, 생산량이 3개에서 4개로 증가할 때 추가되는 비용인 1,100원보다 작다.

오답피하기 ① (가)는 '1,000'이다.
② ㉠은 '17/20', ㉡은 '18/20'이므로 ㉠은 ㉡보다 작다.
③ ㉢은 '500'이다.
④ 생산량이 1개일 때의 평균 비용은 800원으로, 생산량이 4개일 때의 평균 비용인 900원보다 작다.

10 기업의 경제 활동 이해

문제분석 X재 생산량이 2개에서 3개로 증가하면 총비용은 12달러 증가하고 추가되는 이윤은 0달러이다. 따라서 X재 가격은 12달러이다. 이를 바탕으로 X재 생산량에 따른 총수입, 총비용, 이윤을 계산하면 다음과 같다.

생산량(개)	1	2	3	4	5
총수입(달러)	12	24	36	48	60
총비용(달러)	9	19	31	45	61
이윤(달러)	3	5	5	3	−1

정답찾기 ③ 최대로 얻을 수 있는 이윤은 생산량이 2개 또는 3개일 때의 이윤인 5달러이다.
오답피하기 ① ㉠은 '9'이고, 생산량이 1개에서 2개로 증가할 때 추가되는 이윤은 2달러이므로 ㉡은 '2'이다. 따라서 ㉠은 ㉡의 4.5배이다.
② 생산량이 3개에서 4개로 증가할 때 이윤이 2달러 감소하고, 생산량이 4개에서 5개로 증가할 때 이윤이 4달러 감소한다. 따라서 ㉢은 '−2', ㉣은 '−4'로 ㉢과 ㉣은 모두 음(−)의 값이다.
④ 생산량이 5개일 때의 이윤은 −1달러로 음(−)의 값이다.
⑤ 생산량이 1개일 때와 생산량이 4개일 때의 이윤은 각각 3달러로 같다.

11 직접세와 간접세의 이해

문제분석 직접세는 간접세와 달리 주로 소득이나 재산에 부과된다. '주로 소득이나 재산에 부과된다.'는 옳은 답안이므로 A는 간접세, B는 직접세이다.
정답찾기 ㄴ. 일반적으로 간접세는 비례세율이, 직접세는 누진세율이 적용된다.
ㄹ. (가)에는 틀린 내용이 들어가야 한다. 납세자와 담세자가 일치하지 않는 것은 직접세가 아니라 간접세이므로 (가)에는 해당 내용이 들어갈 수 있나.
오답피하기 ㄱ. 일반적으로 직접세가 간접세보다 소득 재분배 효과가 크다.
ㄷ. 우리나라에서 법인세는 직접세에, 부가 가치세는 간접세에 해당한다.

12 정부의 역할 이해

문제분석 (가)에는 기업들의 담합 행위에 대해 법률에 규정된 처분을 하는 정부의 역할이, (나)에는 경제적 불평등을 완화시키려는 정부의 역할이 나타난다.
정답찾기 ③ (가)에는 시장 질서를 유지하기 위해 기업들의 담합 행위에 대해 시정 명령을 내리고 과징금을 부과하는 정부의 역할이 나타난다.
오답피하기 ① 과징금은 부정적인 경제적 유인이다.
② 소득세는 납세자와 담세자가 일치하는 직접세이다.
④ (나)에는 소득 재분배를 위한 정부의 역할이 나타난다.
⑤ (나)에는 세법 개정을 추진하는 재정 활동 주체로서의 정부의 역할이 나타난다.

04 시장 가격의 결정과 변동

수능 실전 문제

본문 23~28쪽

01 ③	02 ⑤	03 ③	04 ⑤
05 ④	06 ⑤	07 ④	08 ⑤
09 ②	10 ①	11 ④	12 ①

01 시장 균형의 변동 이해

문제분석 E에서 A로의 이동은 X재의 공급 감소, E에서 B로의 이동은 X재의 수요 증가와 X재의 공급 감소, E에서 C로의 이동은 X재의 수요 증가로 인해 나타난다.

정답찾기 ㄴ. 수요자의 미래 가격 상승 예상은 수요 증가 요인, 공급자의 미래 가격 상승 예상은 공급 감소 요인이다. 따라서 X재 수요자와 공급자의 미래 가격 상승 예상은 E에서 B로 이동하는 요인이다.
ㄷ. 공급 증가는 가격 하락 요인이고, 보완 관계인 재화의 가격 하락은 수요 증가 요인이다. 따라서 X재와 보완 관계인 재화의 공급 증가는 E에서 C로 이동하는 요인이다.

오답피하기 ㄱ. 공급 증가는 가격 하락 요인이고, 대체 관계인 재화의 가격 하락은 수요 감소 요인이다. 따라서 X재와 대체 관계인 재화의 공급 증가는 E에서 A로 이동하는 요인에 해당하지 않는다.
ㄹ. E에서 B로 이동하는 경우 균형 가격은 상승하고 균형 거래량은 변동이 없지만, E에서 C로 이동하는 경우 균형 가격은 상승하고 균형 거래량은 증가한다. 따라서 판매 수입(=균형 가격×균형 거래량) 증가율은 E에서 C로 이동하는 경우가 E에서 B로 이동하는 경우보다 크다.

02 시장 균형의 변동 이해

문제분석 (가)는 X재의 수요 증가 요인, (나)는 Y재의 공급 감소 요인이다.

정답찾기 ⑤ X재의 수요 증가 요인인 (가)는 X재의 균형 거래량 증가 요인이다. Y재의 공급 감소는 Y재의 균형 가격 상승 요인이고, X재의 핵심 원료인 Y재의 균형 가격 상승은 X재의 공급 감소 요인이다. 따라서 (나)는 X재의 균형 거래량 감소 요인이다.

오답피하기 ① 수요 증가는 균형 가격 상승 요인이다.
② 수요 증가는 균형 가격 상승과 균형 거래량 증가 요인, 즉 판매 수입 증가 요인이다.
③ 공급 감소는 균형 가격 상승 요인이다.
④ 공급 감소는 균형 거래량 감소 요인이다.

03 수요와 공급의 변동 결과 파악

문제분석 (가)는 전기 자동차의 공급 증가 요인, (나)는 전기 자동차의 수요 감소 요인, (다)는 전기 자동차의 공급 감소 요인, (라)는 전기 자동차의 수요 증가 요인이다.

정답찾기 ㄴ. 수요 증가는 균형 가격 상승과 균형 거래량 증가 요인이므로 (라)만 발생할 경우 전기 자동차의 판매 수입은 증가한다.
ㄷ. 공급 증가와 수요 감소는 모두 균형 가격 하락 요인이다. 따라서 (가)와 (나)가 동시에 발생할 경우 전기 자동차의 균형 가격은 하락한다.

오답피하기 ㄱ. (가)는 전기 자동차의 공급 증가 요인이다.
ㄹ. 수요 감소와 공급 감소는 모두 균형 거래량 감소 요인이다. 따라서 (나)와 (다)가 동시에 발생할 경우 전기 자동차의 균형 거래량은 감소한다.

04 시장 균형의 이해

문제분석 X재의 가격이 2달러 상승할 때마다 수요량은 20개씩 감소하고, 공급량은 20개씩 증가한다. 그리고 X재의 수요와 공급 곡선이 모두 직선이므로 가격이 7달러일 때 수요량과 공급량은 70개로 일치한다.

정답찾기 ⑤ 현재의 소비 지출액은 490달러(=7달러×70개)이다. 정부가 생산에 대해 개당 2달러의 보조금을 지급하면 각 가격에서의 공급량은 다음과 같이 변화한다.

가격(달러)	2	4	6	8	10	12
공급량(개)	40	60	80	100	120	140

따라서 가격이 6달러일 때 수요량과 공급량이 80개로 일치하여 소비 지출액은 480달러(=6달러×80개)로 10달러 감소한다.

오답피하기 ① 균형 가격은 7달러이다.
② 균형 거래량은 70개이다.
③ 모든 가격 수준에서 수요량이 20개씩 증가하면 가격이 8달러일 때 수요량과 공급량이 80개로 일치한다. 따라서 균형 가격은 7달러에서 8달러로 1달러 상승한다.
④ 가격이 4달러일 때에는 60개의 초과 수요가, 가격이 10달러일 때에는 60개의 초과 공급이 나타난다.

05 균형 가격의 변동 요인 파악

문제분석 소비자들의 X재에 대한 선호 증가는 X재의 수요 증가 요인, 즉 X재의 균형 가격 상승 요인이다. 갑의 발표 내용이 옳으므로 ㉠은 '상승'이다.

정답찾기 ④ X재와 대체 관계인 재화의 가격 상승은 X재의 수요 증가 요인, 즉 X재의 균형 가격 상승 요인이다. 따라서 ㉣이 '병'이라면, ㉢은 '감소'이다.

오답피하기 ① ㉠은 '상승'이다.
② X재의 생산 요소 가격 상승은 X재의 공급 감소 요인, 즉 X재의 균형 가격 상승 요인이다. 또한 X재와 대체 관계인 재화의 가격 상승은 X재의 수요 증가 요인으로 X재의 균형 가격 상승 요인이다. 따라서 ㉡이 '상승', ㉢이 '감소'라면, 을과 병의 발표 내용은 모두 옳게 되어 교사의 설명과 배치된다.
③ ㉣이 '을'이라면, ㉡은 '상승'이다.
⑤ 갑과 병은 X재의 수요를 변동시키는 요인에 대해, 을은 X재의 공급을 변동시키는 요인에 대해 발표하였다.

06 수요와 공급의 이해

문제분석 제시된 자료를 바탕으로 각 가격에서의 X재의 공급량을 나타내면 다음과 같다.

가격(달러)	3	4	5	6	7
공급량(개)	40	45	50	55	60

정답찾기 ㄷ. 현재의 균형 거래량은 50개이다. 정부가 생산에 대해 개당 2달러의 조세를 부과하면, 각 가격에서의 X재의 공급량은 다음과 같이 변화한다.

가격(달러)	3	4	5	6	7
공급량(개)	30	35	40	45	50

따라서 가격이 6달러일 때 수요량과 공급량이 45개로 일치하여 균형 거래량은 50개에서 45개로 5개 감소한다.

ㄹ. 현재의 판매 수입은 250달러(=5달러×50개)이다. 정부가 소비에 대해 개당 2달러의 보조금을 지급하면, 각 가격에서의 X재의 수요량은 다음과 같이 변화한다.

가격(달러)	3	4	5	6	7
수요량(개)	70	65	60	55	50

따라서 가격이 6달러일 때 수요량과 공급량이 55개로 일치하여 판매 수입은 330달러(=6달러×55개)로 80달러 증가한다.

오답피하기 ㄱ. 가격이 7달러일 때의 공급량은 60개로, 가격이 5달러일 때의 공급량인 50개보다 10개 많다.

ㄴ. 현재의 소비 지출액은 250달러(=5달러×50개)이다. 모든 가격 수준에서 수요량이 10개씩 증가하면, 가격이 6달러일 때 수요량과 공급량이 55개로 일치한다. 따라서 균형 가격은 6달러, 균형 거래량은 55개이므로 소비 지출액은 330달러(=6달러×55개)로 32% 증가한다.

07 시장 균형의 변동 이해

문제분석 X재는 균형 가격이 하락하고, 균형 거래량이 증가하였으므로 X재의 공급이 증가하였음을 알 수 있다. Y재는 균형 가격이 상승하고, 균형 거래량이 감소하였으므로 Y재의 공급이 감소하였음을 알 수 있다. Z재는 균형 가격이 상승하고, 균형 거래량이 증가하였으므로 Z재의 수요가 증가하였음을 알 수 있다.

정답찾기 ④ 보완 관계인 재화의 균형 가격 하락은 수요 증가 요인이다. 따라서 X재와 Z재가 보완 관계라면, X재 시장의 변화는 Z재 시장의 변화 요인이 된다.

오답피하기 ① X재와 Y재는 공급만 변동하였고, Z재는 수요만 변동하였다.

② 공급자의 미래 가격 하락 예상은 공급 증가 요인이다.

③ 원자재의 균형 가격 하락은 공급 증가 요인이다. 따라서 X재가 Y재의 원자재라면, X재 시장의 변화는 Y재의 공급 증가 요인이다.

⑤ Z재가 수요와 공급 법칙을 따르므로 Z재 소비에 대한 정부의 보조금 지급으로 Z재 균형 가격이 200원 상승하기 위해서는 개당 보조금은 200원보다 커야 한다.

08 시장 균형의 변동 이해

문제분석 X재는 판매 수입이 감소하였고, 균형 거래량 변동률과 판매 수입 변동률이 동일하므로 균형 가격은 변동하지 않았고 균형 거래량은 감소하였다. 따라서 X재는 수요와 공급이 모두 감소하였다. Y재는 판매 수입이 증가하였고, 균형 가격 변동률과 판매 수입 변동률이 동일하므로 균형 가격은 상승하였고 균형 거래량은 변동하지 않았다. 따라서 Y재는 수요가 증가하였고, 공급이 감소하였다.

정답찾기 ⑤ 대체 관계인 재화의 가격 하락은 수요 감소 요인이고, X재의 수요는 감소하였으므로 A재와 X재는 대체 관계이다. 보완 관계인 재화의 가격 하락은 수요 증가 요인이고, Y재의 수요는 증가하였으므로 A재와 Y재는 보완 관계이다.

오답피하기 ① 생산 기술 발전은 공급 증가 요인이다. 따라서 (가)에는 'X재의 생산 기술 발전'이 들어갈 수 없다.

② 생산 요소 가격 하락은 공급 증가 요인이다. 따라서 (나)에는 'Y재의 생산 요소 가격 하락'이 들어갈 수 없다.

③ X재는 수요가 감소하였고, Y재는 수요가 증가하였다. 따라서 X재와 Y재는 수요가 서로 다른 방향으로 변동하였다.

④ X재와 Y재는 모두 공급이 감소하였다. 따라서 X재와 Y재는 공급이 서로 같은 방향으로 변동하였다.

09 시장 균형의 변동 요인 및 결과 파악

문제분석 용도와 만족감이 비슷하여 서로 대신하여 사용할 수 있는 재화는 대체재이다. 따라서 A재와 B재는 대체 관계이다.

정답찾기 ② A재는 공급만 변동하여 균형 가격이 하락하였으므로 공급이 증가하였고, 그 결과 균형 거래량이 증가하였다. 따라서 ㉠과 ㉡은 모두 '증가'이다. B재는 대체 관계인 A재의 균형 가격이 하락하였으므로 수요가 감소하였다. 수요 감소는 균형 가격 하락 요인인데, B재의 균형 가격이 상승하였으므로 B재의 공급도 감소하였다. 수요와 공급이 모두 감소하면 균형 거래량이 감소하고, 원자재 가격 상승이 공급 감소 요인이므로 ㉢은 '감소', ㉣은 '상승'이다.

10 시장 균형의 변동 파악

문제분석 시장 균형점이 E에서 E'로 이동하기 위해서는 수요와 공급 곡선이 그림과 같이 이동해야 한다.

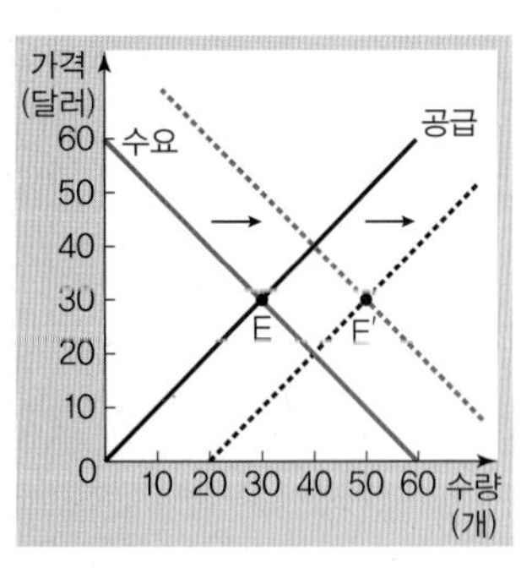

정답찾기 ① 정부가 X재 소비에 대해 개당 20달러의 보조금을 지급하는 정책을 시행할 경우 수요 곡선이 그림과 같이 이동하고, 각 수량에서 X재 생산자가 받고자 하는 최소 요구 금액이 20달러씩 하락할 경우 공급 곡선이 그림과 같이 이동한다. 따라서 ㉠, ㉡은 모두 '20'이다.

오답피하기 ② (가)만 나타날 경우 균형 거래량은 40개가 되므로 보조금 총액은 800달러(=20달러×40개)이다.

③ (가)만 나타날 경우 균형 가격은 30달러에서 40달러로 10달러 상

승한다.
④ (나)만 나타날 경우 균형 거래량은 30개에서 40개로 10개 증가한다.
⑤ (나)만 나타날 경우 소비 지출액은 900달러(=30달러×30개)에서 800달러(=20달러×40개)로 100달러 감소한다.

11 연관 관계의 이해

문제분석 연관 관계인 재화의 가격 변동은 수요 변동 요인이고, 수요가 증가(감소)하면 균형 가격이 상승(하락)하고 균형 거래량이 증가(감소)하여 판매 수입이 증가(감소)한다.
정답찾기 ④ 보완 관계인 재화의 균형 가격 상승은 수요 감소 요인이므로 ㉠이 '보완 관계'이고 ㉣이 '상승'이라면, ㉡은 '감소'이다.
오답피하기 ① 대체 관계인 재화의 균형 가격 상승은 수요 증가 요인이므로 ㉠이 '대체 관계'이고 ㉡이 '증가'라면, ㉣은 '상승'이다. 따라서 ㉢은 '감소'이다.
② ㉠이 '대체 관계'이고 ㉡이 '증가'라면, Y재의 균형 가격은 상승하였다. 따라서 ㉣은 '상승'이다.
③ ㉠이 '보완 관계'이고 ㉡이 '감소'라면, Y재의 균형 가격은 상승하였다. 따라서 ㉣은 '상승'이다.
⑤ ㉡이 '증가'라면 X재의 수요가 증가하였으므로 ㉣이 '상승'이라면, ㉠은 '대체 관계'이다.

12 시장 균형의 변동 이해

문제분석 X재와 보완 관계인 Y재의 균형 가격 하락은 X재의 수요 증가 요인이고, 수요가 증가하면 균형 가격은 상승하고 균형 거래량은 증가한다. A보다 B에서 균형 가격은 높고 균형 거래량은 많으므로 X재의 수요는 증가하였고, Y재의 균형 가격은 하락하였다. X재의 핵심 부품인 Z재의 균형 가격 상승은 X재의 공급 감소 요인이고, 공급이 감소하면 균형 가격은 상승하고 균형 거래량은 감소한다. B보다 C에서 균형 가격은 높고 균형 거래량은 적으므로 X재의 공급은 감소하였고, Z재의 균형 가격은 상승하였다.
정답찾기 ① Y재의 균형 가격이 하락하였으므로 ㉠은 Y재의 공급 증가를 의미한다.
오답피하기 ② Z재의 균형 가격이 상승하였으므로 ㉡은 Z재의 수요 증가를 의미한다.
③ X재의 수요가 증가하여 균형점이 A에서 B로 이동하였다.
④ X재의 공급이 감소하여 균형점이 B에서 C로 이동하였다.
⑤ Y재의 공급이 증가하였고, Z재의 수요가 증가하였으므로 Y재와 Z재의 균형 거래량은 모두 증가하였다.

THEME 05 잉여와 자원 배분의 효율성

수능실전문제

본문 30~34쪽

01 ①	02 ④	03 ④	04 ⑤
05 ②	06 ④	07 ⑤	08 ③
09 ③	10 ④		

01 소비자 잉여의 이해

문제분석 A~D는 X재의 균형 가격이 최대 지불 용의 금액 이하인 경우에 구입하고, A~D의 소비자 잉여는 각 소비자의 최대 지불 용의 금액에서 균형 가격을 뺀 값이다.
정답찾기 ㄱ. A와 C는 모두 X재를 구입하고 균형 가격이 3달러이므로 A의 최대 지불 용의 금액은 5달러, C의 최대 지불 용의 금액은 3달러이다. 따라서 최대 지불 용의 금액은 A가 C보다 2달러 높다.
오답피하기 ㄴ. D는 X재를 구입하지 않으므로 D의 최대 지불 용의 금액은 균형 가격인 3달러보다 낮다.
ㄷ. B의 최대 지불 용의 금액은 4달러이다. 균형 가격이 1달러 상승하여 4달러가 되면 A와 B가 X재를 구입하고, A의 소비자 잉여는 1달러, B의 소비자 잉여는 0달러가 된다. 따라서 X재 시장의 소비자 잉여는 3달러에서 1달러로 2달러 감소한다.

02 경제적 잉여의 이해

문제분석 ㉠으로 인한 수요 곡선의 변동과 ㉡으로 인한 공급 곡선의 변동을 나타내면 그림과 같다.

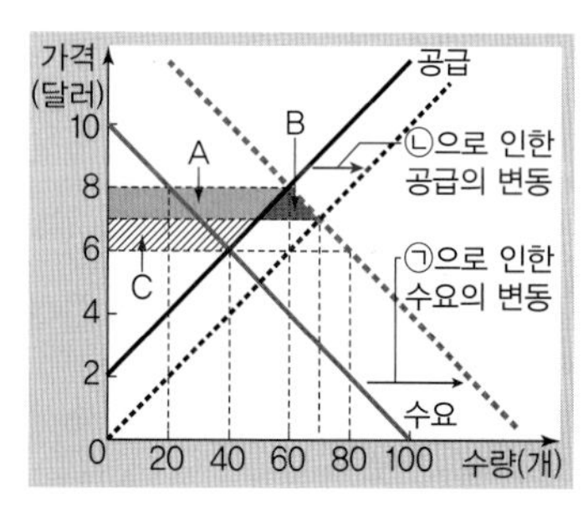

정답찾기 ④ ㉡을 시행할 경우 소비자 잉여는 A+B만큼인 65달러 증가한다.
오답피하기 ① ㉠으로 인해 소비 지출액이 240달러(=6달러×40개)에서 480달러(=8달러×60개)로 100% 증가하였다.
② ㉠으로 인해 생산자 잉여가 A+C만큼인 100달러 증가하였다.
③ ㉡을 시행할 경우 균형 가격은 8달러에서 7달러로 1달러 하락한다.
⑤ X재 생산에 필요한 핵심 부품의 가격 상승은 X재의 공급 감소 요인이다.

03 소비자 잉여와 생산자 잉여의 이해

문제분석 소비자 A~C의 최대 지불 용의 금액은 각각 1달러, 2달러, 3달러 중 하나이고, 생산자 갑~병의 최소 요구 금액은 각각 1달러, 2달러, 3달러 중 하나라는 내용을 통해 균형 가격은 2달러, 균형 거래량은 2개임을 알 수 있다. 또한 C와 병이 거래에 참여하지 않는다는 내용을 통해 최대 지불 용의 금액은 C가 가장 작고, 최소 요구 금액은 병이 가장 큼을 알 수 있다. 따라서 C의 최대 지불 용의 금액은 1달러이고, A와 B의 최대 지불 용의 금액은 각각 2달러와 3달러 중 하나이다. 또한 병의 최소 요구 금액은 3달러이고, 갑과 을의 최소 요구 금액은 각각 1달러와 2달러 중 하나이다. 그리고 균형 가격이 2달러이므로 A와 B 중 한 명의 소비자 잉여는 1달러, 다른 한 명의 소비자 잉여는 0달러이고, 갑과 을 중 한 명의 생산자 잉여는 1달러, 다른 한 명의 생산자 잉여는 0달러이다. A의 소비자 잉여가 을의 생산자 잉여보다 크므로 A의 소비자 잉여는 1달러, B의 소비자 잉여는 0달러이고, 갑의 생산자 잉여는 1달러, 을의 생산자 잉여는 0달러이다.

정답찾기 ㄴ. 갑의 생산자 잉여는 1달러, 을의 생산자 잉여는 0달러이므로 갑의 최소 요구 금액은 1달러, 을의 최소 요구 금액은 2달러이다. 따라서 X재의 최소 요구 금액은 갑이 가장 작다.

ㄹ. 균형에서 거래되는 현재 X재 거래량은 2개이고, 최고 가격을 1달러로 설정하면 수요량은 3개(A, B, C), 공급량은 1개(갑)로 거래량은 2개에서 1개로 1개 감소한다.

오답피하기 ㄱ. ㉠은 1달러, ㉡은 0달러이다.

ㄷ. X재의 최대 지불 용의 금액은 C가 1달러로 가장 작다.

04 소비자 잉여의 이해

문제분석 갑과 을은 최대 지불 용의 금액이 균형 가격보다 높거나 균형 가격과 같은 경우에 X재를 구입한다.

정답찾기 ⑤ 균형 거래량이 7개라는 것은 갑이 3개, 을이 4개 구입함을 의미한다. 따라서 가격은 5달러 초과 6달러 이하이고, 을이 첫 번째 X재로부터 얻는 소비자 잉여는 3달러 이상 4달러 미만, 두 번째 X재로부터 얻는 소비자 잉여는 2달러 이상 3달러 미만, 세 번째 X재로부터 얻는 소비자 잉여는 1달러 이상 2달러 미만, 네 번째 X재로부터 얻는 소비자 잉여는 0달러 이상 1달러 미만이다. 따라서 을의 소비자 잉여는 6달러 이상이다.

오답피하기 ① 균형 가격이 5달러인 경우 갑은 4개, 을은 5개 구입한다. 따라서 균형 거래량은 9개이다.

② 균형 가격이 6달러인 경우 갑은 3개, 을은 4개 구입한다. 따라서 을의 구입량이 갑의 구입량보다 1개 많다.

③ 균형 가격이 7달러인 경우 갑은 2개, 을은 3개 구입한다. 따라서 소비 지출액은 을(=21달러)이 갑(=14달러)보다 7달러 많다.

④ 균형 거래량이 5개라는 것은 갑이 2개, 을이 3개 구입함을 의미한다. 따라서 가격은 6달러 초과 7달러 이하이다.

05 소비자 잉여와 생산자 잉여의 이해

문제분석 갑의 X재 1개 추가 소비에 따른 최대 지불 용의 금액과 을의 X재 1개 추가 생산에 따른 최소 요구 금액을 나타내면 다음과 같다.

(단위: 달러)

구분	첫 번째	두 번째	세 번째	네 번째	다섯 번째
갑의 최대 지불 용의 금액	5	4	3	2	1
을의 최소 요구 금액	2	3	4	5	6

가격이 3달러일 때 갑의 수요량은 3개, 을의 공급량은 2개로 초과 수요가 나타나고, 가격이 4달러일 때 갑의 수요량은 2개, 을의 공급량은 3개로 초과 공급이 나타난다. 따라서 가격이 3달러보다 높고 4달러보다 낮을 때 수요량과 공급량이 2개로 일치한다. 그러므로 균형 가격은 3달러보다 높고 4달러보다 낮으며, 균형 거래량은 2개이다.

정답찾기 ㄱ. 가격이 P달러라고 가정하면, 갑이 첫 번째 X재로부터 얻는 소비자 잉여는 '5달러−P달러', 두 번째 X재로부터 얻는 소비자 잉여는 '4달러−P달러'이고, 을이 첫 번째 X재로부터 얻는 생산자 잉여는 'P달러−2달러', 두 번째 X재로부터 얻는 생산자 잉여는 'P달러−3달러'이다. 따라서 총잉여는 4달러이다.

ㄹ. 정부가 X재 생산에 대해 개당 1달러의 보조금을 지급하면 을의 최소 요구 금액은 다음과 같이 변화한다.

(단위: 달러)

구분	첫 번째	두 번째	세 번째	네 번째	다섯 번째
을의 최소 요구 금액	1	2	3	4	5

따라서 가격이 3달러일 때 수요량과 공급량이 3개로 일치한다. 그러므로 균형 거래량은 2개에서 3개로 1개 증가한다.

오답피하기 ㄴ. 균형 가격은 3달러보다 높고 4달러보다 낮다.

ㄷ. 가격이 2달러일 때의 수요량은 4개, 공급량은 1개로 초과 수요가 3개 발생한다. 가격이 3달러일 때의 수요량은 3개, 공급량은 2개로 초과 수요가 1개 발생한다. 따라서 초과 수요량은 가격이 2달러일 때가 가격이 3달러일 때보다 2개 많다.

06 소비자 잉여와 생산자 잉여의 이해

문제분석 〈자료 2〉를 바탕으로 각 가격에서의 A와 B의 수요량 및 시장 수요량을 나타내면 다음과 같다.

가격(원)	100	200	300	400	500
A의 수요량(개)	4	4	3	2	1
B의 수요량(개)	4	3	2	1	0
시장 수요량(개)	8	7	5	3	1

따라서 가격이 300원일 때 수요량과 공급량이 5개로 일치한다.

정답찾기 ㄴ. 균형 가격은 300원이고, A는 세 번째 X재까지 구입하고, B는 두 번째 X재까지 구입한다. 따라서 균형에서 소비자 잉여는 A가 300원, B가 100원으로 A가 B보다 200원 크다.

ㄹ. 정부가 X재 소비에 대해 개당 200원의 보조금을 지급하면 A와 B의 최대 지불 용의 금액은 다음과 같이 변화한다.

구분		첫 번째	두 번째	세 번째	네 번째
최대 지불 용의 금액(원)	A	700	600	500	400
	B	600	500	400	300

따라서 가격이 400원일 때 A의 수요량은 4개, B의 수요량은 3개가 되어 시장 수요량은 7개가 된다. 즉, 가격이 400원일 때 수요량과 공급량이 7개로 일치한다. 따라서 균형 가격은 100원 상승하고, 균형 거래량은 2개 증가한다.

오답피하기 ㄱ. 균형 거래량은 5개이다.

ㄷ. 가격이 400원일 때의 초과 공급량과 가격이 200원일 때의 초과 수요량은 각각 4개로 같다.

07 소비자 잉여의 이해

문제분석 제시된 자료를 바탕으로 갑의 X재와 Y재 1개 추가 소비에 따른 최대 지불 용의 금액을 나타내면 다음과 같다.

(단위: 달러)

구분	첫 번째	두 번째	세 번째	네 번째
X재	10	9	8	7
Y재	11	10	8	7

정답찾기 ⑤ 갑의 두 번째 X재 소비를 통해 추가되는 소비자 잉여는 4달러이다. 정부가 Y재에 대해서만 소비 1개당 1달러의 보조금을 지급하면, 갑의 Y재 1개 추가 소비에 따른 최대 지불 용의 금액은 다음과 같이 변화한다.

(단위: 달러)

구분	첫 번째	두 번째	세 번째	네 번째
Y재	12	11	9	8

따라서 갑의 두 번째 Y재 소비를 통해 추가되는 소비자 잉여도 X재와 동일한 4달러가 된다.

오답피하기 ① 갑의 첫 번째 X재의 최대 지불 용의 금액은 10달러이다.

② 갑의 네 번째 Y재의 최대 지불 용의 금액은 Y재 가격과 같다.

③ 갑의 세 번째 X재의 최대 지불 용의 금액과 세 번째 Y재의 최대 지불 용의 금액은 각각 8달러로 같다.

④ 정부가 X재에 대해서만 소비 1개당 1달러의 세금을 부과하면, 갑의 첫 번째 X재의 최대 지불 용의 금액은 9달러로 1달러 감소한다. 따라서 갑의 첫 번째 X재의 최대 지불 용의 금액은 첫 번째 Y재의 최대 지불 용의 금액보다 2달러 작아진다.

08 가격 규제 정책의 이해

문제분석 X재 시장에서 ㉠을 시행할 경우 시장 거래량이 규제 가격에서의 수요량보다 100개 적다는 것은 초과 수요가 100개 발생함을 의미한다. 따라서 ㉠은 최고 가격을 P_1로 하는 실효성 있는 최고 가격제이다. Y재 시장에서 ㉡을 시행할 경우 시장 거래량이 규제 가격에서의 공급량보다 100개 적다는 것은 초과 공급이 100개 발생함을 의미한다. 따라서 ㉡은 최저 가격을 P_2로 하는 실효성 있는 최저 가격제이다.

정답찾기 ③ 최저 가격제를 시행할 경우 시장 거래 가격은 상승하고 시장 거래량은 감소하여 소비자 잉여는 감소한다.

오답피하기 ① 최고 가격은 균형 가격보다 낮아야 실효성이 있다. 따라서 X재 시장에서 균형 가격은 P_1보다 높다.

② X재는 수요와 공급 법칙을 따르므로 ㉠을 시행하면 수요량은 증가하고 공급량은 감소하여 초과 수요가 100개(=수요량 증가분+공급량 감소분) 발생한다. 따라서 X재 공급량은 100개보다 적게 감소한다.

④ 정부는 Y재 시장에서 P_2를 최저 가격, 즉 가격 하한선으로 설정하고자 한다.

⑤ 일반적으로 최고 가격제는 소비자(수요자) 보호, 최저 가격제는 생산자(공급자) 보호를 목적으로 한다.

09 최고 가격제의 이해

문제분석 소비자 보호를 목적으로 시행되는 가격 규제 정책은 최고 가격제이다. 따라서 ㉡은 최고 가격제이다. X재의 균형 가격은 250원, 균형 거래량은 500개이고, 가격을 200원으로 규제하는 최고 가격제를 시행하면 시장 거래량은 400개로 감소한다. 따라서 ㉠은 200원이다.

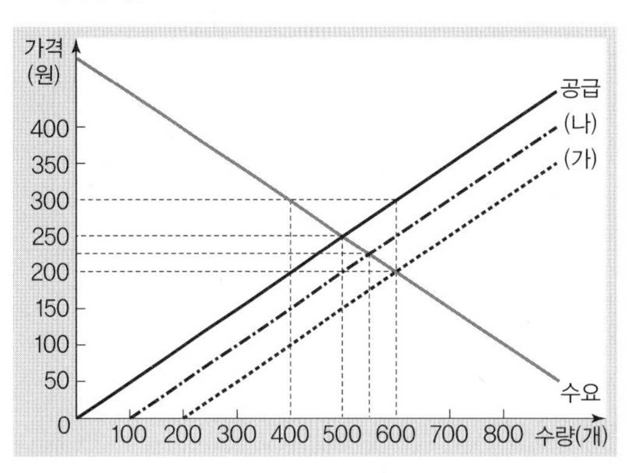

정답찾기 ㄴ. 최고 가격을 200원으로 설정하면 공급량은 400개, 수요량은 600개가 되어 초과 수요가 200개 발생한다.

ㄷ. ㉡을 시행할 경우 시장 거래 가격은 200원, 시장 거래량은 400개가 된다. 그리고 ㉡을 시행한 후 모든 가격 수준에서 공급량이 200개씩 증가하면 공급 곡선은 (가)로 이동하여 시장 거래 가격은 200원, 시장 거래량은 600개가 된다. 따라서 판매 수입은 80,000원에서 120,000원으로 40,000원 증가한다.

오답피하기 ㄱ. ㉠은 균형 가격보다 50원 작다.

ㄹ. 정부가 ㉡을 시행하지 않고 생산에 대해 개당 50원의 보조금을 지급하면 공급 곡선은 (나)로 이동한다. 따라서 균형 가격은 ㉠보다 높다.

10 최저 가격제의 이해

문제분석 갑국 정부가 고려하는 규제 가격에서의 거래량보다 공급량이 많다. 이를 통해 갑국 정부가 X재 시장에서 시행하고자 하는 가격 규제 정책은 최저 가격을 4달러 또는 5달러로 하는 최저 가격제이고, 이는 실효성이 있음을 알 수 있다.

정답찾기 ④ 최저 가격을 4달러로 설정하는 경우 거래량은 규제 가격에서의 수요량이 된다. 즉, 수요량은 20개, 공급량은 40개가 되어 초과 공급이 20개 발생한다.

오답피하기 ① X재의 수요 곡선은 직선이고 가격이 4달러일 때의 수요량은 20개, 가격이 5달러일 때의 수요량은 10개이므로 가격이 3달러일 때의 수요량은 30개이다. X재의 공급 곡선이 직선이고 가격이 4달러일 때의 공급량은 40개, 가격이 5달러일 때의 공급량은 50개이므로 가격이 3달러일 때의 공급량은 30개이다. 따라서 균형 가격은 3달러, 균형 거래량은 30개이다.

② 실효성이 있는 최저 가격제를 시행하면 시장 거래 가격은 상승하고, 시장 거래량은 감소하므로 소비자 잉여는 감소한다.

③ 최저 가격제는 규제 가격인 최저 가격보다 낮은 수준에서 거래하지 못하도록 하는 제도이다.
⑤ 정부가 X재 소비에 대해 개당 2달러의 보조금을 지급하면 균형 가격은 1달러 상승하여 4달러가 된다. 따라서 ㉡을 5달러로 결정한 후 정부가 소비에 대해 개당 2달러의 보조금을 지급하더라도 최저 가격이 균형 가격보다 높아 ㉠의 실효성이 사라지지 않는다.

THEME 06 수요와 공급의 가격 탄력성

수능실전문제 본문 36~39쪽

01 ④	02 ⑤	03 ⑤	04 ②
05 ⑤	06 ②	07 ④	08 ②

01 수요의 가격 탄력성 이해

문제분석 갑은 A재 가격이 인상됨에 따라 소비 지출액을 줄인다는 점에서 A재에 대한 갑의 수요는 가격에 대해 탄력적이다. 을은 가격과 무관하게 일정 수량을 소비한다는 점에서 A재에 대한 을의 수요는 가격에 대해 완전 비탄력적이다. 병은 일정액의 용돈을 모두 A재 소비에 사용한다는 점에서 A재에 대한 병의 수요는 가격에 대해 단위 탄력적이다.

정답찾기 ④ A재에 대한 수요의 가격 탄력성은 갑은 1보다 크고, 병은 1이다. 따라서 갑이 병보다 A재에 대한 수요의 가격 탄력성이 크다.

오답피하기 ① 갑의 A재에 대한 수요의 가격 탄력성은 1보다 크다.
② 을의 A재에 대한 수요는 가격에 대해 완전 비탄력적이다.
③ 병의 A재에 대한 수요는 가격에 대해 단위 탄력적이다.
⑤ 가격에 대해 완전 비탄력적인 을의 A재 수요는 수요 법칙을 따르지 않는다.

02 공급의 가격 탄력성 이해

문제분석 t기 대비 t+1기에 가격 변동률에 대한 공급량 변동률의 비가 커졌다. 즉, t기 대비 t+1기에 공급의 가격 탄력성이 크다.

정답찾기 ㄷ. 저장 기술의 발달로 비축량이 증가하는 것은 공급의 가격 탄력성이 커지는 요인이다.
ㄹ. 생산 기술이 개선되어 생산 기간이 단축되는 것은 공급의 가격 탄력성이 커지는 요인이다.

오답피하기 ㄱ. 대체재가 많이 개발되는 것은 공급의 가격 탄력성이 아니라 수요의 가격 탄력성이 커지는 요인이다.
ㄴ. 원재료의 안정적 확보가 어려워지는 것은 공급의 가격 탄력성이 작아지는 요인이다.

03 수요의 가격 탄력성 이해

문제분석 X재는 가격을 10% 인상하였으나 판매 수입은 5% 증가에 그쳤다는 점에서 수요가 가격에 대해 비탄력적이다. Y재는 가격을 10% 인하함에 따라 판매 수입이 10% 증가하였다는 점에서 수요가 가격에 대해 탄력적이다. Z재는 가격을 5% 인상함에 따라 판매 수입이 5% 증가하였다는 점에서 수요가 가격에 대해 완전 비탄력적이다.

정답찾기 ㄷ. Z재 수요는 가격에 대해 완전 비탄력적이다.
ㄹ. 수요가 가격에 대해 완전 비탄력적인 Z재는 가격의 변동에도 불구하고 수요량에 변화가 없다. 따라서 수요량의 변동률은 Y재가 Z재보다 크다.

오답피하기 ㄱ. X재 수요는 가격에 대해 비탄력적이다.

ㄴ. Y재 수요는 가격에 대해 탄력적이다.

04 수요의 가격 탄력성 이해

문제분석 X재는 가격이 상승하였으나 판매 수입에는 변동이 없다는 점에서 수요가 가격에 대해 단위 탄력적임을 알 수 있다. Y재는 공급 변동으로 가격의 변동이 없음에도 판매 수입이 증가하였다는 점에서 수요가 가격에 대해 완전 탄력적임을 알 수 있다.

정답찾기 갑. X재 수요는 가격에 대해 단위 탄력적이다.
병. 수요의 가격 탄력성은 완전 탄력적인 Y재가 단위 탄력적인 X재보다 크다.

오답피하기 을. Y재 수요는 가격에 대해 완전 탄력적이다.
정. X재는 가격이 상승하였다는 점에서 공급이 감소하였음을 알 수 있고, Y재는 가격의 변동이 없으나 판매 수입이 증가하였다는 점에서 공급이 증가하였음을 알 수 있다.

05 수요의 가격 탄력성 이해

문제분석 주말의 경우 입장료를 기존 대비 20% 인상함에 따라 입장료 수입이 20% 증가하였다는 점에서 놀이공원의 수요가 가격에 대해 완전 비탄력적임을 알 수 있다. 반면, 평일의 경우 입장료를 기존 대비 10% 인하하였으나 입장료 수입에 변화가 없다는 점에서 놀이공원의 수요가 가격에 대해 단위 탄력적임을 알 수 있다.

정답찾기 ⑤ 놀이공원의 수요는 주말의 경우 가격에 대해 완전 비탄력적이며, 평일의 경우 가격에 대해 단위 탄력적이다.

06 수요의 가격 탄력성에 따른 판매 수입의 변동 분석

문제분석 X재는 가격이 P_1인 경우보다 P_2인 경우의 판매 수입이 더 크다라는 점에서 수요가 가격에 대해 비탄력적임을 알 수 있다. Y재는 가격이 P_1인 경우보다 P_2인 경우의 판매 수입이 더 작다라는 점에서 수요가 가격에 대해 탄력적임을 알 수 있다.

정답찾기 ㄱ. X재 수요는 가격에 대해 비탄력적이다. 즉, 수요의 가격 탄력성이 1보다 작다.
ㄹ. X재 공급이 증가할 경우 X재 가격이 하락한다. 수요가 가격에 대해 비탄력적인 재화의 경우 가격이 하락하면 판매 수입은 감소한다.

오답피하기 ㄴ. Y재 수요는 가격에 대해 탄력적이다.
ㄷ. Y재는 가격 상승률보다 수요량 감소율이 더 크다.

07 수요의 가격 탄력성 이해

문제분석 X재는 가격이 5% 상승하자 판매 수입도 5% 증가하였다는 점에서 수요가 가격에 대해 완전 비탄력적임을 알 수 있다. Y재는 가격이 상승하였음에도 불구하고 판매 수입에 변동이 없다는 점에서 수요가 가격에 대해 단위 탄력적임을 알 수 있다. Z재는 가격이 5% 상승하자 판매 수입이 5% 감소하였다는 점에서 수요가 가격에 대해 탄력적임을 알 수 있다.

정답찾기 ④ 수요가 가격에 대해 완전 비탄력적인 X재는 Y재와 달리 가격 변동에 따른 수요량의 변동이 없다. 따라서 가격 변동에 따른 수요량 변동률이 0이다.

오답피하기 ① X재 수요는 가격에 대해 완전 비탄력적이다.
② Y재 수요는 가격에 대해 단위 탄력적이다.
③ Z재 수요의 가격 탄력성은 1보다 크다.
⑤ 가격 상승에 따라 Y재와 Z재는 모두 수요량이 감소하였다.

08 수요의 가격 탄력성 이해

문제분석 X재~Z재는 모두 수요와 공급 법칙을 따르기 때문에 공급의 변동만으로 거래량이 증가하기 위해서는 공급이 증가하여 가격이 하락해야 한다. 또한 가격이 상승하기 위해서는 공급이 감소하여 거래량이 감소해야 한다.

정답찾기 ② X재는 가격이 하락함에 따라 판매 수입이 증가하였다는 점에서 X재 수요는 가격에 대해 탄력적이다.

오답피하기 ① ㉠과 ㉡은 모두 '아니요'이다.
③ Y재는 가격이 하락하였으나 판매 수입이 증가하지 않았다. 판매 수입이 증가하지 않은 경우는 판매 수입에 변화가 없거나 또는 판매 수입이 감소한 경우이다. 따라서 Y재 수요의 가격 탄력성은 1보다 크다고 할 수 없다.
④ Z재는 가격이 상승함에 따라 판매 수입이 증가하였다는 점에서 Z재 수요는 가격에 대해 비탄력적이다. 수요가 가격에 대해 단위 탄력적인 경우 가격 변동률과 수요량 변동률 각각의 절댓값이 같다.
⑤ Y재는 공급이 증가하였고, Z재는 공급이 감소하였다.

THEME 07 시장 실패와 정부 실패

수능실전문제 본문 41~45쪽

01 ②	02 ③	03 ④	04 ④
05 ④	06 ③	07 ③	08 ①
09 ①	10 ⑤		

01 독과점에 따른 시장 실패 현상의 이해

문제분석 X재 시장이 t+1 시기에 독점 시장으로 변화된 이후에는 경쟁 시장이었던 t 시기에 비해 거래량이 2Q에서 Q로 감소하고, 가격은 2P에서 3P로 상승한다.

정답찾기 ㄱ. 판매 수입은 t 시기에 2P×2Q, t+1 시기에 3P×Q이다. 따라서 X재 시장이 경쟁 시장에서 독점 시장으로 변화된 t+1 시기의 판매 수입은 t 시기 대비 P×Q만큼 감소한다.

ㄷ. X재 시장의 소비자 잉여는 t 시기에 A+B+C, t+1 시기에 A이다. 따라서 X재 시장이 경쟁 시장에서 독점 시장으로 변화된 t+1 시기의 소비자 잉여는 t 시기 대비 B+C만큼 감소한다.

오답피하기 ㄴ. 독점 시장으로 변화된 이후 X재의 시장 가격은 3P에서 결정된다. 따라서 X재 시장에서는 초과 수요가 발생하지 않는다.

ㄹ. t+1 시기에 2P에서 정부가 가격 하한제를 실시하더라도 X재의 시장 가격은 3P, 시장 거래량은 Q로 변함이 없다.

02 외부 효과의 이해

문제분석 생산 측면의 외부 불경제가 발생할 경우 시장 균형 가격은 사회적 최적 수준에서의 가격보다 낮고, 소비 측면의 외부 경제가 발생할 경우 시장 균형 가격은 사회적 최적 수준에서의 가격보다 낮다. 따라서 X재 시장에서는 생산 측면의 외부 불경제, Y재 시장에서는 소비 측면의 외부 경제가 나타나고 있다.

정답찾기 ③ 생산 측면의 외부 불경제가 발생하면 시장 균형 거래량이 사회적 최적 수준에서의 거래량보다 많고, 소비 측면의 외부 경제가 발생하면 시장 균형 거래량이 사회적 최적 수준에서의 거래량보다 적다. 따라서 '시장 균형 거래량/사회적 최적 수준에서의 거래량'은 X재 시장이 Y재 시장보다 크다.

오답피하기 ① X재 시장에서는 생산 측면의 외부 불경제가 발생한다.

② Y재 시장에서는 소비의 사적 편익이 사회적 편익보다 작다.

④ X재 생산자에게 X재 1개당 4달러의 세금을 부과하면, X재의 가격이 상승하고 거래량이 감소하므로 소비자 잉여는 감소한다.

⑤ Y재 시장에서 소비의 사적 편익과 사회적 편익이 일치하려면 Y재 소비자에게 Y재 1개당 4달러보다 많은 보조금을 지급해야 한다.

03 외부 효과의 이해

문제분석 X재 시장에서는 시장 균형 가격이 사회적 최적 수준에서의 가격보다 낮고, 시장 균형 거래량이 사회적 최적 수준에서의 거래량보다 많으므로 생산 측면의 외부 불경제가 발생하고 있다. Y재 시장에서는 시장 균형 가격이 사회적 최적 수준에서의 가격보다 낮고, 시장 균형 거래량이 사회적 최적 수준에서의 거래량보다 적으므로 소비 측면의 외부 경제가 발생하고 있다.

정답찾기 ㄱ. X재는 생산 측면의 외부 불경제가 발생하고 있으므로 생산의 사적 비용이 사회적 비용보다 작다. 따라서 해당 내용은 진위 여부를 확인할 수 있다.

ㄴ. 사회적 최적 수준에서의 거래량은 X재가 250개, Y재가 750개이므로 Y재가 X재보다 500개만큼 많다. 따라서 해당 내용은 진위 여부를 확인할 수 있다.

ㄷ. X재와 Y재의 시장 균형 가격을 알 수 없으므로 X재와 Y재의 사회적 최적 수준에서의 가격은 비교할 수 없다. 따라서 해당 내용은 진위 여부를 확인할 수 없다.

오답피하기 ㄹ. 소비 측면의 외부 경제를 해결하기 위해서는 소비에 대한 보조금 지급 등을 통해 소비의 사적 편익을 높여야 한다. 따라서 Y재 소비에 대한 보조금 지급은 Y재 시장의 외부 효과 개선에 기여할 수 있다. 그러므로 해당 내용은 진위 여부를 확인할 수 있다.

04 생산 측면의 외부 불경제 이해

문제분석 제시된 자료에서 오염 물질 배출량을 1톤 줄이는 데 드는 비용은 A 기업이 B 기업보다 작다. 따라서 t+1기에 A 기업은 B 기업에 오염 물질 배출권을 판매한다.

정답찾기 ㄴ. t기에 각 기업이 오염 물질을 줄이는 데 드는 비용은 A 기업이 100만 달러(=50톤×2만 달러), B 기업이 250만 달러(=50톤×5만 달러)이다. A 기업이 오염 물질 배출권 50장을 모두 B 기업에 판매할 경우 A 기업은 자체적으로 오염 물질을 줄여야 하므로 A 기업이 오염 물질을 줄이는 데 드는 비용은 200만 달러(=100톤×2만 달러)이다. t+1기에 A 기업이 오염 물질을 줄이는 데 드는 비용이 t기보다 50만 달러 감소하려면, A 기업은 오염 물질 배출권 거래에서 150만 달러의 판매 수입을 얻어야 하므로 오염 물질 배출권의 가격은 1장당 3만 달러이다.

ㄹ. t+1기에 B 기업이 부담하는 비용은 오염 물질 배출권 50장의 구입 비용인 150만 달러이다. t기에 B 기업이 오염 물질을 줄이는 데 드는 비용이 250만 달러이므로, t+1기에 B 기업이 오염 물질을 줄이는 데 드는 비용은 t기보다 100만 달러 감소하게 되었다.

오답피하기 ㄱ. t기에 A 기업이 오염 물질을 줄이는 데 드는 비용은 100만 달러이다.

ㄷ. t+1기에 A 기업은 B 기업에 오염 물질 배출권을 판매한다.

05 소비 측면의 외부 경제 이해

문제분석 정부 개입 후 시장 균형 가격이 2달러만큼 상승하였으므로 정부가 X재 소비 1개당 지급한 보조금은 4달러이다. 즉, 정부는 X재 소비 1개당 발생한 외부 효과의 크기가 4달러라고 보았고, 실제 X재 소비 1개당 발생한 외부 효과의 크기는 2달러이다.

정답찾기 ④ X재 소비 1개당 발생한 외부 효과의 크기는 2달러이므로 사회적 최적 수준에서의 거래량은 110개이다. 따라서 사회적 최적 수준에서의 거래량은 정부 개입 전 시장 균형 거래량(=100개)보다 10개 많다.

오답피하기 ① ㉠은 4달러, ㉡은 2달러이다. 따라서 '㉠-㉡'은 2달러이다.
② 정부 개입으로 시장 균형 가격이 상승하였고, 시장 균형 거래량이 증가하였으므로 정부 개입 전 생산자 잉여는 정부 개입 후 생산자 잉여보다 작다.
③ 사회적 최적 수준에서의 가격은 11달러로, 정부 개입 후 시장 균형 가격(=12달러)보다 1달러 낮다.
⑤ X재 시장에서 발생한 외부 효과는 소비 측면의 외부 경제이다. 소비 측면의 외부 경제는 사회적 편익이 사적 편익보다 클 때 발생한다.

06 배제성과 경합성의 이해

문제분석 '서점에서 판매하는 잡지'는 배제성과 경합성이 모두 있는 사적 재화이다. A와 D를 뽑은 갑이 '서점에서 판매하는 잡지'를 사례로 제시하여 득점하였다면 A에는 '배제성 있음.', B에는 '배제성 없음.', C에는 '경합성 없음.', D에는 '경합성 있음.'이 표기되어 있을 것이다.

정답찾기 ③ '공해상의 어족 자원'은 배제성이 없고 경합성이 있다. 을이 '공해상의 어족 자원'을 사례로 제시하여 득점하였다면 을은 B와 D를 뽑았을 것이다.

오답피하기 ① B에는 '배제성 없음.', C에는 '경합성 없음.'이 표기되어 있을 것이다.
② '혼잡한 유료 도로'는 경합성과 배제성이 모두 있다. 갑이 '혼잡한 유료 도로'를 사례로 제시하였다면 득점하였을 것이다.
④ 배제성이 없고 경합성이 있을 경우 남용으로 인한 고갈의 위험이 있다. 병이 A와 C를 뽑아 '남용으로 인한 고갈의 위험이 있다.'라고 설명하였다면 득점하지 못하였을 것이다.
⑤ 정이 '무임승차자 문제가 발생할 수 있다.'라고 설명하여 득점하였다면 정이 뽑은 카드에는 A가 아니라 B가 포함되어 있어야 한다.

07 배제성과 경합성의 이해

문제분석 배제성이 있는 재화나 서비스의 경우 소비의 대가를 지불하지 않은 사람을 소비에서 배제시킬 수 있으며, 경합성이 있는 재화나 서비스의 경우 한 사람의 소비가 다른 사람의 소비 기회를 감소시킨다. 공유 자원은 배제성은 없지만 경합성이 있어 남용으로 인해 자원 고갈의 문제가 나타날 수 있다.

정답찾기 ③ 제시된 사례에서 카페 화장실을 모든 사람들이 이용할 수 있도록 무료로 개방하자 화장실을 이용하는 사람들이 많아지게 되면서 화장실 밖으로 긴 줄이 이어지는 경우가 자주 발생하는 것은 화장실 사용에 배제성은 없지만 경합성이 있기 때문이다.

오답피하기 ①, ②, ④, ⑤ 제시된 사례와는 거리가 먼 내용이다.

08 정보의 비대칭성 이해

문제분석 제시된 자료에는 정보의 비대칭성으로 역선택이 초래되는 상황이 나타나 있다. 역선택은 상대적으로 거래에 필요한 정보가 부족한 당사자가 바람직하지 않은 상대방과 거래할 가능성이 높거나 자신에게 불리한 선택을 하는 경향을 의미한다.

정답찾기 ㄱ. 소비자는 최대 550달러를 지불할 용의가 있고, 좋은 품질의 노트북을 공급하려는 사람은 최소 600달러를 받으려고 한다. 이에 따라 좋은 품질의 노트북은 시장에서 거래되지 않고, 나쁜 품질의 노트북만 시장에서 거래되는 역선택이 나타나게 된다. 이는 소비자가 공급자와 달리 노트북의 품질을 정확하게 알고 있지 못하기 때문이다.

오답피하기 ㄴ. 노트북 시장에서는 나쁜 품질의 노트북만 거래되며, 해당 노트북의 가격이 어떻게 형성되느냐에 따라 소비자 잉여는 발생할 수도 있고, 발생하지 않을 수도 있다. 따라서 노트북 거래로 인한 소비자 잉여가 발생하지 않는다고 단정할 수 없다.
ㄷ. 노트북의 거래 가격은 300달러 이상 550달러 이하에서 결정된다.

09 정보의 비대칭성 이해

문제분석 역선택은 상대적으로 거래에 필요한 정보가 부족한 당사자가 바람직하지 않은 상대방과 거래할 가능성이 높거나 자신에게 불리한 선택을 하는 경향을 의미한다.

정답찾기 ㄱ. (가)는 판매자가 구매자에 비해 정보가 부족함에 따라 발생하는 역선택의 사례이며, (나)는 구매자가 판매자에 비해 정보가 부족함에 따라 발생하는 역선택의 사례이다.
ㄴ. (나)는 혈액에 대한 매매를 금지하고, 일정 수준 이상의 건강 상태를 만족하는 사람만 헌혈을 하게 하면 나쁜 혈액을 수혈받아 발생하는 건강상의 피해를 줄일 수 있다.

오답피하기 ㄷ. (가)와 (나)는 모두 자원 배분을 왜곡시켜 자원 배분의 효율성이 낮아지는 시장 실패를 일으키게 된다.
ㄹ. (가)와 (나)는 모두 거래 당사자 간 정보의 비대칭성으로 인해 발생한다.

10 정부 실패 현상의 이해

문제분석 제시된 사례는 코브라 수를 줄이고자 펼친 총독부의 정책이 당초 의도한 효과를 가져오지 못하고 오히려 역효과를 불러일으켰음을 보여 주고 있다. 따라서 제시문에 부합하는 사례로는 어떤 문제를 해결하기 위해 시도한 정책이 도리어 그 문제를 심화시키는 사례가 적합하다.

정답찾기 ⑤ 일정 기간 이상 고용하면 정규직으로 의무 전환하는 정책은 근로자의 고용 안정을 위한 제도이다. 그런데 이 정책 시행 이후 기업들이 해당 기간 미만으로만 직원을 채용하고 있는 것은 해당 제도가 제 역할을 하지 못하고 역효과를 가져오고 있음을 나타낸다.

오답피하기 ①, ②, ④ 모두 정부 실패의 사례에 해당하지만 제시문과 같은 맥락으로 보기 어렵다.
③ 정부 실패의 사례에 해당하지 않는다.

THEME 08

경제 순환과 경제 성장

수능실전문제

본문 47~51쪽

01 ⑤	02 ⑤	03 ④	04 ⑤
05 ②	06 ①	07 ②	08 ⑤
09 ④	10 ④		

01 국민 경제의 순환 이해

문제분석 A는 정부, B는 기업, C는 가계이다.

정답찾기 ⑤ 분배 국민 소득은 임금, 지대, 이자, 이윤으로 구성된다. ⓔ은 가계의 요소 소득으로 분배 국민 소득에 포함된다.

오답피하기 ① 정부는 재정 활동의 주체, 기업은 생산 활동의 주체이다.

② 가계는 생산 요소 시장의 공급자이다.

③ ㉠은 기업에 대한 정부 지출이다. 기업에 대한 정부 지출의 감소는 기업의 이윤 증가 요인으로 보기 어렵다.

④ ㉡은 가계에 대한 정부의 지출이다.

02 지출 국민 소득의 이해

문제분석 지출 국민 소득은 '소비 지출+투자 지출+정부 지출+순수출'로 구성된다. 따라서 갑국의 명목 GDP에서 정부 지출이 차지하는 비중은 2022년과 2023년이 각각 10%로 같다.

정답찾기 ⑤ 2022년 갑국의 명목 GDP가 100억 달러라고 가정하면 2022년의 순수출은 15억 달러, 정부 지출은 10억 달러이고, 2023년의 순수출은 11억 달러, 정부 지출은 11억 달러이다. 따라서 2022년 대비 2023년에 정부 지출은 순수출과 달리 증가하였다.

오답피하기 ① 갑국 기업이 원자재를 수입하면 투자 지출이 증가하고 동일한 금액만큼 순수출이 감소하므로 갑국의 명목 GDP는 변화가 없다.

② 갑국 기업이 국내에서 사무용으로 구입한 컴퓨터는 갑국의 명목 GDP 중 투자 지출에 포함된다.

③ 외국 기업이 갑국에 공장을 설립한 것은 갑국의 명목 GDP 중 투자 지출에 포함된다.

④ 순수출은 '수출액-수입액'이다. 제시된 자료만으로는 2022년 대비 2023년에 수출액의 감소 여부를 알 수 없다.

03 국내 총생산과 국민 총소득의 이해

문제분석 A는 국내 총생산(GDP), B는 국민 총소득(GNI)이다.

정답찾기 ㄴ. 갑국 국민이 갑국에서 벌어들인 소득은 갑국의 국내 총생산과 국민 총소득 모두에 포함되므로 (나)에 해당한다.

ㄹ. 갑국 국민이 해외에서 받은 소득이 갑국 내 외국인에게 지급한 소득보다 크면 '자국민이 해외로부터 받은 소득-국내 외국인에게 지급한 소득'이 양(+)의 값을 가지므로 갑국의 국민 총소득은 국내 총생산보다 크다.

오답피하기 ㄱ. 해외 프로 리그에서 활약하는 갑국 운동 선수의 연봉은 (다)에 해당한다.

ㄷ. 갑국에 진출한 외국 기업이 갑국에서 생산한 최종 생산물의 가치는 (가)에 해당한다.

04 국내 총생산의 구성 이해

문제분석 제시된 자료를 바탕으로 2023년 갑국~병국의 수출, 수입, 순수출, 국내 총생산(GDP)을 나타내면 다음과 같다.

(단위: 억 달러)

구분	갑국	을국	병국
수출	70	40	30
수입	20	50	70
순수출	50	-10	-40
국내 총생산(GDP)	150	110	110

정답찾기 ⑤ 2023년 GDP에서 수출이 차지하는 비중은 갑국의 경우 '70/150', 을국의 경우 '40/110', 병국의 경우 '30/110'으로 갑국이 가장 크다.

오답피하기 ① 2023년 GDP는 갑국이 병국보다 크다.

② '수출액+수입액'은 갑국과 을국이 같다.

③ 을국과 병국은 모두 순수출이 음(-)의 값이다.

④ 을국의 2023년 GDP는 110억 달러로 100억 달러를 넘는다.

05 국내 총생산의 한계 이해

문제분석 경제적 후생 지표로서 국내 총생산이 가지는 한계에는 시장에서 거래되는 재화와 서비스의 가치만 포함된다는 점, 재화와 서비스의 품질 변화를 완벽하게 측정하지 못한다는 점, 삶의 질을 정확하게 측정하기 어렵다는 점 등이 있다.

정답찾기 갑. 태풍으로 인한 피해가 발생한 경우 그로 인해 감소한 후생 수준이 국내 총생산 계산에 포함되지 않는다는 것을 통해 국내 총생산이 국민들의 삶의 질을 정확히 측정하지 못한다는 것을 알 수 있다.

병. 급여를 받고 복구 작업을 하는 사람의 노동은 시장에서 거래되지만, 태풍 피해 지역에서 활동하는 자원 봉사자의 노동은 시장에서 거래되지 않아 국내 총생산 계산에 포함되지 않는다. 따라서 (나)를 통해 국내 총생산이 시장에서 이루어진 거래만을 반영한다는 것을 알 수 있다.

오답피하기 을. (가)의 사례를 통해서는 국내 총생산이 중간 생산물의 가치를 정확히 측정하지 못한다는 것을 파악하기 어렵다.

정. (나)의 사례를 통해서는 국내 총생산이 재화와 서비스의 품질 변화를 측정하지 못한다는 것을 파악하기 어렵다.

06 명목 GDP와 실질 GDP의 이해

문제분석 제시된 자료에서 물가 수준은 GDP 디플레이터로 측정하므로 t-2년 대비 t-1년에 물가 수준이 상승하였다면, 기준 연도가 t-2년일 경우 t-1년의 실질 GDP는 110억 달러보다 작다.

정답찾기 ㄱ. 기준 연도가 t-2년일 경우 t-1년의 실질 GDP는 110억 달러보다 작고, t년의 실질 GDP는 110억 달러이다. 따라서 t년의 경제 성장률, 즉 실질 GDP 증가율은 양(+)의 값이다.
ㄴ. t-2년 대비 t-1년에 물가 수준이 상승하였으므로, 기준 연도가 t-2년일 경우 t-1년의 GDP 디플레이터는 100보다 크다.
오답피하기 ㄷ. t-2년 대비 t년에 명목 GDP가 20% 증가하였으므로 t-2년의 명목 GDP는 100억 달러이다. 따라서 기준 연도가 t-2년일 경우 t-2년의 실질 GDP는 100억 달러이다.
ㄹ. 기준 연도가 t-2년일 경우 t년의 GDP 디플레이터는 '(120억 달러/110억 달러)×100'으로 100보다 크고, 기준 연도가 t년일 경우 t년의 GDP 디플레이터는 100이다. 따라서 t년의 GDP 디플레이터는 ㉡의 경우가 ㉠의 경우보다 작다.

07 실질 GDP와 GDP 디플레이터의 이해

문제분석 2022년의 A는 100이다. 기준 연도의 GDP 디플레이터는 100이므로 A는 GDP 디플레이터, B는 실질 GDP이다. 따라서 제시된 자료는 다음과 같이 나타낼 수 있다.

구분	2021년	2022년	2023년
명목 GDP(억 달러)	150	150	216
실질 GDP(억 달러)	100	150	180
GDP 디플레이터	150	100	120
명목 GDP 증가율(%)	-	0	44
경제 성장률(%)	-	50	20

정답찾기 ② 명목 GDP 증가율은 2023년이 44%로 2022년의 0%보다 높다.
오답피하기 ① 경제 성장률은 2022년이 50%, 2023년이 20%이다.
③ '명목 GDP-실질 GDP'는 2021년이 50억 달러로 2023년의 36억 달러보다 크다.
④ (가) 기간에 실질 GDP는 증가하였고 물가 수준은 낮아졌다. 이와 같은 변화는 총공급 증가로 나타날 수 있다. 수입 원자재 가격 상승은 총공급 감소 요인이다.
⑤ (나) 기간에 실질 GDP는 증가하였고 물가 수준은 높아졌다. 이와 같은 변화는 총수요 증가로 나타날 수 있다. 소비 지출 감소는 총수요 감소 요인이다.

08 국내 총생산의 이해

문제분석 A 기업은 X재를 중간재 없이 250억 개 생산하여 1,000억 달러의 부가 가치를 창출하였으므로 ㉠은 '4'이다. C 기업은 Z재 생산량의 30%를 수출하였는데, C 기업의 Z재 생산량은 200억 개이므로 수출량은 60억 개이다. 따라서 갑국의 수출액은 '㉢달러×60억 개'이다. B 기업은 해외로부터 수입한 재화만을 중간재로 사용하여 Y재를 생산하는데 중간재 구입 비용이 200억 달러이므로 갑국의 수입액은 200억 달러이다. 따라서 갑국의 순수출(=400억 달러)은 '㉢달러×60억 개-200억 달러'이므로 ㉢은 '10'이다. ㉢이 '10'이므로 C 기업이 창출한 부가 가치는 1,600억 달러(=2,000억 달러-400억 달러)이다. 갑국의 GDP가 4,000억 달러(=A 기업이 창출한 부가 가치+B 기업이 창출한 부가 가치+C 기업이 창출한 부가 가치)이므로 B 기업이 창출한 부가 가치는 1,400억 달러이다. 따라서 ㉡은 '4'이다.

정답찾기 ㄴ. 갑국의 순수출은 400억 달러이고, 수입액은 200억 달러이므로 수출액은 600억 달러이다.
ㄷ. 갑국의 순수출은 400억 달러이고, 이는 갑국 국내 총생산의 10%이므로 갑국의 GDP는 4,000억 달러이다.
ㄹ. B 기업이 창출한 부가 가치(=1,400억 달러)는 C 기업이 창출한 부가 가치(=1,600억 달러)보다 작다.
오답피하기 ㄱ. ㉠과 ㉡의 합은 ㉢보다 작다.

09 명목 GDP와 실질 GDP의 이해

문제분석 GDP 디플레이터는 '(명목 GDP/실질 GDP)×100'이고, 갑국의 2021년 물가 수준은 전년 대비 상승하였으므로 A는 실질 GDP, B는 명목 GDP이다. 기준 연도가 2020년이므로 2020년의 명목 GDP와 실질 GDP를 각각 100억 달러로 가정하고 연도별 명목 GDP, 실질 GDP, GDP 디플레이터를 나타내면 다음과 같다.

구분	2020년	2021년	2022년	2023년
명목 GDP(억 달러)	100	105	99.75	-
실질 GDP(억 달러)	100	103	105.06	약 108
GDP 디플레이터	100	약 102	약 95	-

정답찾기 ④ 1인당 명목 GDP는 '명목 GDP/인구'로 구한다. 명목 GDP 증가율이 인구 증가율보다 크면 1인당 명목 GDP는 전년 대비 증가한 것이다. 2023년의 명목 GDP 증가율이 2023년의 인구 증가율인 3%보다 크면, 1인당 명목 GDP는 2023년이 2022년보다 크다.
오답피하기 ① 실질 GDP는 2021년이 2022년보다 작다.
② 2022년에 GDP 디플레이터는 약 95로 100보다 작다.
③ GDP 디플레이터는 '(B/A)×100'으로 구한다.
⑤ ㉠이 3보다 작으면 명목 GDP 증가율이 실질 GDP 증가율보다 작으므로 2023년의 전년 대비 물가 상승률은 음(-)의 값이다.

10 경제 성장률과 물가 상승률의 이해

문제분석 물가 수준은 GDP 디플레이터로 측정하므로 물가 상승률은 GDP 디플레이터 증가율을 의미하며, 경제 성장률은 실질 GDP 증가율을 의미한다.
정답찾기 ㄱ. 전년 대비 2023년에 명목 GDP가 증가하는 상황에서 GDP 디플레이터가 변함이 없으려면 실질 GDP는 명목 GDP의 증가분만큼 증가해야 한다. 따라서 (가)에는 '명목 GDP 증가, 물가 수준 불변'이 들어갈 수 있다.
ㄴ. 전년 대비 2023년에 명목 GDP가 변함이 없는 상황에서 GDP 디플레이터가 하락하려면 실질 GDP는 증가해야 한다. 따라서 (나)에는 '명목 GDP 불변, 물가 수준 하락'이 들어갈 수 없다.
ㄷ. 병이 해당 내용의 카드를 선택했다면, 전년 대비 2023년에 GDP 디플레이터가 변함없는 상황에서 명목 GDP는 감소하였다. 이와 같은 상황이 되려면 실질 GDP도 감소해야 하므로 (다)에는 '음(-)의 값'이 적절하다.
오답피하기 ㄹ. 정이 해당 내용의 카드를 선택했다면, 전년 대비 2023년에 GDP 디플레이터가 감소하는 상황에서 명목 GDP는 증가하였다. 이와 같은 상황이 되려면 실질 GDP가 증가해야 하므로 (라)에는 '양(+)의 값'이 적절하다.

THEME 09 # 실업과 인플레이션

수능실전문제

본문 54~58쪽

01 ③	02 ⑤	03 ③	04 ①
05 ④	06 ②	07 ⑤	08 ③
09 ④	10 ①		

01 고용 지표의 변화 요인 이해

문제분석 15세 이상 인구가 변함이 없고, 취업자와 실업자가 모두 존재한다고 가정할 경우 고용 지표 인구 구성의 변화에 따른 고용 지표의 변화는 다음과 같다.

고용 지표 인구 구성의 변화	실업률	고용률	경제 활동 참가율
실업자가 취업자가 되는 경우	하락	상승	불변
실업자가 비경제 활동 인구가 되는 경우	하락	불변	하락
취업자가 실업자가 되는 경우	상승	하락	불변
취업자가 비경제 활동 인구가 되는 경우	상승	하락	하락
비경제 활동 인구가 실업자가 되는 경우	상승	불변	상승
비경제 활동 인구가 취업자가 되는 경우	하락	상승	상승

정답찾기 ③ 일자리가 없어 구직 활동을 하던 사람이 구직을 포기한 것은 실업자에서 비경제 활동 인구가 되었음을 의미한다. 이에 따라 고용률은 변화가 없고, 경제 활동 참가율과 실업률은 하락한다.

오답피하기 ① 전업주부는 비경제 활동 인구에 포함되며, 전업주부가 일자리를 얻은 것은 비경제 활동 인구에서 취업자가 되었음을 의미한다. 이에 따라 고용률과 경제 활동 참가율은 모두 상승하고, 실업률은 하락한다.

② 직장인이 더 나은 조건의 직장으로 옮기는 것은 취업자에서 취업자로의 변화이므로 고용 지표는 변화가 없다.

④ 직장인이 직장을 그만두고 대학에 진학하여 학업에 전념하는 것은 취업자에서 비경제 활동 인구가 되었음을 의미한다. 이에 따라 고용률과 경제 활동 참가율은 모두 하락하고, 실업률은 상승한다.

⑤ 구직 단념자는 비경제 활동 인구에 포함되며, 구직 단념자가 마음을 바꿔 구직 활동을 했으나 일자리를 얻지 못한 것은 비경제 활동 인구에서 실업자가 되었음을 의미한다. 이에 따라 고용률은 변화가 없고, 경제 활동 참가율과 실업률은 모두 상승한다.

02 고용 지표 인구 구성의 이해

문제분석 '15세 이상 인구=비경제 활동 인구+경제 활동 인구(=취업자 수+실업자 수)'이며, 취업자 수와 실업자 수만 알면 실업률을 파악할 수 있으므로 A는 비경제 활동 인구이다. 또한 모든 시기에 취업자 수가 실업자 수보다 많으므로 B는 취업자, C는 실업자이다.

정답찾기 ⑤ '취업자 수−실업자 수'는 2022년에는 15세 이상 인구의 40%, 2023년에는 15세 이상 인구의 60%이다. 15세 이상 인구가 매년 증가하므로 '취업자 수−실업자 수'는 2023년이 2022년의 1.5배를 넘는다.

오답피하기 ① 구직 단념자는 비경제 활동 인구로 A에 해당한다.

② A는 비경제 활동 인구이며, B는 취업자이다. 취업자는 경제 활동 인구에 해당한다.

③ 고용률은 '(취업자 수/15세 이상 인구)×100'이며, 실업률은 '(실업자 수/경제 활동 인구)×100'이다. 2022년에 고용률은 60%로 실업률인 25%의 2배를 넘는다.

④ 경제 활동 참가율은 2022년과 2023년 각각 80%로 같다.

03 실업의 유형 이해

문제분석 최종적으로 말이 [4] 지점에 도착하여 활동이 종료되었으므로 〈질문 1〉~〈질문 3〉에 대한 응답은 모두 '예'(두 칸 이동)이며, 〈질문 4〉에 대한 응답은 '아니요'(한 칸 이동)이다. 따라서 (가)에는 '예', (나)에는 '아니요'라고 응답하는 질문이 들어가야 한다. 마찰적 실업은 직업 탐색 과정에서 일시적으로 발생하는 실업이며, 구조적 실업은 기술 혁신으로 인한 단순 기능 인력의 실업을 사례로 들 수 있다. 따라서 A는 마찰적 실업, B는 구조적 실업, C는 경기적 실업이다.

정답찾기 ③ 구조적 실업과 경기적 실업은 마찰적 실업과 달리 실업자 본인의 의지와는 상관없이 나타나는 실업, 즉 비자발적 실업에 해당한다.

오답피하기 ① 국민 경제의 총체적인 활동 수준 하락으로 노동에 대한 수요가 감소하여 발생하는 것은 경기적 실업이다.

② 긴축 재정 정책을 실시하면 경기적 실업은 더 악화될 수 있다.

④ (가)에는 '예'라고 응답하는 질문이 들어가야 한다. 마찰적 실업은 구조적 실업과 경기적 실업에 비해 일시적으로 나타나는 특징이 있으므로 (가)에는 해당 질문이 들어갈 수 없다.

⑤ (나)에는 '아니요'라고 응답하는 질문이 들어가야 한다. 경기 호황기에도 마찰적 실업과 구조적 실업은 모두 발생할 수 있으므로 (나)에는 해당 질문이 들어갈 수 있다.

04 고용 지표의 변화 이해

문제분석 15세 이상 인구는 경제 활동 인구와 비경제 활동 인구로 구성되며, 경제 활동 인구는 취업자와 실업자로 구성된다.

정답찾기 ㄱ. t−1기 대비 t기에 경제 활동 인구는 4% 증가, 취업자 수는 1% 증가하였다. 경제 활동 인구는 취업자 수와 실업자 수의 합이므로 t−1기 대비 t기에 실업자 수 증가율은 4%보다 크다. 실업률은 '(실업자 수/경제 활동 인구)×100'이므로 t−1기가 t기보다 낮다.

ㄴ. t−1기 대비 t기에 15세 이상 인구는 3% 증가, 취업자 수는 1% 증가하였다. 고용률은 '(취업자 수/15세 이상 인구)×100'이므로 t−1기가 t기보다 높다. t기 대비 t+1기에는 15세 이상 인구 증가율과 취업자 수 증가율이 같으므로 t기와 t+1기의 고용률은 같다. 따라서 고용률은 t−1기가 t+1기보다 높다.

오답피하기 ㄷ. t기 대비 t+1기에 15세 이상 인구는 2% 증가, 경제 활동 인구는 1% 증가하였다. 경제 활동 참가율은 '(경제 활동 인구/15세 이상 인구)×100'이므로 t기가 t+1기보다 높다.

ㄹ. t기 대비 t+1기에 취업자 수는 2% 증가하였고, 경제 활동 인구는 1% 증가하였으므로 t기 대비 t+1기에 실업자 수 증가율은 1%보다 낮다. 따라서 '취업자 수/실업자 수'는 t+1기가 t기보다 크다.

05 고용 지표의 변화 이해

문제분석 경제 활동 참가율은 15세 이상 인구에서 경제 활동 인구(=취업자 수+실업자 수)가 차지하는 비율이며, 고용률은 15세 이상 인구에서 취업자 수가 차지하는 비율이고, 실업률은 경제 활동 인구에서 실업자 수가 차지하는 비율이다.

정답찾기 ㄱ. A의 예측이 옳을 경우 비경제 활동 인구는 감소하고, 실업자 수는 증가하므로 '비경제 활동 인구/실업자 수'는 하락한다.
ㄴ. B의 예측이 옳을 경우 실업자 수 증가율과 경제 활동 인구 증가율이 같으므로 실업률은 변함이 없고, 경제 활동 참가율은 상승한다.

오답피하기 ㄷ. C의 예측이 옳을 경우 취업자 수 증가율은 경제 활동 인구 증가율보다 크므로 '취업자 수/경제 활동 인구'는 상승한다.

06 GDP 디플레이터의 이해

문제분석 GDP 디플레이터는 '(명목 GDP/실질 GDP)×100'으로 구한다.

정답찾기 ㄱ. 2019년에 GDP 디플레이터가 90이므로 실질 GDP는 명목 GDP보다 크다.
ㄷ. 2020년과 2021년의 명목 GDP를 각각 110억 달러라고 가정한다면, 2020년의 실질 GDP는 100억 달러, 2021년의 실질 GDP는 110억 달러이다. 따라서 경제 성장률은 양(+)의 값을 가진다.

오답피하기 ㄴ. 전년 대비 물가 상승률은 2022년의 경우 '(10/100)×100'이고, 2023년의 경우 '(10/110)×100'이다. 따라서 전년 대비 물가 상승률은 2022년이 2023년보다 크다.
ㄹ. 2022년과 2023년의 실질 GDP를 각각 100억 달러라고 가정한다면, 2022년의 명목 GDP는 110억 달러, 2023년의 명목 GDP는 120억 달러이다. 따라서 명목 GDP는 2023년이 2022년보다 크다.

07 물가 지수의 이해

문제분석 A는 소비자 물가 지수, B는 생산자 물가 지수, C는 GDP 디플레이터이다.

정답찾기 ⑤ 2023년에 전년 대비 소비자 물가 상승률(=약 4.8%)은 전년 대비 GDP 디플레이터 상승률(=약 9.5%)보다 낮다.

오답피하기 ① 기업들의 생산 비용은 재화와 서비스의 가격에 반영된다는 점에서 생산자 물가 지수의 변화는 소비자 물가에 영향을 미친다.
② 소비자 물가 지수와 생산자 물가 지수는 모두 수입품의 가격 변화를 반영할 수 있다.
③ GDP 디플레이터는 국내 총생산에 포함되는 모든 재화와 서비스의 종합적인 가격 수준을 지수화한 것으로, 소비자 물가 지수보다 국민 경제 전체의 물가 수준을 파악하는 데 유리하다.
④ 전년 대비 생산자 물가 상승률은 2022년이 5%, 2023년이 0%이다.

08 물가 변동의 이해

문제분석 물가 수준을 측정하는 지표 중 하나인 GDP 디플레이터는 '(명목 GDP/실질 GDP)×100'으로 구한다.

정답찾기 ㄴ. 2022년은 기준 연도이므로 명목 GDP와 실질 GDP가 같다. 이때 전년 대비 2023년에 명목 GDP 증가율이 실질 GDP 증가율보다 클 경우 물가 수준은 2022년보다 2023년이 높다. 즉, '물가 수준 상승'이 옳은 답안이며, 채점 결과가 0점이므로 (나)에는 해당 내용이 들어갈 수 있다.
ㄷ. 2022년에 명목 GDP와 실질 GDP가 같은 상황에서 전년 대비 2023년에 명목 GDP와 실질 GDP가 각각 같은 액수만큼 증가하면, 전년 대비 2023년에 물가 수준은 변함이 없다. 따라서 (다)에는 '0점'이 들어갈 수 있다.

오답피하기 ㄱ. (가)에는 '물가 수준 하락'이 들어간다. 화폐 자산 소유자에게는 물가 수준 하락이 유리하게 작용한다.
ㄹ. (라)에는 '물가 수준 상승'이 들어간다. 수입 원자재 가격 하락은 물가 수준 하락 요인이다.

09 인플레이션의 유형별 특징 이해

문제분석 갑~정 중 세 사람만 옳게 발표하였으므로 한 사람의 발표는 옳지 않은 내용이다. 갑이 옳지 않게 발표하였다면 A는 비용 인상 인플레이션, B는 수요 견인 인플레이션이 되므로 병의 발표도 옳지 않게 된다. 따라서 A는 수요 견인 인플레이션, B는 비용 인상 인플레이션이며, 갑과 병은 옳게 발표하였고 을과 정 중 한 사람이 옳지 않게 발표하였다.

정답찾기 ④ 정의 발표가 옳다면, (나)에는 비용 인상 인플레이션에 대한 내용이 들어가야 한다. 비용 인상 인플레이션은 총공급의 감소로 인해 발생하므로 (나)에는 해당 내용이 들어갈 수 있다.

오답피하기 ① A는 수요 견인 인플레이션이다.
② 수요 견인 인플레이션은 총수요의 변동, 비용 인상 인플레이션은 총공급의 변동으로 인해 발생한다.
③ 을의 발표가 옳다면, (가)에는 수요 견인 인플레이션에 대한 내용이 들어가야 한다. 발생 요인으로 유가 상승 등 생산비 증가를 들 수 있는 것은 비용 인상 인플레이션이다. 따라서 (가)에는 해당 내용이 들어갈 수 없다.
⑤ (가)에 수요 견인 인플레이션에 관한 옳은 내용이 들어간다면, (나)에는 비용 인상 인플레이션에 관한 옳지 않은 내용이 들어가야 한다. 주로 경기 호황기 때 나타나며, 실질 GDP의 증가를 수반하는 것은 수요 견인 인플레이션이다. 따라서 (가), (나)에는 각각 해당 내용이 들어갈 수 있다.

10 물가 변동의 이해

문제분석 실업률의 경우 t기에 비해 t+1기의 정부 목표치가 낮다는 점을 통해 정부는 t기에 확대 재정 정책을 실시하였음을 알 수 있다.

정답찾기 ㄱ. 갑국 정부는 확대 재정 정책을 실시하였다. 확대 재정 정책은 총수요 증가 요인이다.
ㄴ. t기 대비 t+1기에 명목 GDP 증가율이 실질 GDP 증가율보다 높다. 물가 수준은 GDP 디플레이터로 측정하므로 t기 대비 t+1기에 물가는 상승하였다. t기와 t+1기 모두 명목 이자율은 변함이 없는 상황에서 물가가 상승하였으므로 실질 이자율은 t기가 t+1기보다 높다.

오답피하기 ㄷ. t+1기에 정부의 목표치가 달성되었다면 전기 대비 명목 GDP 증가율이 전기 대비 실질 GDP 증가율보다 높다. 따라서 물가 수준은 t기가 t+1기보다 낮았을 것이다.
ㄹ. t기 대비 t+1기의 물가는 상승하였다. 물가 상승은 화폐 자산 소유자보다 실물 자산 소유자에게 유리하게 작용한다.

THEME 10 경기 변동과 안정화 정책

수능실전문제

본문 61~65쪽

01 ②	02 ③	03 ③	04 ④
05 ④	06 ⑤	07 ④	08 ③
09 ②	10 ③		

01 총수요와 총공급의 변동 이해

문제분석 순수출 증가는 총수요 증가 요인, 생산 비용 절감은 총공급 증가 요인이다.

정답찾기 ② (가)는 총수요 증가 요인, (나)는 총공급 증가 요인이므로 총수요 곡선과 총공급 곡선이 모두 오른쪽으로 이동하여 국민 경제의 균형점은 Ⅱ 영역으로 이동한다.

오답피하기 ① 총수요가 증가하고 총공급이 감소하는 경우 국민 경제의 균형점이 Ⅰ 영역으로 이동한다.
③ 총수요가 감소하고 총공급이 증가하는 경우 국민 경제의 균형점이 Ⅲ 영역으로 이동한다.
④ 총수요와 총공급이 모두 감소하는 경우 국민 경제의 균형점이 Ⅳ 영역으로 이동한다.
⑤ 총수요와 총공급이 모두 변동하지 않는 경우에만 국민 경제의 균형점이 변동하지 않는다.

02 경제 지표와 국민 경제 균형의 변동 이해

문제분석 전년 대비 경제 성장률(물가 상승률)이 양(+)의 값을 가지는 경우 실질 GDP(물가 수준)는 전년보다 증가(상승)하고, 영(0)인 경우 실질 GDP(물가 수준)는 전년과 같으며, 음(−)의 값을 가지는 경우 실질 GDP(물가 수준)는 전년보다 감소(하락)한다.

정답찾기 ③ 물가 상승률이 양(+)의 값이라는 것은 명목 GDP 증가율이 실질 GDP 증가율보다 높다는 것을 의미한다. 따라서 2023년의 경제 성장률이 2%인 경우 명목 GDP 증가율은 2%보다 큰 양(+)의 값을 가진다. 2023년의 명목 GDP는 2022년의 명목 GDP보다 크다.

오답피하기 ① 2021년의 경제 성장률이 영(0)이고, 물가 상승률이 양(+)의 값이므로 2021년의 실질 GDP는 2020년과 동일하고, 명목 GDP는 2021년이 2020년보다 크다.
② 2020년의 GDP 디플레이터를 100이라고 가정하면 GDP 디플레이터는 2021년이 103, 2022년이 99.91이다.
④ 2021년의 실질 GDP를 100억 달러라고 가정하면 2022년의 실질 GDP는 103억 달러이다. 2023년에 경제 성장률이 −2%인 경우 2023년의 실질 GDP는 103억 달러보다 2% 작은 값인 100억 9,400만 달러이다.
⑤ 총수요가 증가하는 경우 실질 GDP는 증가하고 물가 수준은 상승하며, 총수요가 감소하는 경우 실질 GDP는 감소하고 물가 수준은 하락하므로 2021년에서 2022년으로의 변화는 총수요 변동만으로는 나타날 수 없다.

03 총수요와 총공급의 변동 이해

문제분석 기업의 투자 증대, 소비 감소, 순수출 감소는 모두 총수요 변동 요인이고, 국제 유가 하락은 총공급 변동 요인이다.

정답찾기 ㄴ. 소비 감소는 총수요 감소 요인이다.
ㄷ. 기업의 투자 증대는 총수요 증가 요인, 국제 유가 하락은 총공급 증가 요인이다. 총수요 증가와 총공급 증가는 모두 실질 GDP 증가 요인이다.

오답피하기 ㄱ. 기업의 투자 증대는 총공급 감소 요인으로 보기 어렵다.
ㄹ. 순수출 감소와 소비 감소는 모두 총수요 감소 요인이다. 총수요 감소는 물가 하락 요인이다.

04 경제 안정화 정책의 이해

문제분석 소득세율 인하는 가계의 소비 지출 증가 요인으로 작용하고, 투자를 확대한 기업에 대한 정부의 보조금 확대는 기업의 투자 지출 증가 요인으로 작용한다. 경기 침체 극복을 목표로 정부는 소비 지출 및 투자 지출을 증가시키는 정책을 활용할 수 있으므로 갑과 병이 옳게 답변하였다.

정답찾기 ④ 소득세율 인하는 총수요를 증가시켜 실질 GDP 증가 요인으로 작용한다. 을은 틀린 답변을 하였으므로 (가)에는 해당 내용이 들어갈 수 있다.

오답피하기 ① 갑은 옳은 답변을 하였으므로 소득세율 조정 방향은 '인하'임을 알 수 있다.
② ㉡은 기업의 투자를 증가시키므로 총공급 감소 요인으로 보기 어렵다.
③ 틀린 답변을 한 사람은 을이다.
⑤ 투자를 확대한 기업에 대한 정부의 보조금 확대는 총수요를 증가시켜 갑국의 물가를 상승시키는 요인으로 작용한다. 을은 틀린 답변을 하였으므로 (가)에는 해당 내용이 들어갈 수 있다.

05 경기 변동과 경제 안정화 정책의 이해

문제분석 경기가 과열되어 인플레이션 문제가 발생한 경우(A 시기) 정부와 중앙은행은 각각 긴축 재정 정책, 긴축 통화 정책을 시행하여 물가를 안정시키려 한다. 한편, 경기가 침체된 경우(B 시기) 정부와 중앙은행은 각각 확대 재정 정책, 확대 통화 정책을 시행하여 경기를 활성화시키려 한다.

정답찾기 ④ 지급 준비율 인하는 경기 침체 시 중앙은행이 실시하는 확대 통화 정책 수단에 해당한다.

오답피하기 ① 일반적으로 경기 과열기에는 실업률이 하락한다.
② 경기 침체기에는 일반적으로 실질 GDP가 감소한다. 총공급 증가는 실질 GDP 증가 요인이므로 B 시기에 발생하였다고 보기 어렵다.
③ 법인세율 인하는 경기 침체 시 정부가 실시하는 확대 재정 정책 수단에 해당한다.
⑤ 총공급 감소는 실질 GDP 감소 요인이므로 A 시기와 같은 경기 변동을 초래하는 요인으로 보기 어렵다.

06 경기 상황에 따른 경제 안정화 정책의 이해

문제분석 국제 원자재 비용 상승은 총공급 감소 요인, 소비 지출 증가는 총수요 증가 요인이다.

정답찾기 ⑤ 중앙은행이 경기 부양 정책을 시행하는 정부와 정책 공조를 한다고 하였으므로 (가)에는 기준 금리 인하 등과 같은 확대 통화 정책이 들어갈 수 있다.

오답피하기 ① 국제 원자재 비용 상승은 총공급을 감소시켜 실질 GDP를 감소시키는 요인으로 작용한다.
② 소비 지출 증가는 총수요 증가 요인이다.
③ 물가 급등은 화폐 가치를 하락시키므로 실질 임금 하락 요인으로 작용한다.
④ 소득세율 인상은 과열된 경기를 진정시키는 긴축 재정 정책의 수단이다.

07 실업률과 물가 상승률의 분석

문제분석 A국~C국은 모두 실업률과 소비자 물가 상승률의 합, 즉 경제 고통 지수가 높은 국가에 해당한다. A국은 실업률 대비 소비자 물가 상승률이 높은 편이고, B국은 소비자 물가 상승률 대비 실업률이 높은 편이다. C국은 실업률과 소비자 물가 상승률이 모두 높은 편이다.

정답찾기 ④ 급격한 총공급 감소는 실업률과 소비자 물가 상승률을 모두 높이는 요인으로 작용하여 C국과 같은 상황을 초래하는 요인이 될 수 있다.

오답피하기 ① A국은 소비자 물가 상승률이 높고, 실업률이 낮은 상태이므로 경기 과열 상황이라고 볼 수 있다.
② 실업률 대비 소비자 물가 상승률이 가장 높은 나라는 A국이다.
③ B국은 실업률이 높고, 소비자 물가 상승률이 낮은 것으로 보아 경기 침체 상황이라고 볼 수 있다. 국공채 매각은 긴축 통화 정책으로, 이는 경기 과열 상황에 대한 대책에 해당한다.
⑤ A국은 경기 과열 상황, B국은 경기 침체 상황이므로 확대 재정 정책은 A국보다 B국에 적합하다.

08 경제 안정화 정책의 이해

문제분석 t−1년은 총수요가 감소하여 실질 GDP가 감소한 경기 침체기, t년은 총수요가 증가하여 실질 GDP가 증가한 경기 과열기에 해당한다. 중앙은행은 경기 침체기에는 확대 통화 정책, 경기 과열기에는 긴축 통화 정책을 시행한다.

정답찾기 ③ t−1년은 경기 침체기에 해당하므로 t년에는 기준 금리 인하, 지급 준비율 인하, 금융 기관에 대한 중앙은행의 대출 규모 확대 등과 같은 확대 통화 정책을 시행해야 한다. t년은 경기 과열기에 해당하므로 t+1년에는 기준 금리 인상, 지급 준비율 인상, 금융 기관에 대한 중앙은행의 대출 규모 축소 등과 같은 긴축 통화 정책을 시행해야 한다.

09 인구 구조 변동이 국민 경제에 미치는 영향 이해

문제분석 인구 절벽 현상은 총수요와 총공급 모두에 영향을 미치는 요인으로 작용할 수 있다. 갑은 총수요 측면에서, 을은 총공급 측면에서 인구 절벽 현상이 국민 경제에 미치는 영향을 예측하였다.

정답찾기 ㄱ. 소비 지출 감소는 총수요 감소 요인이다.

ㄹ. 총수요 감소(갑의 예측)와 총공급 감소(을의 예측)는 모두 실질 GDP 감소 요인이다.

오답피하기 ㄴ. 노동 시장의 공급 감소는 총공급 감소 요인이다.
ㄷ. 총수요 감소(갑의 예측)는 물가 하락 요인, 총공급 감소(을의 예측)는 물가 상승 요인이다.

10 경제 안정화 정책의 이해

문제분석 정부와 중앙은행은 경기 침체기에는 확대 재정 정책 또는 확대 통화 정책을 시행하고, 경기 과열기에는 긴축 재정 정책 또는 긴축 통화 정책을 시행하여 국민 경제를 안정화시킬 수 있다.

정답찾기 ③ (나)에는 옳은 내용이 들어가야 한다. 정부 지출 확대는 확대 재정 정책이다. 따라서 (나)에는 해당 내용이 들어갈 수 없다.

오답피하기 ① (가)에는 틀린 내용이 들어가야 한다. 국공채 매입은 확대 통화 정책 수단이다. 따라서 (가)에는 해당 내용이 들어갈 수 없다.
② (나)에는 옳은 내용이 들어가야 한다. 공공 요금 인상은 물가 상승 요인이다. 따라서 (나)에는 해당 내용이 들어갈 수 없다.
④, ⑤ (가)에는 긴축 통화 정책 수단, (나)에는 긴축 재정 정책 수단이 들어가야 한다. 긴축 통화 정책과 긴축 재정 정책은 모두 총수요를 감소시켜 실질 GDP 감소 요인으로 작용한다.

THEME 11 무역 원리와 무역 정책

수능실전문제 본문 67~71쪽

01 ⑤	02 ④	03 ③	04 ④
05 ⑤	06 ③	07 ④	08 ①
09 ④	10 ⑤		

01 절대 우위와 비교 우위의 이해

문제분석 제시된 자료를 바탕으로 갑국과 을국의 X재와 Y재 1개 생산의 기회비용을 나타내면 다음과 같다.

구분	갑국	을국
X재 1개 생산의 기회비용	Y재 1개	Y재 7/4개
Y재 1개 생산의 기회비용	X재 1개	X재 4/7개

정답찾기 ⑤ 양국 간 X재와 Y재의 교환 비율은 2:3이다. X재 생산에 비교 우위가 있는 갑국은 X재만 20개 생산한 후 을국에 10개를 수출하고 을국으로부터 Y재를 15개 수입하여 소비할 수 있다.

오답피하기 ① 양국이 보유한 생산 요소의 양이 동일하고 X재의 최대 생산 가능량은 을국이 갑국보다 더 많으므로 을국은 X재 생산에 절대 우위를 가진다.
② X재 1개 생산의 기회비용은 갑국이 을국보다 작다.
③ 을국이 X재를 20개 생산하는 경우 최대로 생산할 수 있는 Y재의 수량은 35개이다.
④ 교역을 통해 이익이 발생하는 경우 비교 우위에 있는 재화 1개 소비의 기회비용은 교역 후가 교역 전보다 크다. 갑국은 X재 생산에 비교 우위를 가지므로 X재 1개 소비의 기회비용은 교역 후가 교역 전보다 크다.

02 절대 우위와 비교 우위의 이해

문제분석 제시된 자료를 바탕으로 갑국과 을국의 X재와 Y재 1개 생산의 기회비용을 나타내면 다음과 같다.

구분	갑국	을국
X재 1개 생산의 기회비용	Y재 1/2개	Y재 1/3개
Y재 1개 생산의 기회비용	X재 2개	X재 3개

정답찾기 ④ 교역을 통해 이익이 발생하는 경우 비교 우위에 있는 재화 1개 소비의 기회비용은 교역 후가 교역 전보다 크다. 을국은 X재 생산에 비교 우위를 가지므로 을국의 X재 1개 소비의 기회비용은 교역 후가 교역 전보다 클 것이다.

오답피하기 ① 갑국은 Y재 생산에, 을국은 X재 생산에 비교 우위를 가진다.
② X재 1개 생산의 기회비용은 갑국이 을국보다 크다.
③ 갑국 노동자 수를 180명, 을국 노동자 수를 90명으로 가정하는 경우 Y재의 최대 생산 가능량은 갑국이 15개, 을국이 10개이다. 따라서 Y재의 최대 생산 가능량은 갑국이 을국보다 많다.

⑤ 갑국과 을국 간 교역이 이루어졌다는 것은 양국 모두 교역으로 인한 이익이 발생하였다는 것을 의미하므로, 교역 전후 갑국의 X재 소비량이 같다면 갑국의 Y재 소비 가능량은 교역 후가 교역 전보다 많을 것이다.

03 자유 무역의 이해

문제분석 갑국과 을국이 교역하기 전 X재 국내 가격은 갑국이 을국보다 높았다. 양국 간 교역 후 X재 국제 가격은 P와 3P 사이에서 결정된다. 국제 가격 수준에서 초과 공급이 발생하는 을국은 X재의 수출국이 되며, 초과 수요가 발생하는 갑국은 X재의 수입국이 된다.

정답찾기 ③ 갑국과 을국의 X재 생산량의 합은 교역 전이 6Q(=2Q+4Q)이다. X재 국제 가격이 3/2P에서 결정되어 교역하는 경우 갑국과 을국의 X재 수요량은 각각 7/2Q로 같다. 시장 원리에 따라 양국의 수요량의 합과 공급량의 합이 일치하는 지점에서 국제 가격이 결정되는 것이므로, X재 국제 가격이 3/2P에서 결정되는 경우 갑국과 을국의 X재 생산량의 합은 7Q이다.

오답피하기 ① X재 국제 가격은 P보다 높고 3P보다 낮은 수준에서 결정된다.

② X재 국제 가격이 2P에서 결정될 경우 을국의 입장에서 가격이 2배 오르고, 을국의 X재 생산량이 증가하므로 을국 X재 생산자의 교역 후 판매 수입은 교역 전의 2배보다 크다.

④ 갑국과 을국 간 교역이 이루어지는 경우 교역 전과 대비해 갑국 X재 시장의 소비자 잉여와 을국 X재 시장의 생산자 잉여는 모두 증가한다. X재 국제 가격이 5/2P인 경우 교역으로 인한 갑국 X재 시장의 거래 가격 하락분은 을국 X재 시장의 거래 가격 상승분보다 작고, 갑국 X재 시장의 소비량은 을국 X재 시장의 생산량보다 적으므로 갑국의 소비자 잉여 증가분은 을국의 생산자 잉여 증가분보다 작다.

⑤ 갑국의 경우 교역 이후 X재 가격은 하락하고, X재 생산량은 감소하므로 갑국의 X재 생산자 잉여는 감소한다.

04 비교 우위에 따른 교역의 이해

문제분석 t기에 갑국의 교역 후 Y재 소비량이 Y재 최대 생산 가능량보다 많다는 것은 Y재를 더 많이 생산할 수 있는 을국이 갑국에 Y재를 수출하였다는 것을 의미한다. 따라서 갑국은 t기에는 X재 생산에, t+1기에는 Y재 생산에 비교 우위를 가진다.

정답찾기 ④ t+1기에 갑국은 Y재 생산에 비교 우위를 가지므로 갑국은 을국에 Y재를 5개 수출하고, 을국으로부터 X재를 15개 수입하였다. 따라서 t+1기에 갑국과 을국의 양국 간 X재와 Y재의 교환 비율은 3:1이다.

오답피하기 ① t기에 갑국은 X재 생산에 비교 우위를 가진다.

② t기에 갑국은 X재만 10개 생산하여 을국에 X재를 5개 수출하고, 을국으로부터 Y재를 15개 수입하였으므로 양국 간 X재와 Y재의 교환 비율은 1:3이다. 이 경우 을국이 교역을 통해 이익을 얻으려면 X재 1개 생산의 기회비용은 Y재 3개보다 커야 한다.

③ t+1기에는 갑국이 Y재 생산에 비교 우위가 있으므로 갑국의 Y재 1개 소비의 기회비용은 교역 후가 교역 전보다 크다.

⑤ 갑국은 t기 대비 t+1기에 Y재 최대 생산 가능량은 변함이 없고, X재 최대 생산 가능량이 증가하였다. 갑국의 X재 1개당 생산 비용이 증가하는 경우 갑국의 X재 최대 생산 가능량은 감소한다.

05 비교 우위의 이해

문제분석 제시된 자료를 바탕으로 갑국과 을국의 X재와 Y재 1개 생산의 기회비용을 나타내면 다음과 같다.

구분	갑국	을국
X재 1개 생산의 기회비용	Y재 2개	Y재 3개
Y재 1개 생산의 기회비용	X재 1/2개	X재 1/3개

정답찾기 ⑤ Y재 생산에 비교 우위가 있는 을국은 자국에서 Y재 1개당 X재 1/3개를 교환할 수 있다. 따라서 양국 간 X재와 Y재의 교환 비율이 2:7이라면, Y재 생산에 비교 우위가 있는 을국은 교역에 응하지 않을 것이다.

오답피하기 ①, ② X재 1개 생산의 기회비용은 갑국이 을국보다 작으므로 갑국은 X재 생산에, 을국은 Y재 생산에 비교 우위를 가진다.

③ 교역을 통해 이익이 발생하는 경우 비교 우위에 있는 재화 1개 소비의 기회비용은 교역 후가 교역 전보다 크고, 비교 열위에 있는 재화 1개 소비의 기회비용은 교역 후가 교역 전보다 작다. 을국은 X재 생산에 비교 열위를 가지므로 을국의 X재 1개 소비의 기회비용은 교역 후가 교역 전보다 작다.

④ 갑국은 자국에서 X재 1개와 Y재 2개를 교환할 수 있다. 따라서 양국 간 X재와 Y재의 교환 비율이 1:1이라면, X재 생산에 비교 우위가 있는 갑국은 교역에 응하지 않을 것이다.

06 자유 무역의 이해

문제분석 제시된 자료를 바탕으로 갑국의 X재 시장과 을국의 Y재 시장의 가격별 수요량과 공급량을 나타내면 다음과 같다.

가격(달러)	갑국의 X재 시장		을국의 Y재 시장	
	수요량(만 개)	공급량(만 개)	수요량(만 개)	공급량(만 개)
20	40	0	60	0
30	30	10	50	20
40	20	20	40	40
50	10	30	30	60
60	0	40	20	80

정답찾기 ③ 갑국이 X재의 수출국, 을국이 Y재의 수입국이 된다는 것은 X재 국제 가격이 40달러보다 높고, Y재 국제 가격이 40달러보다 낮다는 것을 의미한다.

오답피하기 ① 시장 개방 전 갑국 X재 시장의 판매 수입은 800만 달러(=40달러×20만 개)이고, 을국 Y재 시장의 판매 수입은 1,600만 달러(=40달러×40만 개)이다.

② 시장 개방 전 갑국의 X재 시장과 을국의 Y재 시장은 모두 수요와 공급 법칙을 따른다.

④ ㉠이 30달러인 경우 갑국의 국내 X재 생산량은 10만 개이고, ㉡이 50달러인 경우 을국의 국내 Y재 소비량은 30만 개이다.

⑤ ㉠과 ㉡이 각각 50달러인 경우 갑국은 X재의 수출국, 을국은 Y재의 수출국이 되어 갑국의 X재 생산자와 을국의 Y재 생산자는 각각

더 높은 가격으로 더 많은 양을 거래하게 된다. 따라서 갑국의 X재 생산자 잉여와 을국의 Y재 생산자 잉여는 모두 교역 후가 교역 전보다 크다.

07 자유 무역과 보호 무역의 이해

문제분석 갑국의 X재 균형 가격은 10달러이고, 균형 거래량은 10만 개이다. 시장을 개방한 t기에 갑국의 X재 국내 시장에서는 국제 가격인 6달러에 X재가 거래된다.

정답찾기 ④ ㉠이 2달러인 경우 갑국의 X재 생산자 잉여 증가분은 14만 달러{=(2달러×6만 개)+(2달러×2만 개×1/2)}이고, 소비자 잉여 감소분은 26만 달러{=(2달러×12만 개)+(2달러×2만 개×1/2)}이다.

오답피하기 ① t기에 갑국의 X재 소비량은 14만 개이고, 갑국의 X재 생산량은 6만 개이므로 갑국의 초과 수요량인 8만 개를 외국에서 수입한다.

② t기에 갑국 X재 소비자의 소비 지출액은 84만 달러(=6달러×14만 개)이다.

③ 관세 부과로 인한 가격 상승과 생산량 증가로 갑국의 X재 생산자 잉여는 t+1기가 t기보다 크다.

⑤ ㉠이 6달러인 경우 관세가 포함된 X재의 가격은 12달러가 되어 X재의 시장 균형 가격보다 높아져서 갑국은 X재를 수입하지 않게 된다. 이 경우 t+1기에 갑국의 X재 거래량은 시장 개방 전과 동일하다.

08 비교 우위에 따른 교역의 이해

문제분석 을국은 교역 후 X재 소비량이 X재 최대 생산 가능량보다 많다. 이는 X재를 더 많이 생산할 수 있는 갑국이 을국에 X재를 수출했다는 것을 의미한다. 따라서 갑국은 X재 생산에, 을국은 Y재 생산에 비교 우위를 가진다.

정답찾기 ① 갑국은 X재 생산에 비교 우위가 있으므로 X재만 생산하여 을국에 X재 생산량 중 일부를 수출하므로 교역 후 X재 소비량 대비 X재 최대 생산 가능량이 1보다 클 수밖에 없다. 따라서 ㉠에는 '1보다 큼.'이 들어갈 수 있다.

오답피하기 ② 을국은 Y재 생산에 비교 우위가 있으므로 Y재만 생산하여 갑국에 Y재 일부를 수출하므로 교역 후 Y재 소비량 대비 Y재 최대 생산 가능량이 1보다 클 수밖에 없다.

③ 갑국은 X재 생산에 비교 우위를 가진다.

④ X재 최대 생산 가능량은 갑국이 을국보다 많다.

⑤ 을국은 Y재 생산에 비교 우위가 있으므로, 을국의 Y재 1개 생산의 기회비용은 갑국의 Y재 1개 생산의 기회비용인 X재 1개보다 작다.

09 비교 우위에 따른 교역의 이해

문제분석 갑국의 교역 후 X재 소비량이 X재 최대 생산 가능량보다 많다는 것은 X재를 더 많이 생산할 수 있는 을국이 갑국에 X재를 수출했다는 것을 의미한다. 따라서 갑국은 Y재 생산에, 을국은 X재 생산에 비교 우위를 가진다.

정답찾기 ㄴ. 갑국은 Y재 2A개를 생산하여 을국에 A개를 수출하고 X재를 2A개 수입하였으므로, 양국 간 X재와 Y재의 교환 비율은 2:1임을 파악할 수 있다.

ㄹ. X재 수출량과 Y재 수입량은 파악할 수 있지만, 을국의 생산 가능 곡선 또는 각 재화별 최대 생산 가능량이 제시되어 있지 않으므로 을국의 교역 후 소비점은 파악할 수 없다.

오답피하기 ㄱ. 각 재화에 대한 각국의 생산 비용에 관한 정보가 제시되어 있지 않으므로 각국의 절대 우위 상품이 무엇인지 파악할 수 없다.

ㄷ. 을국이 X재 생산에 비교 우위를 가지므로 X재를 수출하는 국가가 을국임을 파악할 수 있다.

10 자유 무역과 보호 무역의 이해

문제분석 갑국과 을국의 관세율 조정을 통해 갑국이 수입하는 X재의 관세율은 인상되었고, 을국이 수입하는 Y재의 관세는 철폐되었다.

정답찾기 ⑤ X재에 대한 관세율 인상으로 갑국의 X재 국내 시장 가격이 상승하고 갑국 국내 소비자의 소비량이 감소하여 갑국의 X재 소비자 잉여는 감소할 것이다. Y재에 대한 관세 철폐로 을국의 Y재 국내 시장 가격이 하락하고, 을국 국내 생산자의 생산량이 감소하여 을국의 Y재 생산자 잉여는 감소할 것이다.

오답피하기 ① 갑국이 수입하는 X재의 관세율은 인상되었지만, 그에 따른 수입량 정보가 제시되어 있지 않으므로 갑국 정부의 관세 수입이 증가할 것이라고 단정하기 어렵다.

② Y재에 대한 관세 철폐로 을국 Y재 시장의 국내 가격이 하락하였으므로 을국 Y재 시장의 국내 생산량은 감소할 것이다.

③ X재의 관세율이 인상되었으므로 갑국 시장에서 을국 X재의 가격 경쟁력이 상승할 것이라고 보기 어렵다.

④ Y재에 대한 관세 철폐로 Y재에 대한 을국의 수입 수요가 증가하여 갑국의 Y재 수출량은 증가하고, X재에 대한 관세율 인상으로 X재에 대한 갑국의 수입 수요가 감소하여 을국의 X재 수출량은 감소할 것이다.

THEME 12
외환 시장과 환율

수능실전문제

본문 73~77쪽

01 ①	02 ④	03 ③	04 ⑤
05 ④	06 ③	07 ③	08 ④
09 ③	10 ④		

01 외환 시장의 변동 요인 이해

문제분석 외환 시장에서의 균형점 변동은 외화의 수요와 공급의 변동에 의해 발생한다. 외화가 해외로 유출되는 경우 외화의 수요가 변동하고, 외화가 국내로 유입되는 경우 외화의 공급이 변동한다.

정답찾기 ① A에서 B로의 균형점 이동은 달러화의 수요와 공급이 모두 증가하는 경우에만 나타날 수 있다. 한국인의 미국 부동산 투자 증가는 달러화의 수요 증가 요인이고, 한국산 자동차에 대한 미국의 수입 증가는 달러화의 공급 증가 요인이다.

오답피하기 ②, ③ 미국산 제품에 대한 한국의 수입 증가는 달러화 수요 증가 요인이고, 미국인의 한국 여행 감소는 달러화 공급 감소 요인이며, 미국산 원자재에 대한 한국의 수입 감소는 달러화 수요 감소 요인이다.

④, ⑤ B에서 A로의 균형점 이동은 달러화의 수요와 공급이 모두 감소하는 경우에만 나타날 수 있다. 한국인의 미국 여행 증가와 한국인 학생의 미국 유학 증가는 모두 달러화 수요 증가 요인이고, 한국산 제품에 대한 미국의 수입 감소는 달러화 공급 감소 요인이며, 미국산 자동차에 대한 한국의 수입 감소는 달러화 수요 감소 요인이다.

02 외환 시장의 변동 이해

문제분석 t년에는 원/달러 환율이 상승하였고 달러화 거래량이 증가하였으므로 달러화 수요가 증가하였다. t+1년의 환율 변동으로 인해 우리나라 기업의 달러화 표시 외채 상환 부담이 t년보다 감소하였으므로 t년 대비 t+1년에 원/달러 환율은 하락하였다.

정답찾기 ④ t년에는 원/달러 환율이 상승하였다. 이는 원화 대비 달러화 가치가 상승한 것으로, 미국산 제품의 원화 표시 가격 상승 요인이다.

오답피하기 ① ㉠에는 '달러화 수요 증가'가 들어가야 한다. 미국인의 우리나라 여행 증가는 달러화 공급 증가 요인이다.

②, ③ t+1년에는 원/달러 환율이 하락(㉢)하였고, 달러화 거래량이 증가하였으므로 ㉡에는 달러화 공급 증가가 들어가야 한다.

⑤ t+1년에는 원/달러 환율이 하락하였다. 원/달러 환율 하락은 수출을 감소시키고, 수입을 증가시키므로 순수출 감소 요인으로 작용한다. 순수출 감소는 총수요 감소 요인이다.

03 외환 시장의 변동 이해

문제분석 원/달러 환율이 상승하는 경우 미국산 제품의 원화 표시 가격이 상승하여 국내 물가가 상승할 수 있다.

정답찾기 ㄱ. 우리나라 투자자의 미국 채권 투자 증가는 달러화 수요를 증가시켜 원/달러 환율 상승 요인으로 작용한다.

ㄴ. 원/달러 환율이 상승하면 수출이 증가하고, 수입이 감소하여 순수출이 증가한다. 순수출 증가로 총수요가 증가하여 국내 물가가 상승할 수 있다. 따라서 (가)에는 해당 내용이 들어갈 수 있다.

오답피하기 ㄷ. 원/달러 환율이 상승하면 수입 원자재의 원화 표시 가격이 상승하여 총공급이 감소하고, 이로 인해 국내 물가가 상승할 수 있다. 따라서 (나)에는 해당 내용이 들어갈 수 있다.

04 환율 변동의 이해

문제분석 제시된 자료를 바탕으로 t년과 t+1년의 전년 대비 달러화에 대한 각국 통화 가치 상승률이 큰 순위를 나타내면 다음과 같다.

구분		갑국 통화	을국 통화	병국 통화
달러화에 대한 각국 통화 가치 상승률의 순위	t년	2순위	1순위	3순위
	t+1년	3순위	2순위	1순위

정답찾기 ⑤ t+1년에는 달러화 대비 을국 통화 가치 상승률이 병국 통화 가치 상승률보다 작으므로 갑국 시장에서 병국산 제품 대비 을국산 제품의 가격 경쟁력은 전년보다 높아졌다.

오답피하기 ① t년에 병국 통화에 대한 달러화 가치는 전년보다 상승하였다.

② t+1년에 을국 통화에 대한 달러화의 가치는 전년보다 하락하였다.

③ t+1년에 을국 통화에 대한 갑국 통화 가치는 전년보다 하락하였다.

④ t+1년에는 달러화 대비 을국 통화와 병국 통화 가치가 모두 상승하였으므로 양국 모두 달러화 표시 외채 상환 부담이 감소하였다.

05 환율 변동의 영향 이해

문제분석 외화가 해외로 유출되는 경우 외화의 수요가 변동하고, 외화가 국내로 유입되는 경우 외화의 공급이 변동한다.

정답찾기 ④ 수출 증가로 외화가 우리나라에 유입되는 경우 우리나라 외환 시장의 외화 공급은 증가한다.

오답피하기 ① ㉠은 우리나라 외환 시장의 외화 수요 증가 요인이다.

② ㉡은 외화의 수요 증가로 인한 원/달러 환율 상승을 의미한다.

③ ㉢은 우리나라 국민 경제의 총공급 증가 요인이다.

⑤ 외화 자금의 해외 유출을 막기 위해 중앙은행은 기준 금리 인상을 활용할 수 있다. 따라서 (가)에는 '인상'이 들어갈 수 있다.

06 외환 시장의 변동 이해

문제분석 (가)는 갑국의 을국에 대한 수출액이 감소하고, 갑국의 을국에 대한 수입액이 변동 없음을 나타낸다. (나)는 을국의 갑국에 대한 수출액이 증가하고, 을국의 갑국에 대한 수입액이 변동 없음을 나타낸다.

정답찾기 ③ 갑국 외환 시장에서 (가)는 달러화에 대한 공급 감소 요인이고, (나)는 달러화에 대한 수요 증가 요인이다. 따라서 (가), (나)는 모두 달러화 대비 갑국 통화 가치의 하락 요인이다.

오답피하기 ① t년 대비 t+1년에 갑국의 을국에 대한 수출액은 감소하였고, 수입액은 변하지 않았다. 따라서 (가)는 갑국 외환 시장에서 을국 통화에 대한 공급 감소 요인에 해당한다.
② (나)는 을국의 갑국에 대한 수출액이 증가하고, 을국의 갑국에 대한 수입액이 변동 없음을 나타낸다. 이는 을국 내 통화량 증가로 이어져 을국 국내의 물가를 상승시키는 요인으로 작용한다.
④ 갑국 외환 시장에서 (나)는 달러화에 대한 수요 증가 요인이므로 갑국 통화 대비 달러화 가치는 t+2년이 t+1년보다 높다.
⑤ t년에는 갑국의 수출액이 수입액(을국의 수출액)보다 크므로 갑국의 순수출액은 양(+)의 값이고, t+2년에는 을국의 수출액이 수입액(갑국의 수출액)보다 크므로 을국의 순수출액은 양(+)의 값이다.

07 환율 변동의 영향 이해

문제분석 100만 원의 달러화 환전액은 t기가 t+1기보다 크고, 엔화 환전액은 t+1기가 t기보다 크다. 따라서 t기 대비 t+1기의 원/달러 환율은 상승하였고, 원/엔 환율은 하락하였다.
정답찾기 ③ 원화 대비 달러화의 가치가 상승하였으므로 한국 기업의 달러화 표시 외채 상환 부담은 증가하였을 것이다.
오답피하기 ① t기 대비 t+1기에 원/달러 환율은 상승하였다.
② t기 대비 t+1기에 원/달러 환율은 상승하였고, 원/엔 환율은 하락하였으므로 달러화 대비 엔화 가치는 하락하였다.
④ t기 대비 t+1기에 원화 대비 엔화의 가치가 하락하였으므로 일본에 유학 중인 자녀를 둔 한국 학부모의 학비 부담은 감소하였을 것이다.
⑤ t기 대비 t+1기에 달러화 대비 엔화 가치가 하락하였으므로 한국 시장에서 일본 제품과 경쟁 관계에 있는 미국 제품의 가격 경쟁력은 하락하였을 것이다.

08 환율 변동의 영향 분석

문제분석 원/달러 환율이 하락할 것으로 예상되는 경우 미국 여행을 뒤로 미루는 것이 유리하다.
정답찾기 ④ 원/달러 환율 하락은 달러화 대비 원화 가치가 상승하는 것을 의미하므로 미국에서 원자재를 수입하는 한국 기업의 비용 절감 효과가 있다.
오답피하기 ① (가)에는 '하락'이 들어가야 한다.
② 원/달러 환율 하락은 우리나라의 물가 하락 요인이다.
③ 원/달러 환율 하락은 우리나라의 순수출 감소 요인이다.
⑤ 우리나라 제품에 대한 미국의 수입 감소는 달러화 공급 감소 요인이다. 달러화 공급 감소는 원/달러 환율 상승 요인이다.

09 경제 안정화 정책 및 환율 변동의 영향 이해

문제분석 외화의 수요와 공급에 의해 환율이 시장에서 자유롭게 결정되는 제도를 변동 환율 제도라고 한다.
정답찾기 ㄴ. 경상 수지 적자가 발생하는 경우 외화의 순유출이 발생하고, 이로 인해 갑국의 국내 통화량이 감소할 수 있다.
ㄷ. ㉢은 달러화가 거래되는 갑국의 외환 시장에서 달러화 공급을 증가시켜 달러화 대비 갑국 통화 가치를 상승시키는 요인으로 작용한다.
오답피하기 ㄱ. 변동 환율 제도하에서는 환율 변동으로 발생할 수 있는 환 위험, 국내 경제 불안정 등의 위험이 초래되기 쉽다.
ㄹ. t+1기 이후 갑국 통화에 대한 달러화 가치가 급상승하는 경우 갑국 중앙은행은 이를 억제하기 위해 갑국의 외환 시장에 달러화를 매각할 것이다.

10 환율 변동의 영향 이해

문제분석 제시된 자료를 통해 t년 초 대비 t년 말 달러화, 엔화, 원화의 가치 상승률의 크기를 비교할 수 있다. A의 달러화 수익률이 원화 수익률보다 높으므로 원화 대비 달러화의 가치가 하락하였고, C의 엔화 수익률이 원화 수익률보다 낮으므로 원화 대비 엔화의 가치가 상승하였음을 알 수 있다. 따라서 t년 초 대비 t년 말 달러화, 엔화, 원화의 가치 상승률의 크기를 순서대로 나타내면 '엔화>원화>달러화'이다.
정답찾기 ④ ㉠이 '5'인 경우 t년 초 대비 t년 말에 원화 대비 달러화 가치는 하락하였고, 원화 대비 유로화 가치는 변하지 않았으므로 t년 말 독일 기업의 달러화 표시 외채 상환 부담은 t년 초보다 감소할 것이다.
오답피하기 ① t년 초 대비 t년 말에 원화 대비 달러화 가치가 하락하였으므로 원/달러 환율은 하락하였다.
② t년 초 대비 t년 말에 원/엔 환율은 상승하였다. 한국 제품의 일본으로의 수출 증가는 원/엔 환율 하락 요인이다.
③ ㉠이 '0'보다 작은 경우 t년 초 대비 t년 말에 원화 대비 달러화 가치 하락률보다 원화 대비 유로화 가치 하락률이 더 크므로 t년 말 달러화 대비 유로화 가치는 t년 초보다 낮을 것이다.
⑤ ㉠이 '10'인 경우 t년 초 대비 t년 말에 원화에 대한 유로화 가치와 원화에 대한 엔화 가치는 모두 상승할 것이다.

THEME 13

국제 수지

수능실전문제

본문 79~83쪽

01 ③	02 ④	03 ③	04 ①
05 ⑤	06 ⑤	07 ②	08 ②
09 ③	10 ⑤		

01 경상 수지의 이해

문제분석 경상 수지는 경상 거래에 따른 외화의 수취와 지급의 차액을 의미한다. 경상 거래에 따른 외화의 수취액이 지급액보다 많은 경우 경상 수지 흑자, 경상 거래에 따른 외화의 지급액이 수취액보다 많은 경우 경상 수지 적자이다.

정답찾기 ③ 무상 원조 금액이 포함된 항목은 이전 소득 수지이다. 이전 소득 수지는 20억 달러 흑자이다.

오답피하기 ① 상품 수지는 150억 달러 흑자이다. 이를 통해 상품의 수출액이 수입액보다 많음을 알 수 있다.
② 2023년 갑국의 경상 수지는 90억 달러 흑자이다. 경상 수지 흑자는 통화량을 증가시켜 갑국의 물가 상승 요인이 된다.
④ 해외 투자 금액은 경상 수지가 아니라 금융 계정에 포함된다.
⑤ 서비스 수지는 50억 달러 적자이다. 이를 통해 서비스 거래를 통한 외화의 지급액은 수취액보다 많음을 알 수 있다.

02 국제 수지의 이해

문제분석 국제 수지는 경상 수지, 자본 수지, 금융 계정 등으로 구분된다.

정답찾기 을. 본원 소득 수지는 배당금 등의 투자 소득이나 임금 등의 근로 소득과 관련하여 수취한 외화와 지급한 외화의 차액을 의미한다. 해외로부터 수령한 주식 배당금은 본원 소득 수지에 포함된다.
정. 금융 계정은 직접 투자, 증권 투자, 파생 금융 상품, 기타 투자, 준비 자산으로 구분된다. 국내 기업에 대한 외국 거주자의 직접 투자와 같은 직접 투자 목적의 해외 자산 취득은 금융 계정에 포함된다.

오답피하기 갑. 원자재를 수입하고 지급한 금액은 상품 수지에 포함된다.
병. 국내에서 단기간으로 체류하는 외국인 노동자에 대한 임금 지급은 본원 소득 수지에 포함된다.

03 경상 수지의 이해

문제분석 경상 수지는 상품 수지, 서비스 수지, 본원 소득 수지, 이전 소득 수지로 구성된다. 따라서 (가)는 서비스 수지이다.

정답찾기 ③ 해외 지식 재산권 사용료가 포함되는 항목은 서비스 수지이다. 서비스 수지는 2022년 30억 달러 적자에서 2023년 10억 달러 흑자로 개선되었다.

오답피하기 ① 해외 채권 투자 금액은 금융 계정에 포함된다.
② 대가 없이 주고받은 거래가 포함되는 항목은 이전 소득 수지이다. 이전 소득 수지는 2022년과 2023년이 각각 10억 달러 흑자로 같다.
④ 운송료는 서비스 수지에 포함된다. 2023년에 서비스 수지는 흑자로 수취액이 지급액보다 많다.
⑤ 상품 수지 흑자 규모는 2022년 100억 달러에서 2023년 80억 달러로 감소하였다. 그러나 이는 상품 교역에 따른 수취액에서 지급액을 뺀 값이 감소한 것을 의미하는 것이지, 상품 교역에 따른 수취액의 감소를 의미하지는 않는다.

04 상품 수지와 서비스 수지의 이해

문제분석 상품 수지는 상품의 수출과 수입으로 인해 수취한 외화와 지급한 외화의 차액을 의미하며, 서비스 수지는 외국과의 서비스 거래(운송, 여행, 통신, 보험, 지식 재산권 사용료 등)로 수취한 외화와 지급한 외화의 차액을 의미한다.

정답찾기 ㄱ. 재화 수출 증가 및 원자재 수입 증가는 상품 수지의 변화 요인에 해당하고, 해외 여행 증가 및 외국 기업으로부터의 지식 재산권 사용 대금 수취 증가는 서비스 수지의 변화 요인에 해당한다.
ㄴ. 국내 기업의 재화 수출이 증가할 경우 외화 수취액이 증가하며, 이는 경상 수지의 개선 요인에 해당한다.

오답피하기 ㄷ. 내국인의 미국 여행 증가는 외환 시장에서 외화 수요 증가 요인, 즉 달러화 대비 자국 통화 가치의 하락 요인이 된다.
ㄹ. 국내 기업의 원자재 수입 증가는 외화 유출의 사례, 외국 기업으로부터의 지식 재산권 사용 대금 수취 증가는 외화 유입의 사례이다.

05 경상 수지의 이해

문제분석 자동차의 수출 감소는 외화 수취의 감소 요인이며, 해외 여행객의 방문 증가는 외화 수취의 증가 요인이다.

정답찾기 ㄷ. 해외 여행에 따른 외화의 유출입은 서비스 수지에 포함된다. 을국 국민의 해외 여행 증가는 을국의 서비스 수지 악화 요인이다.
ㄹ. 을국 여행객의 갑국 방문 증가는 을국 외환 시장에서 외화 수요 증가 요인, 즉 달러화 대비 을국 통화 가치의 하락 요인이 된다.

오답피하기 ㄱ. 갑국의 자동차 수출 감소는 갑국의 상품 수지 악화 요인이다.
ㄴ. 경상 수지 적자는 국내 물가 하락 요인이다.

06 경상 수지의 이해

문제분석 경상 수지 흑자는 외화의 공급이 외화의 수요보다 많아 환율 하락의 요인이 되며, 경상 수지 적자는 외화의 공급이 외화의 수요보다 적어 환율 상승의 요인이 된다.

정답찾기 ⑤ 해외 여행 경비가 포함되는 항목은 서비스 수지이다. 서비스 수지는 2022년 대비 2023년에 흑자 규모가 감소하였다.

오답피하기 ① 해외 기부금이 포함되는 항목은 이전 소득 수지이다. 2022년에 이전 소득 수지는 흑자이다.
② 2023년에 경상 수지는 15억 달러 적자이다. 경상 수지 적자는 환율 상승, 즉 달러화 대비 갑국 통화 가치의 하락 요인이 된다.
③ 단기 체류 외국인 노동자에게 지급한 임금이 포함되는 항목은 본원 소득 수지이다. 2023년에 본원 소득 수지는 적자로 지급액이 수

취액보다 많았다.

④ 2023년에는 2022년과 달리 상품 수지가 적자이다. 상품 수지 적자는 상품 교역에 따른 지급액이 수취액보다 많음을 의미한다. 제시된 자료를 통해 상품 수출액과 수입액의 합은 알 수 없다.

07 경상 수지의 이해

문제분석 국제 거래가 갑국과 을국 사이에서만 이루어질 경우, 경상 수지 항목별로 교역에 따른 갑국의 수취액은 을국의 지급액과 일치하게 된다.

정답찾기 ㄱ. 갑국의 상품 수지 지급액은 을국의 상품 수지 수취액과 같다. 을국의 서비스 수지 수취액은 갑국의 서비스 수지 지급액과 같다. 따라서 ㉠은 '40', ㉡은 '20'이다.

ㄷ. 갑국의 경상 수지 수취액은 130억 달러, 지급액은 110억 달러로 경상 수지는 20억 달러 흑자이다. 따라서 을국의 경상 수지는 20억 달러 적자이며, 이는 을국의 통화량 감소 요인이다.

오답피하기 ㄴ. 갑국의 서비스 수지는 10억 달러 흑자이다.

ㄹ. 본원 소득 수지 지급액은 갑국이 30억 달러, 을국이 20억 달러로 갑국이 을국보다 많다.

08 상품 수지의 분석

문제분석 2021년의 상품 수출액을 a, 상품 수입액을 b라고 가정할 경우 상품 교역액은 'a+b'이고, 상품 수지는 'a−b'이다. 이를 2021년 자료에 대입하면 '(a−b)/(a+b)=1/4'이고, 'a+b'는 160이므로 a는 100, b는 60이 된다. 이와 같은 방법으로 연도별 상품 수출액, 상품 수입액, 상품 교역액, 상품 수지를 나타내면 다음과 같다.

(단위: 억 달러)

구분	2021년	2022년	2023년
상품 수출액	100	150	180
상품 수입액	60	100	120
상품 교역액	160	250	300
상품 수지	40	50	60

정답찾기 ② 2022년 상품 수출액은 150억 달러로, 2021년 상품 수출액 100억 달러 대비 50% 증가하였다.

오답피하기 ① 2021년 상품 수입액은 60억 달러로, 2023년 상품 수입액 120억 달러의 1/2이다.

③ 2022년 대비 2023년에 상품 수지는 개선되었다.

④ 상품 수출액에 대한 상품 수입액의 비는 2022년과 2023년이 각각 2/3로 같다.

⑤ 상품 교역액에서 상품 수출액이 차지하는 비율은 2022년과 2023년이 각각 60%로 같다.

09 경상 수지의 이해

문제분석 국제 거래가 갑국~병국 세 국가 사이에서만 이루어지고, 2022년에 갑국~병국의 상품 수지와 서비스 수지가 모두 균형이므로 2022년의 상품 수지와 서비스 수지는 갑국~병국 모두 0이다.

정답찾기 ③ 갑국은 상품 수지가 양(+)의 값이므로 상품 수출액이 상품 수입액보다 많다. 반면, 병국은 상품 수지가 음(−)의 값이므로 상품 수출액이 상품 수입액보다 적다. 따라서 상품 수입액에 대한 상품 수출액의 비는 갑국은 1보다 크고, 병국은 1보다 작다.

오답피하기 ① 2023년에 상품 수지는 갑국이 30억 달러 흑자, 을국이 10억 달러 적자이므로 병국의 상품 수지는 20억 달러 적자이다. 따라서 ㉠은 '−20'이다. 2023년에 서비스 수지는 갑국이 20억 달러 적자이고, 병국이 10억 달러 흑자이므로 을국의 서비스 수지는 10억 달러 흑자이다. 따라서 ㉡은 '10'이다.

② 2023년에 을국의 서비스 수지는 10억 달러 흑자로 2022년 대비 개선되었다.

④ 상품 수지 항목의 수취액과 지급액의 차액이 상품 수지이다. 2023년에 상품 수지는 을국과 병국이 같지 않다.

⑤ 2023년에 본원 소득 수지와 이전 소득 수지가 균형이라면, 제시된 상품 수지와 서비스 수지를 활용하여 을국과 병국의 경상 수지를 판단할 수 있다. 을국의 경상 수지는 균형, 병국의 경상 수지는 10억 달러 적자이다.

10 경상 수지의 이해

문제분석 국제 거래가 갑국과 을국 사이에서만 이루어지므로 갑국의 경상 수지 지급액은 을국의 경상 수지 수취액이다. 2023년 갑국의 경상 수지 수취액을 a, 을국의 경상 수지 수취액을 b라고 가정할 경우 2023년 갑국의 상품 수지는 '0.6a−0.5b=100'이다. 제시된 자료를 바탕으로 갑국의 경상 수지 항목별 수취액과 지급액을 나타내면 다음과 같다.

(단위: 억 달러)

구분	수취액	지급액
상품 수지	0.6a	0.5b
(가)	0.1a	0.1b
서비스 수지	0.25a	0.3b
이전 소득 수지	0.05a	0.1b
경상 수지	a	b

정답찾기 ⑤ 갑국의 서비스 수지 수취액이 125억 달러라면, a는 500억 달러이고, b는 400억 달러이다. 따라서 경상 수지는 갑국은 100억 달러 흑자, 을국은 100억 달러 적자이다.

오답피하기 ① (가)는 본원 소득 수지이다. 해외에 제공한 무상 원조액은 이전 소득 수지에 해당한다.

② 갑국의 경상 수지는 'a−b'이다. '0.6a−0.5b=100'이고, b가 1,000보다 작으므로 a는 b보다 값이 크다. 따라서 갑국의 경상 수지는 흑자이다. 경상 수지 흑자는 물가 상승 요인이다.

③ 갑국의 경상 수지가 흑자이므로 을국의 경상 수지는 적자이다. 을국의 경상 수지 적자는 달러화 대비 을국 통화 가치의 하락을 초래하는 요인이다.

④ 해외 투자로 인한 배당금이 포함되는 항목은 본원 소득 수지로 (가)이다. 을국의 본원 소득 수지는 '0.1b−0.1a'로 a가 b보다 값이 크므로 을국의 본원 소득 수지는 적자이다.

14 금융 생활과 신용

수능실전문제

본문 85~89쪽

01 ② 02 ⑤ 03 ⑤ 04 ⑤
05 ③ 06 ⑤ 07 ④ 08 ①
09 ⑤ 10 ③

01 실질 이자율의 이해

문제분석 제시된 자료를 바탕으로 갑국의 연도별 명목 이자율, 전년 대비 물가 상승률, 실질 이자율을 나타내면 다음과 같다.

(단위: %)

구분	2021년	2022년	2023년
명목 이자율	3.0	2.0	3.5
전년 대비 물가 상승률	3.0	3.0	3.0
실질 이자율	0	−1.0	0.5

정답찾기 ② 제시된 기간 동안 물가 상승률은 양(+)의 값이므로 물가 수준은 2023년이 가장 높다. 따라서 화폐 구매력은 제시된 기간 중 2023년이 가장 낮다.

오답피하기 ① 물가 수준은 2022년이 2021년보다 높다.
③ 2021년의 실질 이자율은 0%이지만 명목 이자율이 3%이므로 1년 간 은행 예금이 현금 보유보다 유리하다.
④ 2022년의 실질 이자율은 −1%이지만 명목 이자율이 2%이므로 1년 만기 정기 예금의 만기 시 원리금은 원금보다 많다.
⑤ 예를 들어 100만 원을 연초에 예치할 경우 발생한 이자는 2022년이 2만 원, 2023년이 3.5만 원이다. 명목 이자율의 차이가 1.5%p인 것이지 발생한 이자가 1.5배인 것은 아니다.

02 단리와 복리의 이해

문제분석 B의 경우 원금 1,000만 원을 3년 만기로 예치하여 첫째 해 100만 원, 둘째 해 110만 원의 이자액이 발생하기 위해서는 연 10%의 복리가 적용되어야 하므로 B의 이자 지급 방식은 복리이다. 따라서 A의 이자 지급 방식은 단리이며, 첫째 해의 이자액 100만 원을 통해 연 이자율어 10%임을 알 수 있다.

정답찾기 ⑤ ㉠, ㉣은 각각 '100'이고, ㉤은 '121'이다.

오답피하기 ① 연 이자율은 A, B가 각각 10%로 같다.
② 3년 만기 시 원리금은 B가 A보다 많다.
③ B는 복리이다. 최초 원금에 대해서만 이자를 지급하는 방식은 단리이다.
④ ㉡은 '1,200', ㉢은 '1,210'이므로 ㉡은 ㉢보다 작다.

03 가계 소득의 이해

문제분석 가계 소득은 정기적으로 발생하는지 여부에 따라 경상 소득과 비경상 소득으로 구분된다. 경상 소득은 소득 유형에 따라 근로 소득, 사업 소득, 재산 소득, 이전 소득으로 구분된다. 2022년과 2023년의 근로 소득액이 같으므로 전체 소득은 2023년이 2022년의 1.4배이다.

정답찾기 ⑤ 2022년의 소득을 100달러라고 가정하면, 2023년의 소득은 140달러이다. 2022년 대비 2023년에 소득의 증가 규모는 재산 소득이 6달러, 이전 소득이 13달러, 사업 소득이 11.4달러로 증가 규모는 경상 소득 중 이전 소득이 가장 크다. 공적 연금이 포함되는 항목은 이전 소득이다.

오답피하기 ① (가)는 경상 소득, (나)는 비경상 소득이다. 비정기적으로 발생하는 소득은 비경상 소득이다.
② 복권 당첨금에 따른 소득은 일시적이라는 점에서 (나)에 해당한다.
③ 이자는 재산 소득에 해당한다. 재산 소득은 2023년이 2022년보다 많다.
④ 자영업자의 이윤이 포함되는 항목의 소득은 사업 소득이다. 사업 소득은 2023년이 2022년보다 많다.

04 소득, 소비, 저축 관계의 이해

문제분석 소득에서 비소비 지출을 뺀 값이 처분 가능 소득이므로 소득은 처분 가능 소득보다 크며, 처분 가능 소득에서 소비 지출을 뺀 값이 저축이므로 처분 가능 소득은 저축보다 크다. 따라서 A는 소득, B는 저축, C는 처분 가능 소득이다. 제시된 자료를 바탕으로 소득, 저축, 처분 가능 소득, 비소비 지출, 소비 지출을 나타내면 다음과 같다.

(단위: 만 원)

구분	2021년	2022년	2023년
소득	5,000	5,500	6,000
저축	1,000	800	1,200
처분 가능 소득	4,000	4,500	4,500
비소비 지출	1,000	1,000	1,500
소비 지출	3,000	3,700	3,300

정답찾기 ⑤ 처분 가능 소득에서 소비 지출이 차지하는 비율은 2022년이 '(37/45)×100', 2023년이 '(33/45)×100'이므로 2022년이 2023년보다 높다.

오답피하기 ① 소비 지출은 2022년이 가장 많다.
② 2022년 대비 2023년에 비소비 지출은 증가하였다.
③ 소득에서 저축이 차지하는 비율은 2022년이 가장 낮다.
④ 소비 지출과 비소비 지출의 합은 2021년이 4,000만 원, 2023년이 4,800만 원이므로 2023년이 2021년보다 많다.

05 신용 관리 방법의 이해

문제분석 신용은 미래의 정해진 시점에 대가를 지급하기로 약속하고 현재 시점에서 상품을 이용하거나 돈을 빌릴 수 있는 능력이다.

정답찾기 병. 연체가 발생하면 연체 금액을 상환한 이후에도 연체 내역이 남아 있어 개인 신용 점수 평가 시 불이익을 받을 수 있기 때문에 소액이라도 연체를 해서는 안 된다. 또한 신용 카드를 사용하지 않고 현금만 사용할 경우 신용도를 평가할 수 있는 거래 기록이 없기 때문에 신용도를 높게 평가받기 어렵다. 그리고 상환 능력을 초과한 대출은 연체로 이어져 신용 점수에 부정적 영향을 미칠 수 있으므로 자제하는 것이 좋다. 금융 회사도 거래 기간이 길거나 거래량이 많은 고객에 대해 신용도를 높게 평가하기 때문에 주거래 은행을 정해서 이용하는 것이 신용 관리에 유리하다.

06 실질 이자율과 명목 이자율의 이해

문제분석 화폐 구매력이 2023년에 가장 낮기 위해서는 2023년의 물가 수준이 가장 높아야 한다. A가 명목 이자율, B가 실질 이자율이라면 물가 상승률은 2021년 1%, 2022년 0%, 2023년 −1%가 되어 조건에 부합하지 않는다. 반면, A가 실질 이자율, B가 명목 이자율이라면 물가 상승률은 2021년 −1%, 2022년 0%, 2023년 1%이 되어 조건에 부합한다.

정답찾기 ⑤ 물가 수준이 2023년에 가장 높으므로 제시된 기간 중 실질 GDP가 동일하다면 명목 GDP는 2023년이 가장 크다.

오답피하기 ① A는 실질 이자율, B는 명목 이자율이다.

② 물가 수준은 2021년과 2022년이 같다.

③ 실질 이자율에 대한 명목 이자율의 비는 2021년이 2/3, 2023년이 3/2이므로 2023년이 2021년보다 크다.

④ 2021년에 명목 이자율은 양(+)의 값이므로 은행 예금이 현금 보유보다 유리하다.

07 소득과 지출의 분석

문제분석 은행 이자와 주식 배당금은 재산 소득, 월급과 명절 상여금은 근로 소득, 복권 당첨금은 비경상 소득에 해당한다. 식비 및 의류비와 통신비는 소비 지출, 대출 이자 및 세금과 사회 보험료는 비소비 지출에 해당한다. 제시된 자료를 표로 나타내면 다음과 같다.

(단위: 만 원)

구분	8월	9월
소비 지출	150	200
비소비 지출	100	150
근로 소득	450	650
재산 소득	100	50
비경상 소득	50	0
소득	600	700

정답찾기 ④ 비소비 지출에 대한 소비 지출의 비는 8월이 150/100, 9월이 200/150이므로 8월이 9월보다 크다.

오답피하기 ① 근로 소득은 8월이 450만 원, 9월이 650만 원이므로 9월이 8월보다 많다.

② 재산 소득은 8월이 9월의 2배이다.

③ 처분 가능 소득은 8월이 500만 원, 9월이 550만 원이므로 9월이 8월보다 많다.

⑤ 9월의 경우 비경상 소득이 0이다. 따라서 전체 소득에서 비경상 소득이 차지하는 비중은 8월이 9월보다 크다.

08 가계 소득의 이해

문제분석 갑의 소득 중 경상 소득이 차지하는 비율은 90%, 을의 소득 중 경상 소득이 차지하는 비율은 60%이므로 을의 소득은 갑의 소득의 1.5배이다. 갑의 소득을 200만 원이라고 가정한다면 을의 소득은 300만 원이다.

정답찾기 ㄱ. (가)는 재산 소득으로, 주식 배당금이나 은행 이자 등이 해당한다.

ㄴ. 상여금은 근로 소득에 포함된다. 위의 가정에 의하면 갑의 근로 소득은 100만 원, 을의 근로 소득은 105만 원이다.

오답피하기 ㄷ. 비정기적이고 일시적 요인에 의해 얻은 소득은 비경상 소득이다. 위의 가정에 의하면 갑의 비경상 소득은 20만 원, 을의 비경상 소득은 120만 원이므로 을이 갑의 6배이다.

ㄹ. 생산 활동에 참여하지 않고 무상으로 얻은 소득은 이전 소득이다. 위의 가정에 의하면 갑의 이전 소득은 20만 원, 을의 이전 소득은 15만 원이므로 갑이 을보다 많다.

09 소득, 소비, 저축의 이해

문제분석 저축은 처분 가능 소득에서 소비 지출을 뺀 값이고, 처분 가능 소득은 소득에서 비소비 지출을 뺀 값이다. 카드를 선택하기 전 갑의 저축은 200만 원이고, 을의 저축은 150만 원이다.

정답찾기 ㄷ. 을이 (다)를 뽑을 경우 소득이 100만 원 증가하여 을의 저축은 250만 원이 된다. 이 경우 갑의 선택과 관계없이 을이 승리하게 된다.

ㄹ. 갑이 (라)를 뽑을 경우 소득이 40만 원 증가하여 갑의 저축은 240만 원이 되고, 을이 (가)를 뽑을 경우 비소비 지출이 20만 원 증가하여 을의 저축은 130만 원이 된다.

오답피하기 ㄱ. 갑이 (가)를 뽑을 경우 비소비 지출이 20만 원 증가하여 갑의 저축은 180만 원이 된다.

ㄴ. 을이 (나)를 뽑을 경우 소비 지출은 50만 원 증가하지만, 비소비 지출은 변화가 없다.

10 실질 이자율과 명목 이자율의 이해

문제분석 실질 이자율은 명목 이자율에서 물가 상승률을 뺀 값이다. 예금의 실질 이자율은 갑의 예상이 맞을 경우 1%, 을의 예상이 맞을 경우 −1%이다.

정답찾기 ③ 갑의 예상이 맞을 경우 예금의 실질 이자율은 양(+)의 값이고, 을의 예상이 맞을 경우 예금의 실질 이자율은 음(−)의 값이다.

오답피하기 ① 갑의 예상이 맞을 경우 예금의 실질 이자율은 1%이다.

② 을의 예상이 맞을 경우 예금의 명목 이자율은 5%이므로 원리금은 원금보다 많다.

④ 갑과 을은 모두 물가 상승률을 양(+)의 값으로 예상하고 있다. 따라서 갑의 예상이 맞을 경우와 을의 예상이 맞을 경우 모두 물가 수준은 상승한다.

⑤ 예금의 명목 이자율이 5%로 변화가 없기 때문에 갑과 을의 예상과 관계없이 앞으로 1년간 은행에 예금하는 것이 현금 보유보다 유리하다.

THEME 15

금융 상품과 재무 계획

수능 실전 문제

본문 91~95쪽

01 ⑤	02 ①	03 ①	04 ④
05 ③	06 ⑤	07 ⑤	08 ②
09 ②	10 ⑤		

01 금융 상품의 이해

문제분석 시세 차익을 기대할 수 있는 금융 상품은 주식과 채권이며, 그 중 배당 수익을 기대할 수 있는 금융 상품은 주식이다. 따라서 A는 채권, B는 정기 예금, C는 주식이다.

정답찾기 ⑤ (가)에는 채권과 정기 예금에 대해 '예'라는 응답, 주식에 대해 '아니요'라는 응답이 가능한 질문이 들어갈 수 있다. 채권과 정기 예금은 모두 주식과 달리 이자 수익을 기대할 수 있다.

오답피하기 ① 채권과 정기 예금은 모두 배당 수익을 기대할 수 없다. 따라서 ㉠, ㉡은 모두 '아니요'이다.

② 채권은 정기 예금에 비해 안전성이 낮다.

③ 정기 예금은 주식에 비해 수익성이 낮다.

④ 정기 예금은 예금자 보호 제도의 적용 대상이며, 주식과 채권은 모두 예금자 보호 제도의 적용 대상이 아니다.

02 금융 상품의 이해

문제분석 A보다 B의 수익성이 높은 경우의 수는 'A-요구불 예금, B-주식', 'A-요구불 예금, B-채권', 'A-채권, B-주식'의 세 가지이다. 그런데 A는 C와 비교해 안전성이 낮으므로, A는 안전성이 가장 높은 요구불 예금이 될 수 없다. 따라서 A는 채권, B는 주식, C는 요구불 예금이다.

정답찾기 ㄱ. 채권의 보유자는 이자 수익을 기대할 수 있다.

ㄴ. 주식의 보유자는 주주로서의 지위를 가진다.

오답피하기 ㄷ. 요구불 예금의 보유자는 시세 차익을 기대할 수 없다. 시세 차익을 기대할 수 있는 금융 상품은 주식과 채권이다.

ㄹ. 입출금이 자유로운 요구불 예금은 주식에 비해 유동성이 높다.

03 주식과 채권의 이해

문제분석 채점 결과가 2점이므로 제시된 답안은 모두 옳은 내용이다. 배당 수익을 기대할 수 있는 금융 상품은 주식이다. 따라서 A는 채권, B는 주식이다.

정답찾기 ① 채권은 이자 수익을 기대할 수 있다.

오답피하기 ② 주식의 보유자는 채권자가 아니라 주주로서의 지위를 가진다. 따라서 주식은 발행 주체의 부채를 증가시키지 않는다.

③ 주식과 채권은 모두 제도적으로 원금이 보장되지 않는다.

④ 주식의 보유자는 주주로서의 지위를 가진다. 반면, 채권의 보유자는 채권자로서의 지위를 가진다.

⑤ (가)에는 채권과 구별되는 주식의 특징이 들어갈 수 있다. 시세 차익의 기대는 주식과 채권의 공통된 특징이므로 (가)에는 해당 내용이 들어갈 수 없다.

04 금융 상품의 특징 비교

문제분석 A는 수익성이 가장 높고, C는 안전성이 가장 높다. 따라서 A는 주식, B는 채권, C는 정기 예금이다.

정답찾기 ④ 만기를 정할 수 있는 금융 상품은 채권과 정기 예금이다.

오답피하기 ① 배당 수익을 기대할 수 있는 금융 상품은 주식이다.

② 이자 수익을 기대할 수 있는 금융 상품은 채권과 정기 예금이다.

③ 시세 차익을 기대할 수 있는 금융 상품은 주식과 채권이다.

⑤ 예금자 보호 제도의 적용 대상은 정기 예금이다.

05 금융 자산 포트폴리오의 분석

문제분석 갑의 t 시점 금융 자산의 가치를 a, t+1 시점 금융 자산의 가치를 b라고 가정한다면 t 시점 주식의 가치는 0.5a이고, t+1 시점 주식의 가치는 0.56b이며, 0.56b-0.5a=400만 원이다. 갑의 t 시점 요구불 예금의 가치는 0.1a이고, t+1 시점 요구불 예금의 가치는 0.08b이며, 0.1a=0.08b이다. 이를 정리하면 a는 2,000만 원이고, b는 2,500만 원이다.

정답찾기 ③ t+1 시점에서 갑의 전체 금융 자산의 가치는 2,500만 원이다.

오답피하기 ① (가)는 '2,000'이다.

② 제시된 금융 상품 중 저축성 예금에 해당하는 금융 상품은 정기 예금이다. t 시점에 정기 예금에 투자한 금액은 300만 원이다.

④ t 시점 채권의 가치는 500만 원, t+1 시점 채권의 가치는 550만 원이다. 두 시점 사이 채권의 가치는 50만 원 증가하였다.

⑤ 시세 차익을 기대할 수 있는 금융 상품은 주식과 채권이다. 두 금융 상품의 비중은 t 시점 75%에서 t+1 시점 78%로 증가하였다.

06 금융 상품의 이해

문제분석 갑과 을의 답변은 옳으며, A와 B는 모두 시세 차익을 기대할 수 있으므로 C는 정기 예금이다. 또한 A는 이자 수익을 기대할 수 없으므로 주식이며, B는 채권이다.

정답찾기 ㄷ. 원금 손실 위험을 기피하는 투자자일수록 안전한 금융 상품을 선호할 것이다. 따라서 주식보다 정기 예금을 선호할 것이다.

ㄹ. (가)에는 옳은 설명이 들어가야 한다. 채권은 채무자가 채권자에게 원금과 이자를 상환해야 한다는 점에서 주식과 달리 발행 주체의 부채를 증가시킨다. 따라서 (가)에는 해당 내용이 들어갈 수 있다.

오답피하기 ㄱ. 주식은 만기가 존재하지 않으며, 원금이 보장되지 않는다.

ㄴ. 기업과 정부는 모두 채권을 발행할 수 있다.

07 금융 상품의 이해

문제분석 시세 차익을 기대할 수 없는 금융 상품은 정기 예금이다. 따라서 A는 정기 예금이고, B와 C는 각각 주식과 채권 중 하나이다.

정답찾기 ㄷ. 배당 수익을 기대할 수 있는 금융 상품은 주식이다. 따라서 (가)에 해당 질문이 들어가면 B는 채권, C는 주식이다. 채권은 주식에 비해 수익성이 낮다.
ㄹ. 채권은 주식과 달리 만기를 정할 수 있다. 따라서 B는 주식, C는 채권이다. 채권은 이자 수익을 기대할 수 있으므로 (가)에는 해당 질문이 들어갈 수 있다.
오답피하기 ㄱ. 정기 예금은 주식 및 채권에 비해 안전성이 높다.
ㄴ. 주식과 채권은 모두 예금자 보호 제도의 적용 대상이 아니므로 (가)에는 해당 질문이 들어갈 수 없다.

08 금융 자산 포트폴리오의 분석

문제분석 조정 전에는 주식, 채권, 저축성 예금의 순으로 포트폴리오 비중이 높았으나, 조정 후에는 저축성 예금, 주식, 채권의 순으로 포트폴리오 비중이 높다.
정답찾기 ㄱ. 금융 위기의 파장이 확산될 경우 금융 자산의 위험성이 높아질 수 있다. 조정 전과 비교하여 조정 후 안전성이 높은 저축성 예금의 비중이 높아졌다는 점에서 (가)에는 '안전성'이 들어갈 수 있다.
ㄷ. 이자 수익을 기대할 수 있는 금융 상품은 저축성 예금과 채권이다. 이들 금융 상품의 비중은 A에서 40%, B에서 80%이다.
오답피하기 ㄴ. 시세 차익을 기대할 수 있는 금융 상품은 주식과 채권이다. 이들 금융 상품의 비중은 A에서 90%, B에서 30%이다.
ㄹ. 만기를 정할 수 있는 금융 상품은 채권과 저축성 예금이고, 만기를 정할 수 없는 금융 상품은 주식이다. 만기를 정할 수 있는 금융 상품의 비중은 A에서 40%, B에서 80%이고, 만기를 정할 수 없는 금융 상품의 비중은 A에서 60%, B에서 20%이다. A에서는 만기를 정할 수 없는 금융 상품의 비중이, B에서는 만기를 정할 수 있는 금융 상품의 비중이 크다.

09 금융 상품의 이해

문제분석 〈카드 1〉은 주식에만 해당하는 특징으로 3점, 〈카드 2〉는 채권과 정기 예금에 해당하는 특징으로 4점, 〈카드 3〉은 주식과 채권에 해당하는 특징으로 4점, 〈카드 4〉는 채권과 정기 예금에 해당하는 특징으로 4점, 〈카드 5〉는 채권에만 해당하는 특징으로 2점, 〈카드 6〉은 정기 예금에만 해당하는 특징으로 1점이다. 이를 계산하면 갑은 9점, 을은 10점, 병은 9점을 받게 된다.
정답찾기 ㄱ. 가장 높은 점수를 받은 학생은 을이다.
ㄹ. 을과 병은 모두 4점에 해당하는 카드를 두 장씩 뽑았다.
오답피하기 ㄴ. 병이 뽑은 카드 중 주식에 해당하는 특징이 적힌 카드는 없다.
ㄷ. 을은 채권에 해당하는 특징이 적힌 카드를 세 장 뽑았다.

10 생애 주기 곡선의 이해

문제분석 생애 주기 곡선은 생애 주기에 따른 소득과 소비를 곡선 형태로 나타낸 것이다.
정답찾기 ⑤ A 시점 이후 소득의 합과 소비의 합이 일치한다면, 양(+)의 저축에 해당하는 (나)의 면적은 음(−)의 저축에 해당하는 (가)와 (다) 면적의 합과 일치하게 된다.
오답피하기 ① 누적 저축액은 D 시점에서 최대가 된다.
② D 시점 이후 소득이 소비보다 빠르게 감소하므로 소득에 대한 소비의 비는 작아지지 않는다.
③ A~B 기간에 소비가 소득보다 많으므로 저축이 발생하지 않는다.
④ B~C 기간에 소득이 소비보다 빠르게 증가하는 구간이 존재하므로 소득 증가율은 소비 증가율보다 낮지 않다.

실전 모의고사 1회 본문 96~100쪽

1 ⑤	2 ④	3 ④	4 ④	5 ②
6 ④	7 ⑤	8 ⑤	9 ④	10 ④
11 ③	12 ⑤	13 ②	14 ②	15 ②
16 ④	17 ①	18 ④	19 ⑤	20 ④

1 민간 경제의 흐름 이해

문제분석 그림에서 A는 기업, B는 가계이다. ㉠은 재화와 서비스, ㉡은 소비 지출, ㉢은 요소 소득(지대, 임금, 이자)이다.

정답찾기 ⑤ 요소 소득의 증가는 소비 지출의 증가 요인이다.

오답피하기 ① A는 기업이다. 재정 활동의 주체는 정부이다.
② B는 가계이다. 가계는 효용의 극대화를 추구한다. 이윤의 극대화를 추구하는 경제 주체는 기업이다.
③ ㉠은 재화와 서비스이다. 노동은 생산 요소에 해당한다.
④ ㉢은 요소 소득(지대, 임금, 이자)이다. 이는 가계가 생산 요소를 제공하고 받은 대가에 해당한다.

2 경제 활동의 유형과 객체의 이해

문제분석 '갑은 유료 인터넷 경제 강의를 판매 목적으로 제작하였다.'는 사례를 토대로 A는 생산, B는 소비, C는 재화, D는 서비스임을 알 수 있다.

정답찾기 ④ A는 생산, B는 소비이다. 따라서 (가)는 (다)와 달리 부가 가치를 창출하는 경제 활동의 사례에 해당한다.

오답피하기 ① 만족감을 얻기 위한 경제 활동은 소비이다.
② C는 재화, D는 서비스이다. 재화와 서비스는 모두 생산물 시장에서 거래된다.
③ 자동차 공장에서 판매를 목적으로 자동차를 생산한 사례는 재화를 생산한 것에 해당하므로 (가)에 들어갈 수 있다.
⑤ (가)의 경제 주체는 기업이고, (나)의 경제 주체는 가계이다. 가계는 생산 요소 시장의 공급자 역할을 한다.

3 수요와 공급의 이해

문제분석 X재 시장의 연도별 시장 균형점을 그림으로 나타내면 다음과 같다.

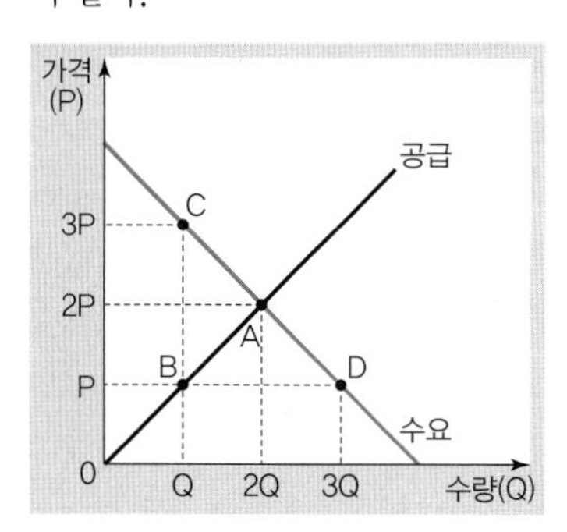

갑과 을 중에서 한 명만 옳게 발표하였고 갑의 발표 내용은 옳다. 따라서 (가)에는 틀린 내용이 들어가야 한다.

정답찾기 ㄱ. X재와 대체 관계에 있는 재화의 공급 증가는 X재의 수요 감소 요인이므로 X재 수요 곡선은 좌측으로 이동하게 된다. 따라서 X재와 대체 관계에 있는 재화의 공급 증가는 A에서 B로의 이동 요인이다.
ㄷ. 수요자의 X재 가격 상승 예상은 X재 수요 증가 요인이며, 공급자의 X재 가격 상승 예상은 X재 공급 감소 요인이다. B에서 C로의 이동은 X재의 수요 증가와 공급 감소가 동시에 나타나야 하므로 옳은 내용이다. 따라서 (가)에는 해당 내용이 들어갈 수 없다.
ㄹ. 균형점이 B일 경우의 판매 수입은 D일 경우보다 작다. 따라서 '균형점이 B일 경우의 판매 수입은 D일 경우보다 큽니다.'는 틀린 내용이므로 (가)에는 해당 내용이 들어갈 수 있다.

오답피하기 ㄴ. B에서 C로의 이동 요인은 X재의 수요 증가와 공급 감소의 동시 발생이다. 따라서 X재의 수요 곡선은 우측으로 이동하고, 공급 곡선은 좌측으로 이동한다.

4 경제 체제의 유형 이해

문제분석 '개별 경제 주체의 자율성을 중시합니까?'에 대해 '예'라고 답한 A는 시장 경제 체제이고, '아니요'라고 답한 B는 계획 경제 체제이다.

정답찾기 ④ 생산 방법을 정부가 결정하는 것은 계획 경제 체제의 특징에 해당한다. 따라서 (가)에는 해당 질문이 들어갈 수 있다.

오답피하기 ① A는 시장 경제 체제이다. 시장 경제 체제에서는 '보이지 않는 손'의 기능을 중시한다.
② B는 계획 경제 체제이다. 계획 경제 체제에서는 생산 수단의 국공유화를 원칙으로 한다.
③ 최소의 정부가 최선의 정부라는 것는 작은 정부의 입장이다. 계획 경제 체제가 최소의 정부가 최선의 정부임을 강조한다고 보기 어렵다.
⑤ 희소성에 따른 경제 문제는 어느 경제 체제에서나 모두 발생한다. 따라서 (가)에는 해당 질문이 들어갈 수 없다.

5 합리적 소비의 이해

문제분석 제시된 자료를 바탕으로 X재, Y재 각각의 소비에 따른 총효용과 X재와 Y재 각각 1개를 추가로 소비할 때의 효용의 증가분을 구하면 다음과 같다.

소비량	1개	2개	3개	4개	5개
X재 총효용	100	180	230	250	260
Y재 총효용	130	220	280	320	350

소비량	1개째	2개째	3개째	4개째	5개째
X재 효용의 증가분	100	80	50	20	10
Y재 효용의 증가분	130	90	60	40	30

정답찾기 ② X재 2개와 Y재 3개를 소비할 때 총효용이 460으로 가장 크므로 합리적 선택이다.

오답피하기 ① X재 5개 소비의 총효용은 260이다.
③ 2개째 소비할 경우 효용의 증가분은 X재의 경우 80, Y재의 경우 90이므로 X재가 Y재보다 작다.
④ X재 소비량이 증가할 때 X재의 총효용은 지속적으로 증가한다.
⑤ Y재 소비량이 증가함에 따라 Y재 1개를 추가로 소비할 때 얻는 효용의 증가분은 지속적으로 감소한다.

6 실질 GDP 변동률과 명목 GDP 변동률의 이해

문제분석 기준 연도는 2019년이므로 2019년의 명목 GDP와 실질 GDP는 같다. GDP 디플레이터는 '(명목 GDP/실질 GDP)×100'으로 측정하므로, 이를 통해 물가 수준의 변동 상황을 파악할 수 있다.

정답찾기 ㄴ. 전년 대비 2022년의 실질 GDP 변동률은 영(0)이다. 따라서 2021년과 2022년의 실질 GDP는 같다. 그러므로 2022년의 경제 성장률은 영(0)이다.

ㄹ. 전년 대비 2023년의 실질 GDP 변동률은 −2%이고, 명목 GDP 변동률은 −1%이다. 따라서 실질 GDP가 명목 GDP보다 더 감소하였으므로 전년 대비 2023년의 물가 수준은 상승하였다. 이는 화폐 구매력 하락 요인이다.

오답피하기 ㄱ. 전년 대비 2022년의 실질 GDP 변동률은 영(0)이고, 명목 GDP 변동률은 1%이다. 따라서 전년 대비 2022년의 물가 수준은 상승하였으므로 2021년의 물가 수준이 가장 높다고 보기 어렵다.

ㄷ. 전년 대비 2020년의 실질 GDP 변동률은 1%이고, 명목 GDP 변동률은 2%이므로 실질 GDP보다 명목 GDP가 더 증가하였다. 따라서 전년 대비 2020년의 물가 수준은 상승하였다.

7 합리적 선택의 이해

문제분석 제시된 자료를 바탕으로 갑이 X재~Z재를 구입할 경우 각각의 기회비용, 명시적 비용, 순편익을 구하면 다음과 같다.

(단위: 달러)

구분	X재	Y재	Z재
편익	400	200	300
기회비용	350	350	350
암묵적 비용	150	200	200
명시적 비용	200	150	150
순편익	50	−150	−50

정답찾기 ⑤ Y재를 구입할 경우의 순편익은 −150달러, Z재를 구입할 경우의 순편익은 −50달러이다.

오답피하기 ① X재를 구입할 경우의 암묵적 비용은 150달러, Y재를 구입할 경우의 암묵적 비용은 200달러이다. 따라서 Z재를 구입할 경우의 암묵적 비용은 200달러이다. 그러므로 ㉠은 '200'이다.

② X재~Z재를 구입할 경우의 기회비용은 각각 350달러로 같다.

③ X재를 구입할 경우의 기회비용은 350달러이다.

④ Z재를 구입할 경우의 명시적 비용과 Y재를 구입할 경우의 명시적 비용은 각각 150달러로 같다.

8 금융 상품의 이해

문제분석 '배당 수익을 기대할 수 있습니까?'에 대해 '예'라고 답한 A는 주식이다. B, C는 (가)의 질문에 따라 각각 정기 예금과 채권 중 하나이다.

정답찾기 ㄷ. '시세 차익을 기대할 수 있습니까?'에 대해 '예'라고 답한 B는 채권이다. 채권은 주식에 비해 수익성이 낮다.

ㄹ. '예금자 보호 제도의 적용 대상입니까?'에 대해 '예'라고 답한 B는 정기 예금이고, '아니요'라고 답한 C는 채권이다. 일반적으로 채권은 정기 예금과 달리 시세 차익을 기대할 수 있다.

오답피하기 ㄱ. 기업은 주식의 발행 주체에 해당한다.

ㄴ. B, C는 각각 정기 예금과 채권 중 하나이다. 정기 예금과 채권은 모두 이자 수익을 기대할 수 있으므로 (가)에는 해당 질문이 들어갈 수 없다.

9 평균 수입과 평균 비용의 분석

문제분석 제시된 자료를 바탕으로 t년과 t+1년 각각의 X재 생산에 따른 총수입과 총비용, 이윤을 구하면 다음과 같다.

〈t년〉

생산량(개)	1	2	3	4
평균 수입(달러)	200	200	200	200
평균 비용(달러)	220	180	160	220
총수입(달러)	200	400	600	800
총비용(달러)	220	360	480	880
이윤(달러)	−20	40	120	−80

〈t+1년〉

생산량(개)	1	2	3	4
평균 수입(달러)	200	200	200	200
평균 비용(달러)	110	90	80	110
총수입(달러)	200	400	600	800
총비용(달러)	110	180	240	440
이윤(달러)	90	220	360	360

정답찾기 ④ 생산량이 4개일 때 t년의 이윤은 −80달러, t+1년의 이윤은 360달러이다.

오답피하기 ① t년에 생산량이 2개일 때의 총수입은 400달러로 생산량이 1개일 때보다 크다.

② t+1년에 생산량이 4개일 때의 총비용은 440달러로 가장 크다.

③ t+1년에 생산량이 1개~4개일 때의 이윤은 모두 양(+)의 값이다.

⑤ X재 1개를 추가로 생산할 때 발생하는 수입의 증가분은 연도에 관계없이 200달러로 일정하다.

10 외부 효과의 이해

문제분석 X재 시장의 외부 효과는 소비 측면의 외부 효과이다. 단, 갑의 주장이 옳다면 X재 시장에는 긍정적인 외부 효과가 발생한 것이고, 을의 주장이 옳다면 부정적인 외부 효과가 발생한 것이다.

정답찾기 ④ 을의 주장이 옳다면, X재 시장에는 소비 측면의 부정적인 외부 효과가 발생한 것이다. 따라서 정부는 X재 소비자에게 X재 개당 P_2P_4만큼의 세금을 부과하여 자원의 효율적 배분을 유도할 수 있다.

오답피하기 ① 갑의 주장이 옳다면, X재 시장에는 소비 측면의 긍정적인 외부 효과가 발생한 것이다.

② 을의 주장이 옳다면, X재 시장에는 소비 측면의 부정적인 외부 효과가 발생한 것이다.

③ 갑의 주장이 옳다면, 정부는 X재 소비자에게 X재 개당 P_1P_3만큼의 보조금을 지급하여 자원의 효율적 배분을 유도할 수 있다.

⑤ X재 시장 균형 거래량은 갑의 주장이 옳을 경우가 Q_1이고, 을의 주장이 옳을 경우가 Q_2이다.

11 경제 성장률과 물가 상승률의 이해

문제분석 경제 성장률이 양(+)의 값이면 전년 대비 실질 GDP는 증가, 경제 성장률이 음(-)의 값이면 전년 대비 실질 GDP는 감소한 것이다. 연도별 변화가 총수요와 총공급 중 하나만의 변동으로 나타난다는 점에 유의해야 한다.

정답찾기 ③ 2022년의 경제 성장률은 -1%이고, 전년 대비 물가 상승률은 -2%이다. 실질 GDP는 감소하고 물가 수준은 하락한 것이다. 따라서 총수요 감소가 전년 대비 2022년의 변화 요인이다. 소비 지출의 감소는 총수요 감소 요인이다.

오답피하기 ① 2020년의 경제 성장률은 0.5%이므로 전년 대비 2020년의 실질 GDP는 증가하였다. 2020년의 전년 대비 물가 상승률은 1%이므로 전년 대비 2020년의 물가 수준은 상승하였다. 경제 성장률보다 전년 대비 물가 상승률이 높으므로 명목 GDP는 증가하였다. 즉, 실질 GDP 증가율보다 명목 GDP 증가율이 높다.
② 2021년의 경제 성장률은 2%이므로 실질 GDP는 증가하였다. 2021년의 전년 대비 물가 상승률은 1%이므로 물가 수준은 상승하였다. 따라서 총수요 증가가 전년 대비 2021년의 변화 요인이다. 수입 원자재 가격의 상승은 총공급 감소 요인이다.
④ 2022년의 경제 성장률은 -1%이고, 2023년의 경제 성장률은 1%이다. 따라서 2021년의 실질 GDP보다 2023년의 실질 GDP가 작다.
⑤ 2023년의 경제 성장률과 전년 대비 물가 상승률이 모두 1%이므로 명목 GDP 증가율은 실질 GDP 증가율보다 높다.

12 교역 발생 원리의 이해

문제분석 X재 1개 생산의 기회비용은 갑국의 경우 Y재 8개, 을국의 경우 Y재 7개이다. 따라서 비교 우위론에 따르면 갑국은 Y재에, 을국은 X재에 특화한다.

정답찾기 ⑤ 비교 우위론에 따르면 갑국은 Y재에 특화하므로 Y재만 400개 생산하고, 을국은 X재에 특화하므로 X재만 60개 생산한다. 을국이 X재 30개와 Y재 220개를 소비한다면, 을국은 X재 30개를 갑국에 주고 갑국으로부터 Y재 220개를 받을 수 있다. 따라서 갑국은 X재 30개와 Y재 180개의 소비가 가능하다.

오답피하기 ① 갑국의 X재 1개 생산의 기회비용은 Y재 8개이다.
② 을국의 Y재 1개 생산의 기회비용은 X재 1/7개이다.
③ X재 1개가 Y재 6.5개와 교환되는 조건이라면, 갑국은 교역을 하려고 하지만 을국은 교역을 하려고 하지 않을 것이다.
④ X재 1개가 Y재 7.5개와 교환되는 조건이라면, 갑국과 을국은 모두 교역을 하려고 할 것이다.

13 경제 안정화 정책의 이해

문제분석 제시된 자료에서 경기 침체기에 대한 대책으로 확대 재정 정책과 확대 통화 정책을 파악해야 한다.

정답찾기 ② 경기 침체기에 대한 적절한 재정 정책은 확대 재정 정책이다. 이는 총수요를 증가시켜 실질 GDP 증가 요인으로 작용한다.

오답피하기 ① 소득세율 인상은 총수요 감소 요인이다. 따라서 경기 침체기에 적절한 재정 정책으로 보기 어렵다.
③ 지급 준비율 인상은 통화량 감소 요인이다. 따라서 경기 침체기에 적절한 통화 정책으로 보기 어렵다.
④ 경기 침체기에 적절한 통화 정책은 통화량을 증가시키는 확대 통화 정책이다. 통화량의 증가는 화폐 가치 하락 요인이다.
⑤ 경기 침체기에 적절한 재정 정책과 통화 정책은 모두 통화량 증가 요인이다.

14 환율의 변동 추세 이해

문제분석 2/4분기 원/달러 환율 변동 추세가 지속될 경우 우리 기업이 미국에 상환해야 하는 외채 부담이 감소한다는 것은 원/달러 환율이 하락하는 추세임을 나타낸다. 엔/달러 환율 변동 추세가 지속될 경우 일본 기업이 미국에 상환해야 하는 외채 부담이 증가한다는 것은 엔/달러 환율이 상승하는 추세임을 나타낸다.

정답찾기 ㄱ. 원/달러 환율은 하락하는 추세이다.
ㄹ. 엔/달러 환율은 상승하는 추세이므로, 이는 미국에 수출하는 일본산 상품의 달러화 표시 가격을 하락시키는 요인이다.

오답피하기 ㄴ. 원/달러 환율은 하락하고 있으므로 미국에서 유학하고 있는 자녀를 둔 한국 부모의 학비 부담은 감소한다.
ㄷ. 엔/달러 환율은 상승하는 추세이므로, 이는 달러화 대비 엔화 가치의 하락을 의미한다.

15 외환 시장의 이해

문제분석 외화의 수요는 외국에 대한 수입 대금의 지급 등으로 외화가 해외로 유출되는 경우 발생하고, 외화의 공급은 외국으로부터 상품 수출 대금의 수취 등으로 외화가 국내로 유입되는 경우 발생한다.

정답찾기 ② 갑국에서 병국의 마그네슘 수입이 감소한 것은 갑국 외환 시장의 수요 감소 요인이다.

오답피하기 ① 갑국에서 을국의 옥수수 수입이 증가한 것은 갑국 외환 시장의 수요 증가 요인이다.
③ 을국에서 갑국의 반도체 수입이 감소한 것은 을국 외환 시장의 수요 감소 요인이다.
④ 병국에서 갑국의 반도체 수입이 증가한 것은 병국 외환 시장의 수요 증가 요인이다.
⑤ ㉠, ㉢은 달러화 대비 갑국 통화 가치의 하락 요인이다.

16 관세의 이해

문제분석 갑국이 X재 단위당 P_1P_2의 관세를 부과하기 전 갑국의 X재 수입량은 Q_1Q_4이고, X재 단위당 P_1P_2의 관세를 부과 후 갑국의 X재 수입량은 Q_2Q_3이다.

정답찾기 ㄱ. 갑국이 X재 단위당 P_1P_2의 관세를 부과하기 이전에는 국제 가격 P_2로 X재를 수입하므로 갑국의 X재 수입량은 Q_1Q_4이다.
ㄷ. 갑국이 X재 단위당 P_1P_2의 관세를 부과하면 갑국의 X재 국내 소비량은 Q_4에서 Q_3으로 감소한다.
ㄹ. 갑국이 X재 단위당 P_1P_2의 관세를 부과하면 갑국의 X재 국내 생산량은 Q_1에서 Q_2로 증가한다.

오답피하기 ㄴ. 갑국이 X재 단위당 P_1P_2의 관세 부과로 인해 갑국의 X재 수입량은 Q_1Q_4에서 Q_2Q_3으로 감소한다.

17 국민 경제 균형점의 이해

문제분석 갑국의 최초 국민 경제 균형점이 A 방향으로 변화하면 물가 수준은 상승하고 실질 GDP는 감소한다. 총공급 감소는 이 변화의 요인이다. B 방향으로 변화하면 물가 수준은 상승하고 실질 GDP는 증가한다. 총수요 증가는 이 변화의 요인이다. C 방향으로 변화하면 물가 수준은 하락하고 실질 GDP는 감소한다. 총수요 감소는 이 변화의 요인이다. D 방향으로 변화하면 물가 수준은 하락하고 실질 GDP는 증가한다. 총공급 증가는 이 변화의 요인이다.

정답찾기 ㄱ. 총공급 감소는 물가 수준의 상승과 실질 GDP의 감소 요인이다. 따라서 A로의 이동 요인이다.

ㄴ. 총수요 증가는 물가 수준의 상승과 실질 GDP의 증가 요인이다. 따라서 B로의 이동 요인이다.

오답피하기 ㄷ. 기업의 투자 지출 확대는 총수요를 증가시켜 물가 수준의 상승과 실질 GDP의 증가 요인이다. 따라서 B로의 이동 요인이다.

ㄹ. 국제 원자재 가격의 상승은 총공급을 감소시켜 물가 수준의 상승과 실질 GDP의 감소 요인이다. 따라서 A로의 이동 요인이다.

18 고용 지표의 이해

문제분석 t년 대비 t+1년의 변화를 보면 실업률은 변함이 없고 고용률은 상승하였다. 따라서 취업자 수와 실업자 수는 증가(경제 활동 인구 증가)하였고, 비경제 활동 인구는 감소하였다. t+1년 대비 t+2년의 변화를 보면 고용률은 변함이 없고 실업률은 하락하였다. 따라서 취업자 수는 변함이 없고, 실업자 수는 감소하였고, 비경제 활동 인구는 증가하였다.

정답찾기 ④ t+1년 대비 t+2년에 취업자 수는 변함이 없고 실업자 수는 감소하였다. 따라서 실업자 수의 감소분과 경제 활동 인구의 감소분은 같다.

오답피하기 ① t년 대비 t+1년에 취업자 수는 증가하였다.

② t년 대비 t+1년에 취업자 수와 실업자 수는 증가하였다. 따라서 경제 활동 인구의 증가분이 실업자 수의 증가분보다 크다.

③ t+1년 대비 t+2년에 취업자 수는 변함이 없다.

⑤ 비경제 활동 인구의 감소는 t년 대비 t+1년의 변화에 해당한다.

19 실질 GDP와 명목 GDP의 이해

문제분석 기준 연도는 2019년이고, 전년 대비 2020년의 물가 수준은 하락하였으므로 A는 실질 GDP, B는 명목 GDP이다.

정답찾기 ⑤ 전년 대비 2020년의 실질 GDP는 100억 달러에서 110억 달러로 증가하였으므로 2020년의 경제 성장률은 양(+)의 값이다. 전년 대비 2023년의 실질 GDP는 100억 달러에서 80억 달러로 감소하였으므로 2023년의 경제 성장률은 음(−)의 값이다.

오답피하기 ① A는 실질 GDP이다. 해당 연도의 가격으로 계산한 GDP는 명목 GDP이다.

② 전년 대비 2021년의 실질 GDP는 감소하였고 명목 GDP는 증가하였으므로 물가 수준은 상승하였다.

③ 명목 GDP는 B이다. 전년 대비 2022년의 명목 GDP는 증가하였다.

④ 2020년의 GDP 디플레이터는 약 90.9이고, 2023년의 GDP 디플레이터는 112.5이다. 따라서 GDP 디플레이터는 2023년이 2020년보다 크다.

20 정부의 가격 정책 이해

문제분석 갑국의 X재 시장을 나타내면 다음과 같다.

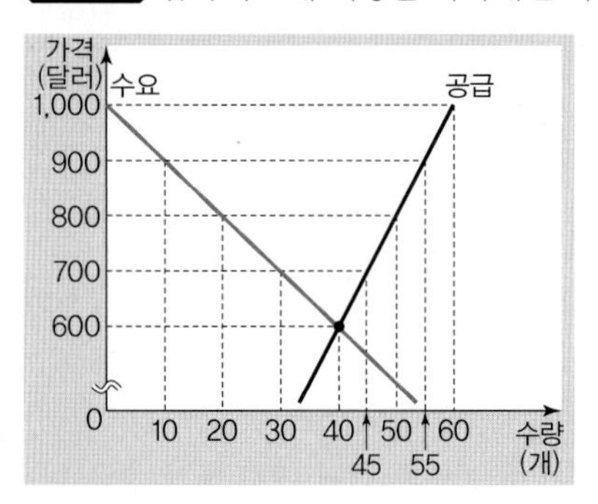

정답찾기 ④ (나)의 경우 공급 곡선이 좌측으로 이동하여 균형 거래량은 감소한다.

오답피하기 ① (가)의 경우 소비자 잉여는 감소한다.

② (가)의 경우 최저 가격은 600달러보다 높아야 한다.

③ (가)의 경우 X재 공급이 증가하면 X재의 초과 공급은 증가한다.

⑤ (나)의 경우 균형 가격은 600달러와 700달러 사이에서 결정된다.

실전 모의고사 2회 본문 101~105쪽

1 ①	2 ②	3 ②	4 ③	5 ②
6 ⑤	7 ②	8 ④	9 ⑤	10 ②
11 ③	12 ①	13 ②	14 ③	15 ④
16 ⑤	17 ⑤	18 ④	19 ①	20 ②

1 민간 경제의 순환 이해

문제분석 가정주부 갑이 인터넷 사이트에서 주방용품을 구입하는 것은 생산물 시장에서 이루어지는 활동이다. 따라서 (가)는 생산물 시장, (나)는 생산 요소 시장이고, A는 가계, B는 기업이다.

정답찾기 ① 가계는 효용의 극대화를 추구한다.

오답피하기 ② 기업은 생산물 시장의 공급자이며, 생산 요소 시장의 수요자이다.
③ 재화는 생산물 시장에서 거래된다.
④ ㉠은 재화와 서비스이다. 자본은 생산 요소 시장에서 거래된다.
⑤ ㉡은 기업이 가계로부터 생산 요소를 제공받은 대가로 지급하는 임금, 이자, 지대 등이다.

2 배제성과 경합성의 이해

문제분석 경합성이 없는 치안 서비스와 달리 경합성이 있는 노트북, 공공 목초지는 한 사람의 소비가 다른 사람의 소비를 감소시킨다. 따라서 A는 치안 서비스이다. 배제성이 있는 노트북과 달리 배제성이 없는 공공 목초지, 치안 서비스는 대가를 지불하지 않은 사람의 소비를 막을 수 없다. 따라서 B는 노트북이고, 나머지 하나인 C는 공공 목초지이다.

정답찾기 ㄱ. 치안 서비스는 경합성과 배제성이 모두 없다.
ㄷ. 공유 자원인 공공 목초지는 남용되어 고갈되는 문제가 발생할 수 있다.

오답피하기 ㄴ. 노트북은 경합성과 배제성이 모두 있다.
ㄹ. 공공재인 치안 서비스는 시장에서 사회적 최적 수준보다 과소 생산된다.

3 합리적 선택의 이해

문제분석 C 선택의 암묵적 비용은 'A 선택의 편익－A 선택의 명시적 비용'과 'B 선택의 편익－B 선택의 명시적 비용' 중 큰 값이다. 만약 (가)가 명시적 비용, (나)가 암묵적 비용일 경우 C 선택의 암묵적 비용이 32만 원이 될 수 없다. 따라서 (가)는 암묵적 비용, (나)는 명시적 비용이다. 그리고 대안이 3개 이상일 경우 비합리적 선택들의 암묵적 비용은 동일하다. A, C를 선택했을 때의 (가)가 10만 원으로 동일하므로 갑은 B를 선택하는 것이 합리적이다.

정답찾기 ② B 선택의 암묵적 비용은 8만 원이고 'A 선택의 편익－A 선택의 명시적 비용'은 4만 원이므로 'C 선택의 편익－C 선택의 명시적 비용'은 8만 원이다. 따라서 ㉠은 '40'이다. 그리고 A 선택과 C 선택의 암묵적 비용이 각각 10만 원이므로 'B 선택의 편익－B 선택의 명시적 비용'은 10만 원이다. 따라서 ㉡은 '20'이다. 즉, ㉠은 ㉡의 2배이다.

오답피하기 ① (가)는 암묵적 비용, (나)는 명시적 비용이다.
③ A 선택의 순편익은 －6만 원, B 선택의 순편익은 2만 원, C 선택의 순편익은 －2만 원이다. 따라서 갑은 B를 선택한다.
④ 갑이 A를 선택했을 때의 순편익과 B를 선택했을 때의 순편익의 합은 －4만 원이다.
⑤ B를 선택했을 때의 편익만 3만 원 감소하여 27만 원이 되면 A 선택의 암묵적 비용은 'C 선택의 편익－C 선택의 명시적 비용'인 8만 원, C 선택의 암묵적 비용은 'B 선택의 편익－B 선택의 명시적 비용'인 7만 원이 된다. 따라서 A 선택의 순편익은 －4만 원, B 선택의 순편익은 －1만 원, C 선택의 순편익은 1만 원이 되어 갑의 선택은 B에서 C로 바뀐다.

4 기업의 의사 결정 이해

문제분석 X재의 가격이 A원이라고 가정하면, 생산량이 1개일 때의 총수입은 A원, 총비용은 0.9A원, 이윤은 0.1A원이다. 따라서 A는 1,000원이다. 이를 바탕으로 각 생산량에서의 총수입, 총비용, 이윤을 나타내면 표와 같다.

생산량(개)	1	2	3	4
총수입(원)	1,000	2,000	3,000	4,000
총비용(원)	900	1,600	2,400	3,600
이윤(원)	100	400	600	400

정답찾기 ③ 생산량이 3개일 때의 평균 수입은 1,000원, 평균 이윤은 200원이므로 ㉠은 '1/5'이다.

오답피하기 ① (가)는 '1,000'이다.
② (나)는 '3'이다.
④ 생산량이 4개일 때의 이윤은 400원으로, 생산량이 1개일 때의 이윤인 100원의 4배이다.
⑤ 생산량이 1개에서 2개로 증가할 때 총수입 증가분은 1,000원으로, 총비용 증가분인 700원보다 크다.

5 합리적 소비의 이해

문제분석 갑이 X재와 Y재를 소비할 때 얻는 각각의 효용과 용돈 5만 원을 모두 사용하는 X재와 Y재의 소비 조합에 따른 갑의 총효용을 나타내면 다음과 같다.

〈갑의 각 재화 소비량에 따른 재화별 효용〉

소비량(개)	1	2	3	4	5
X재 효용(만 원)	7	12	16	17	16
Y재 효용(만 원)	5	8	10	11	11

〈X재와 Y재의 소비 가능 조합에 따른 갑의 총효용〉

소비 가능 조합(X재, Y재)	(0, 5)	(1, 4)	(2, 3)	(3, 2)	(4, 1)	(5, 0)
총효용(만 원)	11	18	22	24	22	16

X재 3개와 Y재 2개를 소비할 때 갑의 총효용이 24만 원으로 가장 크므로 갑은 X재 3개와 Y재 2개를 소비한다.

정답찾기 ㄷ. 갑이 X재 소비를 통해 얻는 효용은 16만 원으로, Y재 소비를 통해 얻는 효용인 8만 원의 2배이다.

오답피하기 ㄱ. 갑이 얻는 총효용은 24만 원이다.
ㄴ. 갑의 X재 소비량(=3개)은 Y재 소비량(=2개)보다 1개 많다.

6 경제 체제의 이해

문제분석 시장 경제 체제는 계획 경제 체제와 달리 원칙적으로 생산 수단의 사적 소유를 인정한다. 첫 번째 질문에 A를 체크하여 0점을 얻었으므로 A는 계획 경제 체제, B는 시장 경제 체제이다.

정답찾기 ⑤ 계획 경제 체제는 시장 경제 체제와 달리 정부의 계획과 명령에 따른 경제 문제 해결을 강조하므로 (다)가 해당 내용이면 ㉠은 '0점'이다.

오답피하기 ① 시장 경제 체제는 계획 경제 체제와 달리 시장에서의 경제적 유인을 강조한다.
② 계획 경제 체제와 시장 경제 체제 모두에서 자원의 희소성으로 인한 경제 문제가 발생한다.
③ (가)에는 시장 경제 체제와 구분되는 계획 경제 체제의 특징이 들어가야 한다. 시장 경제 체제는 계획 경제 체제와 달리 민간 기업의 자유로운 경제 활동을 보장하므로 (가)에는 해당 내용이 들어갈 수 없다.
④ (나)에는 계획 경제 체제와 구분되는 시장 경제 체제의 특징이 들어가야 한다. 시장 경제 체제는 계획 경제 체제와 달리 자원 배분 과정에서 시장 가격의 역할을 강조하므로 (나)에는 해당 내용이 들어갈 수 있다.

7 경제적 잉여의 분석

문제분석 가격이 300원이면 수요량이 4개(D_2, D_3, D_4, D_5), 공급량이 3개(S_1, S_2, S_3)이고, 가격이 400원이면 수요량이 3개(D_3, D_4, D_5), 공급량이 4개(S_1, S_2, S_3, S_4)이므로 가격은 300원에서 400원 사이에서 결정되고 D_3, D_4, D_5가 구입하고, S_1, S_2, S_3가 판매한다.

정답찾기 ② 가격을 P원이라고 하면 D_3의 소비자 잉여는 '400원−P원', D_4의 소비자 잉여는 '500원−P원', D_5의 소비자 잉여는 '600원−P원'이고, S_1의 생산자 잉여는 'P원−100원', S_2의 생산자 잉여는 'P원−200원', S_3의 생산자 잉여는 'P원−300원'이다. 따라서 총잉여는 900원이다.

오답피하기 ① 가격이 300원에서 400원 사이일 때 수요량과 공급량은 3개로 일치한다. 따라서 거래량은 3개이다.
③ 소비 지출액은 900원보다 크고 1,200원보다 작다.
④ 정부가 생산자에게 생산 1개당 100원의 세금을 부과하면 각 생산자의 최소 요구 금액이 100원씩 증가하여 가격이 400원일 때 수요량과 공급량이 3개(D_3, D_4, D_5가 구입하고, S_1, S_2, S_3가 판매함.)로 일치한다. 따라서 거래량은 3개로 변함이 없다.
⑤ 정부가 소비자에게 소비 1개당 100원의 보조금을 지급하면 각 소비자의 최대 지불 용의 금액이 100원씩 증가하여 가격이 400원일 때 수요량과 공급량이 4개(D_2, D_3, D_4, D_5가 구입하고, S_1, S_2, S_3, S_4가 판매함.)로 일치한다. 따라서 가격 상승분은 100원 미만이다.

8 가격 규제 정책의 이해

문제분석 20달러를 가격 상한선으로 하는 최고 가격제를 시행하는 경우와 30달러를 가격 하한선으로 하는 최저 가격제를 시행하는 경우 모두 총잉여가 음영 처리된 부분만큼 감소한다.

정답찾기 ④ 20달러를 가격 상한선으로 하는 최고 가격제를 시행하는 경우의 소비자 잉여는 30달러를 가격 하한선으로 하는 최저 가격제를 시행하는 경우의 소비자 잉여보다 음영 처리된 부분만큼(=2,000달러) 크다.

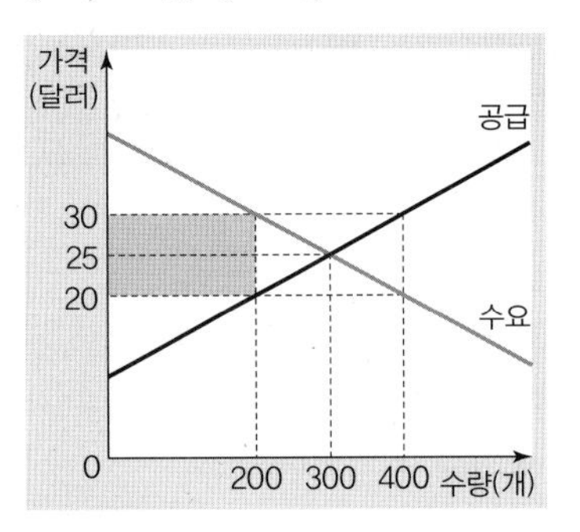

오답피하기 ① (가)는 '20', (나)는 '30'이다.
② 일반적으로 최고 가격제는 소비자(수요자) 보호를, 최저 가격제는 생산자(공급자) 보호를 목적으로 한다.
③ ㉠을 시행할 경우와 ㉡을 시행할 경우의 거래량은 각각 200개로 같다.
⑤ ㉠을 시행한 이후 모든 가격 수준에서 공급량이 100개씩 증가하더라도 시장 균형 가격은 가격 상한선인 20달러보다 높으므로 ㉠의 실효성은 사라지지 않는다.

9 외부 효과의 이해

문제분석 정부 개입 전 수요를 포함하여 나타내면 그림과 같고, 정부는 소비 측면의 외부 경제가 발생한 X재 시장에서 소비자에게 소비 1개당 20달러의 보조금을 지급하였다.

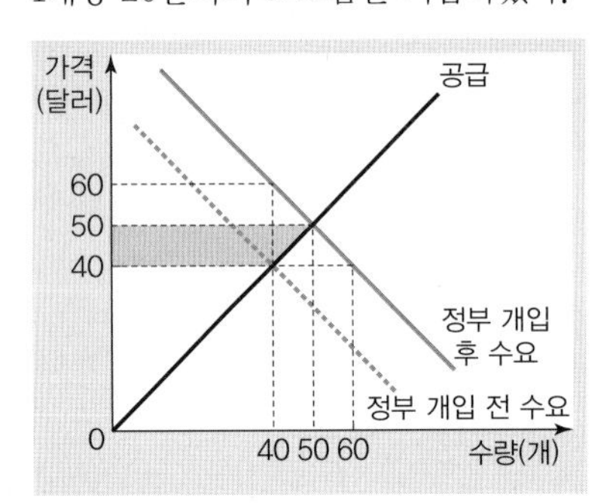

정답찾기 ⑤ 정부 개입 후 생산자 잉여는 정부 개입 전보다 그림에서 음영 처리된 부분만큼(=450달러) 크다.

오답피하기 ① (가)는 '20'이다.
② 소비 측면의 외부 경제는 사적 편익이 사회적 편익보다 작을 때 나타난다.
③ 정부 개입 전 균형 가격은 40달러로, 사회적 최적 수준에서의 가격인 50달러보다 10달러 낮다.
④ 정부 개입 후의 판매 수입은 2,500달러(=50달러×50개)로, 정부 개입 전 판매 수입인 1,600달러(=40달러×40개)보다 900달러 많다.

10 시장 균형의 변동 이해

문제분석 대체 관계인 재화의 균형 가격 상승(하락)은 수요 증가(감소) 요인이고, 보완 관계인 재화의 균형 가격 상승(하락)은 수요 감소(증가) 요인이며, 생산을 위한 핵심 부품의 균형 가격 상승(하락)

은 공급 감소(증가) 요인이다.

정답찾기 ② X재의 공급 감소는 X재 균형 가격 상승 요인이다. 따라서 ㉠이 '대체 관계'라면, Y재의 수요는 증가하므로 ㉡은 '상승'이다.

오답피하기 ① ㉡이 '상승'이라면, Z재의 공급이 감소하므로 ㉢은 '상승'이다.
③ ㉠이 '보완 관계'라면, Y재의 수요는 감소하므로 ㉡은 '하락'이다. ㉡이 '하락'이라면, Z재의 공급이 증가하므로 ㉢은 '하락'이다.
④ ㉠이 '대체 관계'라면, Y재의 수요는 증가하므로 Y재의 균형 거래량은 증가한다.
⑤ ㉠이 '보완 관계'라면, Y재의 수요는 감소하므로 ㉡은 '하락'이다. ㉡이 '하락'이라면, Z재의 공급이 증가하므로 Z재의 균형 거래량은 증가한다.

11 GDP의 이해

문제분석 t년에 수출 의존도는 10%이고, X재 가격은 10달러이므로 t+1년에 수출 의존도는 10%, X재의 가격은 12달러이다.

정답찾기 ㄱ. t+1년에 X재 가격이 12달러이므로 ㉡은 '120'이고, 수출 의존도가 10%이므로 ㉠은 '1,200'이다.
ㄷ. X재 가격이 t년에 10달러, t+1년에 12달러이고, 해당 연도의 가격으로 계산한 GDP, 즉 명목 GDP가 t년에 1,000달러, t+1년에 1,200달러이므로 X재 생산량은 t년과 t+1년이 각각 100개로 같다. 그리고 t년과 t+1년의 수출량이 각각 10개로 동일하므로 갑국의 X재 소비량은 t년과 t+1년이 각각 90개로 같다.

오답피하기 ㄴ. t년과 t+1년에 갑국의 X재 생산량이 각각 100개로 동일하므로 t년과 t+1년에 갑국의 실질 GDP는 같다. 따라서 t+1년에 갑국의 경제 성장률은 영(0)이다.

12 실질 GDP, 명목 GDP, GDP 디플레이터의 이해

문제분석 기준 연도인 t년의 GDP 디플레이터는 100이고, t년의 전년 대비 물가 상승률이 0%이므로 t-1년의 GDP 디플레이터 역시 100이다. 그리고 전년 대비 물가 상승률이 10%인 t+1년의 GDP 디플레이터는 110, t+2년의 GDP 디플레이터는 121이다.

정답찾기 ㄱ. t-1년의 GDP 디플레이터가 100이므로 t-1년의 실질 GDP는 명목 GDP와 같은 90억 달러이다. 따라서 ㉠은 '90'이다.
ㄴ. t+1년의 GDP 디플레이터가 110, t+2년의 GDP 디플레이터가 121이므로 ㉡과 ㉢은 각각 '121'로 같다.

오답피하기 ㄷ. t년의 경제 성장률은 '(10/90)×100'으로 10%가 넘고, t+1년의 경제 성장률은 '(10/100)×100'으로 10%이다. 따라서 t년의 경제 성장률은 t+1년보다 높다.
ㄹ. t+2년의 GDP 디플레이터는 t+1년보다 11 더 크다.

13 통화 정책의 이해

문제분석 경기 침체기에 실시하는 통화 정책은 통화량 증가, 이자율 하락을 통해 총수요를 증가시키는 것을 목표로 하는 확대 통화 정책이다. 경기 과열기에 실시하는 통화 정책은 통화량 감소, 이자율 상승을 통해 총수요를 감소시키는 것을 목표로 하는 긴축 통화 정책이다.

정답찾기 ② '국공채 매입'은 확대 통화 정책 수단이다. 따라서 (가)에는 해당 내용이 들어갈 수 있다.

오답피하기 ① ㉠은 ㉡과 달리 총수요를 증가시키는 것을 목표로 한다.
③ '지급 준비율 인하'는 확대 통화 정책 수단이다. 따라서 (나)에는 해당 내용이 들어갈 수 없다.
④ 갑은 확대 통화 정책 수단을, 을은 긴축 통화 정책 수단을 발표하였다.
⑤ 긴축 통화 정책 수단은 이자율 상승의 요인이다.

14 고용 지표의 이해

문제분석 '고용률/경제 활동 참가율'은 '취업자 수/경제 활동 인구', 즉 '취업자 수/(취업자 수+실업자 수)'를 의미한다. 이를 바탕으로 표와 같은 결과를 얻을 수 있다.

(단위: 만 명)

구분	2022년	2023년
취업자 수	18	19
실업자 수	2	1
경제 활동 인구	20	20
비경제 활동 인구	2	4
15세 이상 인구	22	24

정답찾기 ㄴ. 2022년의 실업자 수는 2만 명으로, 2023년의 실업자 수인 1만 명의 2배이다.
ㄷ. 경제 활동 참가율은 '(경제 활동 인구/15세 이상 인구)×100'으로 계산한다. 2022년의 경제 활동 참가율은 '(20/22)×100'으로, 2023년의 경제 활동 참가율인 '(20/24)×100'보다 높다.

오답피하기 ㄱ. 고용률은 '(취업자 수/15세 이상 인구)×100'으로 계산한다. 2022년의 고용률은 '(18/22)×100'으로 90%보다 낮다.
ㄹ. 2023년의 15세 이상 인구는 24만 명으로, 2022년의 15세 이상 인구인 22만 명보다 2만 명 많다.

15 환율의 변동 이해

문제분석 미국이 우리나라에 수출하는 X재의 달러화 표시 가격은 변함이 없고 X재의 원화 표시 가격은 하락하였으므로 원/달러 환율은 하락하였고, 미국이 일본에 수출하는 X재의 달러화 표시 가격은 변함이 없고 X재의 엔화 표시 가격은 상승하였으므로 엔/달러 환율은 상승하였다.

정답찾기 ④ 원/달러 환율의 하락은 우리나라 기업의 달러화 표시 채무 상환 부담을 감소시키는 요인이다.

오답피하기 ① 달러화 대비 원화 가치는 상승하였고, 달러화 대비 엔화 가치는 하락하였으므로 원화 대비 엔화 가치는 하락하였다.
② 우리나라 외환 시장에서 달러화의 수요 증가는 원/달러 환율의 상승 요인이다.
③ 일본 외환 시장에서 달러화의 공급 증가는 엔/달러 환율의 하락 요인이다.
⑤ 엔/달러 환율의 상승은 미국으로 자녀를 유학 보낸 일본 학부모의 학비 부담을 증가시키는 요인이다.

16 경상 수지의 이해

문제분석 갑국의 2023년 상품 수지 수취액을 100A억 달러라고 가정하면 서비스 수지 수취액은 40A억 달러, 본원 소득 수지 수취액은 30A억 달러, 이전 소득 수지 수취액은 10A억 달러이므로 경상 수지 수취액은 180A억 달러이다. 따라서 A는 0.5이다. 이를 바탕으로 갑국의 2023년 경상 수지 항목별 수취액과 지급액을 나타내면 다음과 같다.

(단위: 억 달러)

구분	수취액	지급액
상품 수지	50	40
서비스 수지	20	20
본원 소득 수지	15	20
이전 소득 수지	5	10
계	90	90

정답찾기 ⑤ 해외 무상 원조 금액이 포함되는 항목은 이전 소득 수지이다. 이전 소득 수지의 지급액은 10억 달러로, 수취액인 5억 달러의 2배이다.

오답피하기 ① 경상 수지는 균형을 기록하였다.
② 상품 수입액(상품 수지 지급액)은 40억 달러로, 상품 수출액(상품 수지 수취액)인 50억 달러의 80%이다.
③ 해외 지식 재산권 사용료가 포함되는 항목은 서비스 수지이다. 서비스 수지는 균형을 기록하였다.
④ 해외 투자에 따른 배당금이 포함되는 항목은 본원 소득 수지이다. 본원 소득 수지는 5억 달러 적자를 기록하였다.

17 관세 부과의 영향 분석

문제분석 X재를 관세 없이 국제 가격으로 수입할 때의 국내 공급량은 20개, 국제 가격에 2달러의 관세를 부과하여 수입할 때의 국내 공급량은 40개이므로 가격이 1달러 상승할 때마다 국내 공급량은 10개씩 증가한다. 이를 통해 갑국의 X재 국내 수요 곡선과 국내 공급 곡선을 나타내면 그림과 같다.

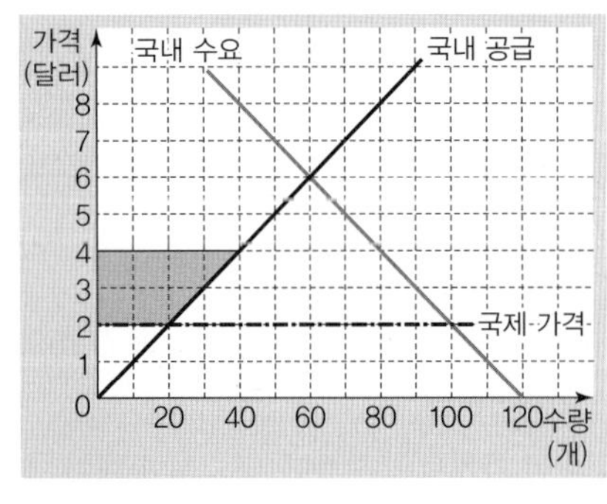

정답찾기 ⑤ 국내 생산자 잉여는 ㉡을 선택할 경우가 ㉠을 선택할 경우보다 그림에서 음영 처리된 부분만큼(=60달러) 크다.

오답피하기 ① ㉠을 선택할 경우 국내 거래 가격은 6달러에서 2달러로 약 66.7% 하락한다.
② ㉠을 선택할 경우 국내 소비자 지출액은 360달러(=6달러×60개)에서 200달러(=2달러×100개)로 160달러 감소한다.
③ ㉡을 선택할 경우 수입량은 40개, 개당 관세는 2달러이므로 관세 수입이 80달러 발생한다.
④ ㉠을 선택할 경우의 수입량은 80개로, ㉡을 선택할 경우의 수입량인 40개보다 40개 많다.

18 수입과 지출의 이해

문제분석 월 급여는 경상 소득인 근로 소득, 정기 예금 이자는 경상 소득인 재산 소득, 복권 당첨금은 비경상 소득에 해당한다. 세금 및 사회 보장 보험료·대출 이자는 비소비 지출, 노트북 구입비·식료품비 및 교통비·이동 통신 서비스 사용료는 소비 지출에 해당한다.

정답찾기 ④ 비소비 지출은 150만 원으로 비경상 소득인 100만 원보다 50만 원 많다.

오답피하기 ① 갑의 지난달 이전 소득은 없다.
② 경상 소득은 500만 원이다.
③ 근로 소득은 재산 소득의 4배이다.
⑤ 지출(=300만 원) 중 소비 지출(=150만 원)이 차지하는 비율은 50%이다.

19 금융 상품의 이해

문제분석 정기 예금, 주식, 채권 중 시세 차익을 기대할 수 있는 금융 상품은 주식과 채권이고, 이자 수익을 기대할 수 있는 금융 상품은 정기 예금과 채권이다. 따라서 A는 주식, B는 채권, C는 정기 예금이다.

정답찾기 ① 주식은 채권, 정기 예금과 달리 배당 수익을 기대할 수 있다. 따라서 (가)에는 해당 질문이 들어갈 수 있다.

오답피하기 ② 소유자가 주주로서의 지위를 가지는 금융 상품은 주식이다. 따라서 (나)에는 해당 질문이 들어갈 수 없다.
③ 일반적으로 수익성은 주식이 채권보다 높다.
④ 일반적으로 안전성은 정기 예금이 채권보다 높다.
⑤ 정기 예금은 주식, 채권과 달리 예금자 보호 제도의 적용 대상이다.

20 비교 우위의 이해

문제분석 갑국의 X재 최대 생산 가능량이 100개이므로 비교 우위 재화가 X재일 경우 t+1 시기에 갑국은 X재 100개와 Y재 100개를 동시에 소비할 수 없다. 따라서 갑국의 비교 우위 재화는 Y재, 을국의 비교 우위 재화는 X재이다.

정답찾기 ㄱ. X재는 을국의 비교 우위 재화이므로 X재 1개 생산의 기회비용은 갑국이 을국보다 크다.
ㄷ. t 시기에는 X재 40개와 Y재 20개가 교환되었고, t+1 시기에는 X재 100개와 Y재 100개가 교환되었다. 따라서 X재 1개당 교환된 Y재의 수량은 t 시기가 1/2개, t+1 시기가 1개이므로 t+1 시기가 t 시기의 2배이다.

오답피하기 ㄴ. 을국은 X재 생산에 비교 우위가 있으므로 을국의 X재 1개 소비의 기회비용은 교역 후인 t 시기가 교역 전인 t 시기 이전보다 크지만, Y재 1개 소비의 기회비용은 교역 후인 t 시기가 교역 전인 t 시기 이전보다 작다.
ㄹ. 을국의 X재 최대 생산 가능량이 150개라면, t+1 시기에 교역 후 을국의 X재 소비량은 50개로, t+1 시기에 교역 후 X재 소비량은 갑국이 을국보다 많다.

실전 모의고사 3회 본문 106~110쪽

1 ③	2 ⑤	3 ②	4 ②	5 ⑤
6 ⑤	7 ③	8 ②	9 ④	10 ③
11 ①	12 ④	13 ④	14 ③	15 ④
16 ①	17 ⑤	18 ②	19 ⑤	20 ④

1 민간 경제의 순환 이해

문제분석 제시된 그림에서 A, B는 각각 가계와 기업 중 하나이다.

정답찾기 ③ A가 생산 요소 시장의 공급자라면, A는 가계, B는 기업이며, ㉢은 기업이 생산 요소를 사용하고 지불하는 대가이다. 지대와 이자는 생산 요소인 토지와 자본의 대가이므로 ㉢에 해당한다.

오답피하기 ① A가 생산 활동의 주체라면, A는 기업, B는 가계이다. 따라서 재화와 서비스는 모두 ㉠에 해당한다.
② B가 효용의 극대화를 추구하는 주체라면, A는 기업, B는 가계이다. ㉡은 기업의 판매 수입이므로 임금은 ㉡에 해당하지 않는다.
④ 노동이 ㉠에, 임금이 ㉡에 해당하려면 (가)는 생산 요소 시장이어야 한다.
⑤ (가)가 생산 요소 시장이라면, A는 가계, B는 기업이다. 부가 가치를 창출하는 경제 활동의 주체는 기업이다.

2 경제 체제의 이해

문제분석 시장 가격 기구에 의한 경제 문제 해결을 중시하는 것은 시장 경제 체제이므로 A는 시장 경제 체제, B는 계획 경제 체제이다.

정답찾기 ⑤ 정부의 명령이나 계획에 따라 자원 배분이 이루어지는 경제 체제는 계획 경제 체제이다. 따라서 (다)에는 해당 질문이 들어갈 수 있다.

오답피하기 ① 원칙적으로 생산 수단의 사적 소유가 제한되는 경제 체제는 계획 경제 체제이므로 (가)에는 해당 질문이 들어갈 수 없다.
② 경제 문제 해결 과정에서 효율성보다 형평성을 중시하는 경제 체제는 계획 경제 체제이므로 (가)에는 해당 질문이 들어갈 수 없다.
③ 민간 경제 주체들 간의 자유로운 의사 결정을 중시하는 경제 체제는 시장 경제 체제이므로 (나)에는 해당 질문이 들어갈 수 없다.
④ 계획 경제 체제와 시장 경제 체제 모두에서 자원의 희소성으로 인한 경제 문제가 발생한다. 따라서 (다)에는 해당 질문이 들어갈 수 없다.

3 기회비용과 합리적 선택

문제분석 제시된 자료를 바탕으로 갑의 선택에 따른 편익, 기회비용, 순편익을 나타내면 다음과 같다.

(단위: 만 원)

제품		A사 제품	B사 제품	C사 제품
편익		20	30	40
기회비용		32	35	35
	명시적 비용	12	15	20
	암묵적 비용	20	20	15
순편익		−12	−5	5

정답찾기 ㄱ. A사 제품 구입의 암묵적 비용과 편익은 각각 20만 원으로 같다.
ㄷ. B사 제품 구입의 기회비용과 C사 제품 구입의 기회비용은 각각 35만 원으로 같다.

오답피하기 ㄴ. C사 제품 구입의 암묵적 비용은 명시적 비용보다 작다.
ㄹ. C사 제품 구입의 순편익은 B사 제품 구입의 순편익보다 10만 원 크다.

4 기업의 합리적 의사 결정 이해

문제분석 제시된 자료를 바탕으로 X재의 가격, 총수입, 총비용, 이윤을 나타내면 다음과 같다.

생산량(개)	1	2	3	4	5
가격(달러)	10	10	10	10	10
총수입(달러)	10	20	30	40	50
총비용(달러)	8	10	15	16	20
이윤(달러)	2	10	15	24	30

정답찾기 ② 생산량이 5개일 때의 총비용은 20달러로, 총수입인 50달러의 50%를 넘지 않는다.

오답피하기 ① 생산량이 5개일 때 이윤이 극대화된다.
③ 생산량을 1개 더 늘릴 때마다 추가적으로 발생하는 수입은 10달러로 일정하다.
④ 총수입에 대한 이윤의 비는 생산량이 2개일 때와 생산량이 3개일 때가 같다.
⑤ 생산량을 1개에서 2개로 늘릴 때 추가되는 비용은 생산량을 3개에서 4개로 늘릴 때 추가되는 비용보다 크다.

5 시장 균형의 변동 이해

문제분석 X재의 경우 균형 가격은 하락하였고 균형 거래량은 감소하였으므로 X재의 공급 곡선은 우상향하는 상황에서 X재의 수요는 감소하였다. Y재의 경우 균형 가격은 변동이 없고 판매 수입은 감소하였으므로 Y재의 공급 곡선은 가로축과 평행인 상황에서 Y재의 수요는 감소하였다. Z재의 경우 균형 가격은 상승하였고 균형 거래량은 변동이 없으므로 Z재의 공급 곡선은 가로축에 대해 수직인 상황에서 Z재의 수요는 증가하였다.

정답찾기 ⑤ 판매 수입 변동률은 X재가 음( )의 값, Z재가 양(+)의 값이다. 따라서 Z재는 X재와 달리 판매 수입이 증가하였다.

오답피하기 ① X재와 대체 관계에 있는 재화의 가격 상승은 X재의 수요 증가 요인이다.
② Z재는 X재와 달리 가격이 변동해도 공급량이 변하지 않는다.
③ Y재의 수요는 감소하였고, Z재의 수요는 증가하였다.
④ Z재는 공급 법칙을 따르지 않는다.

6 가격 규제 정책의 이해

문제분석 제시된 자료에서 가격 규제 정책 실시 이전의 시장 거래량은 균형 거래량이며, 가격 규제 정책 실시 이후의 시장 거래량은 규제 가격에서의 거래량을 의미한다. 실효성 있는 최고 가격제를 실시할 경우 규제 가격에서의 시장 수요량은 시장 거래량보다 많고, 실효성 있는 최저 가격제를 실시할 경우 규제 가격에서의 시장 수요량은 시장 거래량과 같다. X재 시장의 경우 가격이 100달러일 때의 시장 수요량은 균형 가격에서의 거래량보다 100개 많고, 규제 가격(=100달러)에서의 시장 거래량은 시장 수요량보다 200개 적다. 따라서 X재 시장에서는 100달러를 최고 가격으로 하는 가격 규제 정책이 실시되었으며, 해당 정책으로 인해 시장 거래량이 균형 거래량보다 100개 감소하였음을 알 수 있다. 한편, Y재 시장의 경우 가격이 100달러일 때의 시장 수요량은 균형 가격에서의 거래량보다 100개 적고, 규제 가격(=100달러)에서의 시장 거래량과 시장 수요량은 같다. 따라서 Y재 시장에서는 100달러를 최저 가격으로 하는 가격 규제 정책이 실시되었으며, 해당 정책으로 인해 시장 거래량이 균형 거래량보다 100개 감소하였음을 알 수 있다.

정답찾기 ⑤ X재 시장에서는 가격 규제 정책의 실시로 시장 가격이 하락하였고 거래량이 감소하였으므로 생산자 잉여가 감소하였다. 반면, Y재 시장에서는 가격 규제 정책의 실시로 시장 가격이 상승하였고 거래량이 감소하였으므로 소비자 잉여가 감소하였다.

오답피하기 ① 균형 가격은 X재가 100달러보다 높고, Y재가 100달러보다 낮다. 따라서 균형 가격은 X재가 Y재보다 높다.

② 가격이 100달러일 경우 X재 시장에서는 초과 수요가, Y재 시장에서는 초과 공급이 나타난다.

③ 일반적으로 최고 가격제는 소비자 보호를 목적으로 하며, 최저 가격제는 생산자 보호를 목적으로 한다.

④ 가격 규제 정책의 실시로 X재 시장과 Y재 시장에서는 모두 시장 거래량이 100개 감소하였다.

7 잉여의 이해

문제분석 제시된 자료에서 X재의 가격이 6만 원일 때 초과 수요와 초과 공급이 발생하지 않으므로 균형 가격은 6만 원이며, 균형 거래량은 3만 개이다. 이를 그림으로 나타내면 다음과 같다.

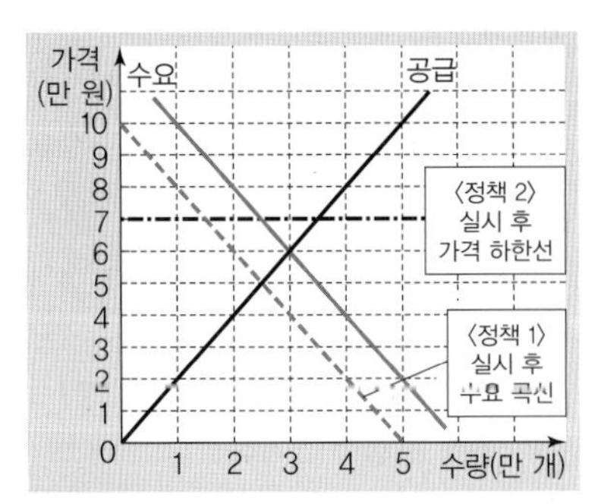

정답찾기 ③ 〈정책 1〉을 실시할 경우 X재의 수요 곡선은 왼쪽으로 수평 이동하여 가격이 5만 원일 때 수요량과 공급량이 일치하게 되므로 균형 가격은 정책 실시 전의 6만 원에 비해 1만 원 하락한다.

오답피하기 ① 〈정책 1〉을 실시할 경우 균형 가격이 하락하고 균형 거래량이 감소하므로 판매 수입은 감소한다.

② 〈정책 1〉을 실시할 경우 정책 실시 전에 비해 소비자 잉여는 감소한다.

④ 〈정책 2〉를 실시할 경우 정책 실시 전에 비해 시장 거래량이 감소하므로 총잉여는 감소한다.

⑤ 〈정책 2〉를 실시할 경우 정책 실시 전에 비해 시장 거래량은 5천 개 감소한다.

8 배제성과 경합성의 이해

문제분석 사적 재화는 배제성과 경합성이 모두 있고, 공유 자원은 경합성은 있지만 배제성이 없으며, 공공재는 배제성과 경합성이 모두 없다.

정답찾기 ㄱ. 사적 재화와 공유 자원은 모두 경합성이 있으므로 (가)에는 '경합성이 있습니까?'라는 질문이 들어갈 수 없다.

ㄷ. A가 사적 재화이고 (나)가 '경합성이 있습니까?'라면, B는 공유 자원이다. 공유 자원은 남용으로 인한 자원 고갈 문제가 나타나기 쉽다.

오답피하기 ㄴ. (가)가 '배제성이 있습니까?'라면, A는 사적 재화이다. '공해상의 물고기'는 공유 자원의 사례로 적절하다.

ㄹ. A가 공공재이고 (나)가 '배제성이 있습니까?'라면, B는 사적 재화이다. 사적 재화와 공유 자원 중 비용을 지불한 사람만 소비할 수 있는 재화는 사적 재화이다.

9 외부 효과의 이해

문제분석 X재 시장은 외부 효과 해결을 위한 정부의 시장 개입 결과 시장 가격이 하락하였고 시장 거래량이 감소하였으므로 소비 측면의 외부 불경제가 발생하고 있었다. 반면, Y재 시장은 외부 효과 해결을 위한 정부의 시장 개입 결과 시장 가격이 하락하였고 시장 거래량이 증가하였으므로 생산 측면의 외부 경제가 발생하고 있었다. 따라서 정부는 X재 시장의 소비자에게 세금을 부과하였고, Y재 시장의 생산자에게는 보조금을 지급하였다.

정답찾기 ④ 소비 측면의 외부 불경제가 발생하면 사회적 최적 수준에서의 거래량은 시장 균형 거래량보다 적고, 생산 측면의 외부 경제가 발생하면 사회적 최적 수준에서의 거래량은 시장 균형 거래량보다 많다. 따라서 정부의 시장 개입 전 X재 시장에서는 Y재 시장에서와 달리 '시장 균형 거래량/사회적 최적 수준에서의 거래량'이 1보다 크다.

오답피하기 ① 정부는 X재 시장의 소비자에게 세금을 부과하였다.

② 정부의 시장 개입 전 X재 시장에서는 소비 측면의 외부 효과가 발생하였다.

③ 정부의 시장 개입 전 Y재 시장에서는 사적 비용이 사회적 비용보다 크다

⑤ X재 시장에서는 정부의 시장 개입으로 인해 가격이 하락하였고 거래량이 감소하였으므로 생산자 잉여가 감소하였다. 한편, Y재 시장에서는 정부의 시장 개입으로 인해 가격이 하락하였고 거래량이 증가하였으므로 소비자 잉여가 증가하였다.

10 명목 GDP와 실질 GDP의 이해

문제분석 갑국과 을국 모두 물가 수준은 GDP 디플레이터로 측정하므로 2021년 대비 2022년에 갑국의 물가는 상승하였고, 을국의 물가는 하락하였다. 또한 2022년 대비 2023년에 갑국과 을국은 모두 물가가 상승하였다.

정답찾기 ㄴ. 2023년에 갑국과 을국은 모두 명목 GDP 증가율이 0%

이고, GDP 디플레이터 상승률이 양(+)의 값이므로 실질 GDP 증가율이 음(−)의 값이다. 따라서 2023년에 갑국과 을국은 모두 경제 성장률이 음(−)의 값이다.

ㄷ. 2022년에 갑국의 명목 GDP 증가율과 GDP 디플레이터 상승률은 각각 5%이므로 실질 GDP는 2021년과 2022년이 같다. 따라서 2021년 대비 2022년에 갑국의 '실질 GDP/명목 GDP'는 감소하였다. 2022년에 을국의 명목 GDP 증가율과 GDP 디플레이터 상승률은 각각 −5%이므로 실질 GDP는 2021년과 2022년이 같다. 따라서 2021년 대비 2022년에 을국의 '실질 GDP/명목 GDP'는 증가하였다.

오답피하기 ㄱ. 제시된 자료만으로는 갑국과 을국의 명목 GDP 크기를 비교할 수 없다.

ㄹ. 2021년 대비 2022년에 을국은 갑국과 달리 물가가 하락하였다.

11 고용 지표의 이해

문제분석 2022년과 2023년 모두 B/A, C/B가 1보다 작다. 따라서 A에 해당하는 인구가 가장 많고, C에 해당하는 인구가 가장 적다. 그러므로 A는 15세 이상 인구, B는 경제 활동 인구, C는 실업자이다. 갑국의 15세 이상 인구는 변함이 없으므로 15세 이상 인구가 100명이라고 가정하면, 연도별 각국의 고용 지표 관련 인구는 다음과 같다.

(단위: 명)

구분		2022년	2023년
경제 활동 인구(B)	취업자	56	56
	실업자(C)	24	14
비경제 활동 인구		20	30
15세 이상 인구(A)		100	100

정답찾기 ① 실업률은 2022년이 30%로 2023년의 20%보다 높다.

오답피하기 ② 취업자 수는 2022년과 2023년이 같다.

③ 경제 활동 참가율은 2023년이 70%로 2022년의 80%보다 낮다.

④ 2023년 15세 이상 인구 중 비경제 활동 인구의 비율은 30%이다.

⑤ 구직을 포기한 사람, 즉 구직 단념자는 비경제 활동 인구에 해당한다.

12 무역 정책의 이해

문제분석 자유 무역 이전 갑국의 국내 X재 생산자의 생산자 잉여는 1,800달러이다. 자유 무역 이후 X재 생산자 잉여가 200달러가 되기 위해서는 국내 X재 생산자의 생산량이 20개가 되어야 하며, 관세 부과 이후 X재 생산자의 생산자 잉여가 800달러가 되기 위해서는 생산량이 40개가 되어야 한다. 따라서 X재의 국제 가격은 20달러이며, t+1기에 X재 1개당 20달러의 관세가 부과되었다.

정답찾기 ④ t+1기에 갑국 정부는 X재 1개당 20달러의 관세를 부과하였고, 그 결과 X재 수입량은 40개가 되었다. 따라서 갑국 정부의 관세 수입은 800달러이다.

오답피하기 ① ㉠과 ㉡은 각각 20달러로 같다.

② t기에 X재는 국제 가격인 20달러에서 무제한 수입되었으므로, t기에 갑국의 X재 국내 소비량은 100개이다.

③ t기에 갑국의 X재 수입액은 1,600달러(=20달러×80개)이다.

⑤ t기 대비 t+1기에 갑국의 X재 국내 생산량은 100% 증가(20개→40개)하였다.

13 인플레이션의 유형 이해

문제분석 제시된 자료에서 A가 비용 인상 인플레이션, B가 수요 견인 인플레이션이라면, 갑의 답변 중 옳은 것은 2개가 될 수 없다. 따라서 A는 수요 견인 인플레이션, B는 비용 인상 인플레이션이고, (가)에 대한 옳은 답변은 '아니요'이다.

정답찾기 ④ 비용 인상 인플레이션은 실질 GDP의 감소를 수반하므로 해당 질문에 대해 병은 을과 달리 옳은 응답을 하였다.

오답피하기 ① 수요 견인 인플레이션은 총수요의 변동으로 인해 발생한다.

② 일반적으로 경기 호황기에 발생하는 인플레이션은 수요 견인 인플레이션이다.

③ ㉠에 대해 갑은 을, 병과 달리 옳은 응답을 하였다.

⑤ (가)에는 '아니요'라고 응답해야 옳은 것이 되는 질문이 들어가야 한다. 비용 인상 인플레이션은 수요 견인 인플레이션과 달리 스태그플레이션을 초래하므로 (가)에는 해당 질문이 들어갈 수 없다.

14 환율 변동의 이해

문제분석 제시된 자료에서 달러화 표시 수출액은 '갑국 통화 표시 수출액/환율'이다.

정답찾기 ㄴ. 3월 대비 4월 수출량은 증가하였는데 갑국 통화 표시 수출액은 변동이 없다. 이는 X재의 갑국 통화 표시 가격이 하락했음을 의미한다. 따라서 X재의 갑국 통화 표시 가격은 3월이 4월보다 높다.

ㄷ. 달러화 대비 갑국 통화 가치는 1월에 비해 2월이 낮고, 2월에 비해 3월이 낮다. 따라서 1월 대비 3월의 달러화 대비 갑국 통화 가치 변동은 부채를 달러화로 가지고 있는 갑국 투자자의 상환 부담 증가 요인이다.

오답피하기 ㄱ. 1월 대비 2월에 갑국 통화 표시 수출액은 변동이 없는데, 달러화 표시 수출액은 감소하였다. 이는 달러화 대비 갑국 통화 가치가 하락하여 나타난 결과이다. 따라서 달러화 대비 갑국 통화 가치는 2월이 1월보다 낮다.

ㄹ. 3월 대비 4월에 갑국 통화 표시 수출액은 변동이 없고, 달러화 표시 수출액은 증가하였다. 이는 달러화 대비 갑국 통화 가치가 상승했음을 의미한다. 따라서 3월 대비 4월의 달러화 대비 갑국 통화 가치 변동은 미국에서 유학 중인 자녀를 둔 갑국 학부모의 학비 부담 감소 요인이다.

15 경제 안정화 정책의 이해

문제분석 갑은 물가를 안정시키기 위한 재정 정책, 즉 긴축 재정 정책이 필요함을 주장하고 있다. 반면, 을은 경기 부양을 위한 통화 정책, 즉 확대 통화 정책이 필요함을 주장하고 있다.

정답찾기 ④ 확대 통화 정책은 통화량을 증가시켜 물가 상승 요인으로 작용한다.

오답피하기 ① 갑은 인플레이션을 우려하고 있다.

② 소득세율 인하는 확대 재정 정책에 해당한다.

③ 국공채 매각은 긴축 통화 정책에 해당한다.
⑤ 긴축 재정 정책의 실시는 총수요 감소 요인이고, 확대 통화 정책의 실시는 총수요 증가 요인이다.

16 비교 우위의 이해

문제분석 제시된 자료에서 갑국의 X재 최대 생산 가능량을 4a라고 하면, 을국의 X재 최대 생산 가능량은 10a이고, 갑국의 Y재 최대 생산 가능량을 8b라고 하면, 을국의 Y재 최대 생산 가능량은 10b이다. 'X재 최대 생산 가능량/Y재 최대 생산 가능량'은 갑국이 '4a/8b'이고, 을국이 '10a/10b'로 갑국이 을국보다 작다. 즉, Y재 1개 생산을 위해 포기해야 하는 X재의 양이 갑국이 을국보다 작으므로 갑국은 Y재 생산에, 을국은 X재 생산에 비교 우위를 가진다. 〈자료 2〉에 따르면 갑국의 Y재 최대 생산 가능량이 80개이므로 을국의 Y재 최대 생산 가능량은 100개이고, 을국의 X재 최대 생산 가능량이 100개이므로 갑국의 X재 최대 생산 가능량은 40개이다.

정답찾기 ㄱ. 을국의 생산 요소의 양이 갑국의 2배이므로 을국은 X재 생산에 절대 우위를 가진다.
ㄴ. 갑국은 Y재만 80개 생산하고, 을국은 X재만 100개 생산하여 X재 30개와 Y재 40개를 교환하였다. 따라서 양국 간 X재와 Y재의 교환 비율은 3:4이다.

오답피하기 ㄷ. 갑국의 Y재 1개 생산의 기회비용은 X재 1/2개이다.
ㄹ. 을국은 X재 생산에 비교 우위를 가지므로 교역 후 을국의 Y재 1개 소비의 기회비용은 교역 전보다 감소한다.

17 경상 수지의 이해

문제분석 2023년 갑국의 경상 수지 지급액을 a, 수취액을 b라고 할 경우 '0.4a=0.5b'이며, 이를 정리하면 'a=1.25b'이다. 2023년 갑국의 경상 수지 수취액을 200억 달러라고 가정하고, 제시된 항목별 경상 수지의 수취액과 지급액을 나타내면 다음과 같다.

구분	수취액	지급액	수지
상품 수지	100억 달러	100억 달러	균형
서비스 수지(A)	60억 달러	100억 달러	40억 달러 적자
본원 소득 수지(B)	20억 달러	12.5억 달러	7.5억 달러 흑자
이전 소득 수지(C)	20억 달러	37.5억 달러	17.5억 달러 적자
경상 수지	200억 달러	250억 달러	50억 달러 적자

정답찾기 ⑤ 지식 재산권 사용료를 포함하는 항목은 서비스 수지이다. 경상 수지 수취액이 200억 달러라면, 서비스 수지는 40억 달러 적자이다.

오답피하기 ① A는 서비스 수지, C는 이전 소득 수지이다.
② 해외 무상 원조 금액은 이전 소득 수지(C)에 포함된다.
③ '지급액/수취액'은 서비스 수지가 본원 소득 수지보다 크다.
④ 경상 수지 적자액이 25억 달러라면, 본원 소득 수지 수취액은 10억 달러이다.

18 명목 이자율과 실질 이자율의 이해

문제분석 '명목 이자율/실질 이자율'이 1보다 큰 경우에는 명목 이자율이 실질 이자율보다 높은 것을 의미하므로 물가 상승률은 양(+)의 값을 가진다.

정답찾기 ㄱ. 2021년에 '명목 이자율/실질 이자율'이 1보다 크므로 명목 이자율은 실질 이자율보다 높다. 따라서 2020년 대비 2021년에 물가는 상승하였다. 2020년은 기준 연도로 명목 GDP와 실질 GDP가 같으므로 2021년에는 실질 GDP가 명목 GDP보다 작다.
ㄹ. 2022년 '명목 이자율/실질 이자율'은 1이므로 명목 이자율과 실질 이자율이 같다. 따라서 물가 상승률은 영(0)이다. 2023년의 물가 상승률은 양(+)의 값을 가지므로, 물가 상승률은 2023년이 2022년보다 높다.

오답피하기 ㄴ. 2022년에 물가 상승률은 영(0)이므로, 물가 수준은 2021년과 2022년이 같다.
ㄷ. 제시된 자료만으로는 2021년과 2023년의 명목 이자율을 비교할 수 없다.

19 가계의 소비와 지출 이해

문제분석 소득은 정기적으로 발생하는 경상 소득과 비정기적으로 발생하는 비경상 소득으로 구성되며, '소득=처분 가능 소득+비소비 지출', '지출=소비 지출+비소비 지출'이다.

정답찾기 ⑤ '소득=경상 소득+비경상 소득'이므로 경상 소득이 4.3% 증가하였을 때 소득이 4.7% 증가하였다면 비경상 소득은 4.7% 넘게 증가해야 한다. 따라서 비경상 소득은 증가하였다. 또한 '소득=처분 가능 소득+비소비 지출'이므로 소득이 4.7% 증가하고 처분 가능 소득이 3.4% 증가하였다면, 비소비 지출은 4.7% 넘게 증가해야 한다. 그리고 처분 가능 소득 증가율보다 소비 지출 증가율이 높으므로 처분 가능 소득에서 소비 지출이 차지하는 비중은 증가한다.

20 금융 상품의 유형 이해

문제분석 배당 수익을 기대할 수 있는 것은 주식이며, 소유자가 채권자로서의 지위를 가지는 것은 채권이고, 예금자 보호 제도에 의해 일정액의 원리금이 보장되는 것은 정기 예금이다. 갑의 점수가 0점이므로 A는 주식이 아니고, B는 정기 예금이 아니며, C는 채권이 아니다. 따라서 A가 정기 예금이라면 B는 채권, C는 주식이고, A가 채권이라면 B는 주식, C는 정기 예금이다. 그러나 A가 정기 예금, B가 채권, C가 주식이면 을의 점수도 0점이 되므로 A는 채권, B는 주식, C는 정기 예금이다.

정답찾기 ④ 정기 예금은 주식이나 채권과 달리 시세 차익을 기대할 수 없다.

오답피하기 ① 을의 점수는 3점이다.
② 주식의 소유자는 주주로서의 지위를 가진다.
③ 주식은 정기 예금에 비해 일반적으로 수익성이 높다.
⑤ 채권, 정기 예금은 주식과 달리 이자 수익을 기대할 수 있다.

실전 모의고사 4회

본문 111~115쪽

1 ⑤	2 ②	3 ③	4 ④	5 ③
6 ①	7 ④	8 ⑤	9 ③	10 ③
11 ②	12 ④	13 ④	14 ③	15 ④
16 ④	17 ⑤	18 ⑤	19 ④	20 ④

1 민간 경제의 순환 이해

문제분석 A는 기업, B는 가계이고, (가) 시장은 생산물 시장이다.

정답찾기 ⑤ ㉢은 생산 요소를 제공한 대가이다. 노동 제공에 대한 대가인 임금은 ㉢에 해당한다.

오답피하기 ① 기업은 생산물 시장의 공급자이다.

② 이윤의 극대화를 추구하는 경제 주체는 기업이다.

③ ㉠은 기업이 생산물 시장에 재화 또는 서비스를 제공하고 받는 대가인 판매 수입에 해당한다.

④ 생산 요소인 노동, 토지, 자본이 ㉡에 해당한다.

2 경제 체제의 분류 이해

문제분석 자원의 희소성으로 인한 경제 문제는 계획 경제 체제와 시장 경제 체제 모두에서 발생하므로 갑과 을이 옳은 답변을 하였고, 병은 틀린 답변을 하였다. A는 시장 경제 체제, B는 계획 경제 체제이다.

정답찾기 ② 시장 경제 체제에서는 계획 경제 체제보다 시장에서의 경제적 유인을 중시한다.

오답피하기 ① 옳은 답변을 한 학생은 갑과 을이다.

③ 시장 경제 체제에서는 계획 경제 체제와 달리 경제 주체들의 자율적인 의사 결정을 중시한다.

④ 경쟁의 원리를 중시하는 경제 체제는 시장 경제 체제이다. 따라서 (가)에는 해당 내용이 들어갈 수 없다.

⑤ 원칙적으로 생산 수단의 사적 소유가 제한되는 경제 체제는 계획 경제 체제이다. 따라서 (가)에는 해당 내용이 들어갈 수 있다.

3 기회비용과 합리적 선택의 이해

문제분석 선택 가능한 대안이 3개 이상일 경우 합리적 선택의 암묵적 비용은 가장 작고, 합리적이지 않은 선택의 암묵적 비용은 합리적 선택의 '편익－명시적 비용'이다.

정답찾기 ③ ㉠에 '10'이 들어가는 경우 A재의 순편익이 C재의 순편익보다 크다. 이는 합리적 선택으로 C재를 구입하였다는 문항의 조건에 부합하지 않으므로 ㉠에는 '10'이 들어갈 수 없다.

오답피하기 ① 갑의 합리적 선택은 C재를 구입하는 것이므로 재화 1개 구입의 암묵적 비용은 A재와 B재가 같다.

② 각 재화 1개 구입 시의 편익 정보와 C재의 가격이 제시되어 있지 않으므로 재화 1개 구입의 기회비용이 C재가 가장 작은지 판단할 수 없다.

④ ㉠이 '5'인 경우 재화 1개 구입의 편익은 C재가 B재보다 크고, A재의 편익은 C재보다 크다고 하였으므로 B재의 편익은 A재의 편익보다 작다.

⑤ ㉠이 '8'이고 'C재 구입의 편익－B재 구입의 편익'이 3만 원보다 작은 경우, 'B재의 편익－B재의 가격'이 'C재의 편익－C재의 가격'보다 더 크므로 C재를 구입하는 것은 비합리적 선택이 된다. 문항의 조건에서 C재를 구입하는 것이 합리적이라고 하였으므로 ㉠이 '8'인 경우 'C재 구입의 편익－B재 구입의 편익'은 3만 원보다 커야 한다.

4 시장 균형의 변동 이해

문제분석 원자재의 가격 변동은 공급 변동 요인이고, 연관재의 가격 변동은 수요 변동 요인이다.

정답찾기 ④ X재의 원자재인 Y재의 생산 기술 혁신은 X재 생산 비용을 절감시켜 X재 공급 증가 요인으로 작용하고, X재와 대체 관계에 있는 Z재의 공급 감소는 Z재의 가격을 상승시켜 X재의 수요 증가 요인으로 작용한다. 공급 증가와 수요 증가가 동시에 나타나는 경우 시장 균형 가격의 변동은 불분명하고 균형 거래량은 증가한다.

5 시장 균형 가격의 결정과 변동 이해

문제분석 제시된 자료를 바탕으로 가격대별 X재의 수요량과 공급량을 나타내면 다음과 같다.

가격(원)	수요량(개)	공급량(개)
P+200	50	90
P+100	60	80
P	70	70
P－100	80	60
P－200	90	50

X재 시장의 균형 가격은 수요량과 공급량이 일치하는 P원이고, 균형 거래량은 70개이다.

정답찾기 ㄴ. 가격이 P－200원일 때에는 초과 수요가 발생하므로 가격 상승 압력이 발생한다.

ㄷ. 모든 가격 수준에서 수요량이 20개씩 증가하는 경우 P+100원에서 수요량과 공급량이 각각 80개로 일치하므로 시장 균형 가격은 100원 상승한다.

오답피하기 ㄱ. X재 공급량은 가격과 정(+)의 상관관계를 가진다.

ㄹ. 모든 가격 수준에서 공급량이 20개씩 감소하는 경우 P+100원에서 수요량과 공급량이 각각 60개로 일치하므로 시장 균형 거래량은 10개 감소한다.

6 시장 실패의 이해

문제분석 공공재는 비배제성으로 인해 무임승차자 문제가 발생하여 사회적 최적 수준보다 적게 생산되는 과소 생산 현상이 발생한다. 따라서 A는 공공재의 부족이다. 공급자의 시장 지배력을 남용하는 현상과 관련된 시장 실패의 유형인 B는 독점이다. 외부 불경제는 독점과 공공재의 부족 현상과는 달리 사회적 최적 수준보다 과다 생산·소비되는 현상이 발생하므로 C는 외부 불경제이다.

정답찾기 ① 배제성과 경합성이 모두 없는 재화는 공공재이다. 공공재는 그 특성상 무임승차자 문제를 유발하므로 사회적 최적 수준보다 적게 생산되어 시장 실패가 나타난다.

(오답피하기) ② 독점으로 인해 시장 실패가 발생하는 경우 일반적으로 자원은 사회적 최적 수준보다 과소하게 배분된다.
③ 생산 측면의 외부 경제가 발생한 경우 생산자의 사적 비용이 사회적 비용보다 크다.
④ 무임승차자 문제는 공공재의 부족과 관련있다.
⑤ 외부 불경제가 발생하는 경우 자원이 사회적 최적 수준보다 과다하게 배분되므로, 이 경우 정부가 개입하여 생산량을 증가시키는 정책은 적절한 정책으로 보기 어렵다.

7 정부의 가격 규제 정책 이해

문제분석 정부의 가격 규제 정책 시행으로 인해 X재 시장에서는 시장 거래량이 감소하였고 시장 가격(정부 규제 가격)에서의 수요량은 증가하였으며, Y재 시장에서는 시장 거래량은 변함이 없고 시장 가격(정부 규제 가격)에서의 공급량이 증가하였다. 이러한 변화는 수요와 공급 법칙을 따르는 X재 시장에 실효성 있는 최고 가격제를 시행하고, 공급 법칙이 적용되고 수요 곡선은 수직인 Y재 시장에 실효성 있는 최저 가격제를 시행하는 경우에만 나타날 수 있다.
(정답찾기) ④ 실효성 있는 최저 가격제가 시행된 Y재 시장에서는 가격이 상승하였고, 거래량이 동일하므로 생산자 잉여가 증가하였다. 또한 실효성 있는 최고 가격제가 시행된 X재 시장에서는 가격이 하락하였고, 거래량이 감소하였으므로 생산자 잉여가 감소하였다.
(오답피하기) ① X재 시장에서는 최고 가격제가 시행되었다. 최고 가격제는 소비자를 보호하기 위한 정책이다.
② Y재 시장에서는 실효성 있는 최저 가격제가 시행되었다. 실효성 있는 최저 가격제의 규제 가격은 시장 균형 가격보다 높다.
③ 공급 법칙이 적용되고 실효성 있는 최고 가격제가 시행된 X재 시장에서는 공급량이 감소하였다.
⑤ 가격 규제 정책 시행으로 인해 Y재는 가격이 상승하였고, 거래량이 변동하지 않았으므로 Y재 시장에서 판매 수입은 증가하였다.

8 기업의 경제 활동 이해

문제분석 제시된 자료를 바탕으로 갑 기업의 X재 생산량 변동에 따른 '이윤/총비용'을 이용하여 총수입, 총비용, 이윤, 총수입/총비용을 나타내면 다음과 같다.

생산량(개)	1	2	3	4
총수입(달러)	100	200	300	400
총비용(달러)	80	120	210	320
이윤(달러)	20	80	90	80
총수입/총비용	5/4	5/3	10/7	5/4

(정답찾기) ⑤ 생산량을 2개에서 3개로 늘리는 경우 추가되는 수입은 100달러이고, 추가되는 비용은 90달러이다.
(오답피하기) ① 이윤은 생산량이 2개일 때와 4개일 때가 각각 80달러로 같다.
② '총수입/총비용'은 생산량이 2개일 때가 가장 크다.
③ '총비용/생산량'은 생산량이 3개일 때 70달러, 4개일 때 80달러이다.
④ 생산량이 3개일 때 이윤이 극대화된다. 생산량이 3개일 때의 총비용은 이윤의 4배보다 작다.

9 외부 효과의 이해

문제분석 정부 정책은 수요 또는 공급을 변동시킨다. 정부 개입으로 인해 X재의 가격 변동률과 거래량 변동률이 모두 양(+)의 값이 되려면 X재의 수요는 증가해야 한다. 따라서 X재 시장은 정부 개입 전 소비 측면의 외부 경제가 발생하였다는 것을 알 수 있다. 정부 개입으로 인해 Y재의 가격 변동률이 음(−)의 값, 거래량 변동률이 양(+)의 값이 되려면 Y재의 공급은 증가해야 한다. 따라서 Y재 시장은 정부 개입 전 생산 측면의 외부 경제가 발생하였다는 것을 알 수 있다.
(정답찾기) ③ 정부 개입으로 인해 X재의 수요가 증가하여 X재의 가격이 상승하고 거래량이 증가하였으므로 X재 시장의 생산자 잉여는 정부 개입 후가 정부 개입 전보다 크다.
(오답피하기) ① 정부 개입 전 X재 시장에서는 소비 측면의 외부 경제가 발생하였으므로 사적 비용은 사회적 비용보다 작다고 보기 어렵다.
② 정부 개입 전 Y재 시장에서는 생산 측면의 외부 경제가 발생하였으므로 사회적 최적 수준보다 적게 거래되었다.
④ 정부 개입으로 인해 Y재의 공급이 증가하여 Y재의 가격이 하락하고 거래량이 증가하였으므로 Y재 시장의 소비자 잉여는 정부 개입 후가 정부 개입 전보다 크다.
⑤ 정부 개입으로 인해 X재 시장에서는 수요가 증가하였고, Y재 시장에서는 공급이 증가하였으므로 X재 시장과 Y재 시장 모두 총잉여는 증가하였다.

10 가계의 수입과 지출의 이해

문제분석 월급은 근로 소득, 주식 배당금과 이자 소득은 재산 소득, 돌잔치 축하금은 비경상 소득에 해당한다. 생활비와 통신비는 소비 지출, 세금과 대출 이자는 비소비 지출에 해당한다.
(정답찾기) ③ 처분 가능 소득은 소득에서 비소비 지출을 뺀 값이다. 갑의 경우 처분 가능 소득은 410만 원(=500만 원−90만 원)이다.
(오답피하기) ① 주식 배당금은 재산 소득에 해당한다.
② 갑의 비경상 소득은 돌잔치 축하금 80만 원이다. 갑의 저축액과 비경상 소득이 같다고 하였으므로 저축액은 80만 원이다. 갑의 지출 총액은 420만 원(=소득 500만 원−저축 80만 원)이므로 ㉡은 '30'이다.
④ 비경상 소득은 80만 원(돌잔치 축하금), 비소비 지출은 90만 원(세금, 대출 이자)이므로 비경상 소득은 비소비 지출보다 10만 원 적다.
⑤ 경상 소득은 420만 원, 재산 소득은 70만 원이므로 경상 소득에서 재산 소득이 차지하는 비중은 10%보다 크다.

11 국내 총생산의 이해

문제분석 갑국에서 X재의 국내 판매량이 200개이고, 국내 소비 지출액이 400달러이므로 X재 가격은 2달러이다. 을국에서 Y재의 국내 판매량이 200개이고, 국내 소비 지출액이 600달러이므로 Y재 가격은 3달러이다. 제시된 자료를 바탕으로 갑국과 을국 각각의 X재와 Y재 소비량 및 소비 지출액을 나타내면 다음과 같다.

구분		소비량(개)	소비 지출액(달러)
갑국	X재	200	400
	Y재	200	600
을국	X재	200	400
	Y재	200	600

Y재 1개 생산 시 X재 1개가 원료로 투입되므로 각 재화별 생산량은 X재 800개, Y재 400개이다.

정답찾기 ② 수출액은 갑국이 1,200달러(=2달러×600개), 을국이 600달러(=3달러×200개)이다.

오답피하기 ① 을국의 X재 소비량이 200개이고, Y재 생산량이 400개이므로 을국에 대한 갑국의 X재 수출량은 600개이다.
③ 국내 총생산은 갑국이 1,600달러(=2달러×800개), 을국이 400달러{=(3달러×400개)−(2달러×400개)}이다.
④ X재 생산으로 창출한 부가 가치는 1,600달러이다.
⑤ 최종재로 소비된 X재와 Y재의 판매량은 각각 400개로 같다.

12 명목 GDP와 실질 GDP의 이해

문제분석 제시된 자료를 바탕으로 연도별 GDP 디플레이터 상승률, 명목 GDP 증가율, 실질 GDP 증가율을 나타내면 다음과 같다.

(단위: %)

구분	2022년	2023년
GDP 디플레이터 상승률	0	−5
명목 GDP 증가율	2	2
실질 GDP 증가율	2	약 7.37

정답찾기 ④ 2022년에 명목 GDP 증가율과 실질 GDP 증가율은 각각 2%로 같다.

오답피하기 ① 실질 GDP는 2022년이 2021년보다 2% 크다.
② 명목 GDP는 2023년이 2022년보다 2% 크다.
③ 경제 성장률(실질 GDP 증가율)은 2023년이 2022년보다 높다.
⑤ 2022년에 GDP 디플레이터가 100이므로 2022년에 명목 GDP와 실질 GDP는 같다. 전년 대비 2023년에 실질 GDP 증가율이 명목 GDP 증가율보다 크므로 2023년에 실질 GDP는 명목 GDP보다 크다.

13 인플레이션의 유형 이해

문제분석 갑국에서 발생한 인플레이션은 비용 인상 인플레이션이고, 을국에서 발생한 인플레이션은 수요 견인 인플레이션이다.

정답찾기 ④ 수요 견인 인플레이션과 달리 비용 인상 인플레이션이 발생하는 경우 총공급 감소로 인해 스태그플레이션을 야기할 수 있다.

오답피하기 ① 정부 지출 증가는 수요 견인 인플레이션의 발생 요인이다.
② 수요 견인 인플레이션은 실질 GDP 증가를 수반한다.
③ 수요 견인 인플레이션은 주로 경기 호황기에 나타난다.
⑤ 인플레이션의 유형과 관계없이 인플레이션은 순수출을 감소시켜 경상 수지의 악화 요인으로 작용한다.

14 고용 지표의 분석

문제분석 4월 대비 5월에 15세 이상 인구 증가율이 취업자 수 증가율보다 높으므로 고용률은 하락하였고, 취업자 수 증가율이 2%이고, 실업자 수 증가율이 3%이므로 경제 활동 인구 증가율은 2%보다 높고 3%보다 낮으며, 15세 이상 인구 증가율이 3%이므로 비경제 활동 인구 증가율은 3%보다 높다.

정답찾기 ③ 15세 이상 인구 증가율보다 경제 활동 인구 증가율이 낮으므로 경제 활동 참가율은 하락하였다.

오답피하기 ① 고용률은 하락하였다.
② 경제 활동 인구 증가율보다 실업자 수 증가율이 높으므로 실업률은 상승하였다.
④ 취업자 수 증가율보다 실업자 수 증가율이 높으므로 '취업자 수/실업자 수'는 하락하였다.
⑤ 비경제 활동 인구 증가율이 경제 활동 인구 증가율보다 높으므로 '비경제 활동 인구/경제 활동 인구'는 상승하였다.

15 경제 안정화 정책의 이해

문제분석 총수요 감소로 경기가 침체된 상황에서는 경기를 부양시키기 위해 확대 재정 정책 또는 확대 통화 정책을 실시한다. 반면, 총수요 증가로 경기가 과열된 상황에서는 경기를 진정시키기 위해 긴축 재정 정책 또는 긴축 통화 정책을 실시한다.

정답찾기 ④ 지급 준비율 인상은 긴축 통화 정책의 수단으로 과열된 경기를 진정시키는 정책에 해당한다.

오답피하기 ① 기업의 투자 지출 증가는 총수요를 증가시키므로 경기 침체 요인이라고 보기 어렵다.
② 소득세율 인상은 긴축 재정 정책의 수단에 해당한다.
③ 소비 지출 감소는 실질 GDP를 감소시키고, 물가 수준을 하락시키므로 경기 과열 요인이라고 보기 어렵다.
⑤ 확대 재정 정책 또는 확대 통화 정책의 실시는 실질 GDP 증가 요인이고, 긴축 재정 정책 또는 긴축 통화 정책의 실시는 실질 GDP 감소 요인이다.

16 무역의 분석

문제분석 제시된 자료를 바탕으로 갑국과 을국의 X재 1개 생산의 기회비용 및 비교 우위 재화를 나타내면 다음과 같다.

구분	갑국	을국
X재 1개 생산의 기회비용	Y재 2개보다 작음.	Y재 2개
비교 우위 재화	X재	Y재

정답찾기 ㄴ. 갑국의 Y재 1개 생산의 기회비용은 무역 후가 무역 전보다 작으므로 갑국은 X재 생산에 비교 우위를 가진다.
ㄹ. 을국에서 X재 1개 생산의 기회비용은 Y재 2개이다. 따라서 Y재를 수출하는 을국에 무역 이익이 발생하기 위해서는 X재 1개와 교환되는 Y재의 수량은 2개보다 적어야 한다.

오답피하기 ㄱ. 갑국의 X재 1개 생산의 기회비용이 Y재 2개보다 작으므로 Y재 1개 생산의 기회비용은 X재 1/2개보다 크다.
ㄷ. 갑국과 을국의 생산 요소의 양이 제시되어 있지 않으므로 제시된

자료만으로는 을국이 Y재 생산에 절대 우위를 가지는지의 여부를 판단할 수 없다.

17 국제 수지의 이해

문제분석 갑국은 2022년에 서비스 수지가 80억 달러 적자이고, 2023년에 이전 소득 수지가 10억 달러 적자이다.

정답찾기 ⑤ 무상 원조가 포함되는 항목은 이전 소득 수지이다. 이전 소득 수지는 2022년에 10억 달러 흑자, 2023년에 10억 달러 적자이다.

오답피하기 ① ㉠은 '-80', ㉡은 '-10'이다.

② 상품 수지가 50억 달러 증가했다는 것이 상품 수출액이 50억 달러 증가한 것을 의미하는 것은 아니다. 제시된 자료만으로는 2022년과 2023년의 상품 수출액의 크기를 비교할 수 없다.

③ 2022년과 2023년 모두 경상 수지가 흑자이다. 이는 갑국의 통화량 증가 요인이다.

④ 해외 주식 매매 금액이 포함되는 항목은 금융 계정이다. 금융 계정은 자료에 제시되어 있지 않다.

18 자유 무역과 보호 무역의 이해

문제분석 관세 철폐 전 X재 소비량(=8만 개)이 수입량(=4만 개)의 2배가 되려면 관세가 포함된 X재 국내 가격이 4달러이어야 한다. 따라서 X재의 국제 가격은 2달러이다.

정답찾기 ⑤ X재 시장의 소비자 잉여는 관세 철폐 전이 32만 달러(=8달러×8만 개×1/2)이고, 관세 철폐 후가 50만 달러(=10달러×10만 개×1/2)이다.

오답피하기 ① X재의 국제 가격은 2달러이다.

② 갑국은 X재 시장을 개방하여 국제 가격 수준에서 X재를 무제한 수입할 수 있으므로 관세 철폐와 관계없이 갑국 X재 시장에서는 초과 수요가 발생하지 않는다.

③ 관세 철폐 전 갑국 X재 시장의 생산자 잉여는 8만 달러(=4달러×4만 개×1/2)이다.

④ 관세 철폐로 인해 관세 수입은 8만 달러(=2달러×4만 개) 감소하였다.

19 환율 변동의 영향 이해

문제분석 환율은 서로 다른 두 국가 간 통화의 교환 비율을 의미한다. 제시된 정보를 통해 t기 대비 t+1기에 을국 통화 대비 갑국 통화 가치는 하락하였고, 병국 통화 가치는 상승하였음을 알 수 있다.

정답찾기 ④ 을국 통화 대비 갑국 통화 가치는 하락하였다. 을국산 제품에 대한 갑국의 수요 증가는 을국 통화 대비 갑국 통화 가치의 하락 요인에 해당한다.

오답피하기 ① 갑국 통화 대비 을국 통화 가치는 상승하였다.

② 병국 통화 대비 을국 통화 가치는 하락하였다.

③ 을국 통화 대비 갑국 통화 가치가 하락하였으므로 갑국 기업의 을국 통화 표시 외채 상환 부담은 증가하였을 것이다.

⑤ 을국 통화 대비 갑국 통화 가치는 하락하였고, 병국 통화 가치는 상승하였으므로 을국 시장에서 갑국산 제품의 가격 경쟁력은 상승하였고, 병국산 제품의 가격 경쟁력은 하락하였을 것이다.

20 금융 상품의 일반적인 특징 이해

문제분석 이자 수익과 시세 차익을 모두 기대할 수 있는 금융 상품은 채권이고, 배당 수익을 기대할 수 있는 금융 상품은 주식이다. 따라서 A는 정기 예금, B는 채권, C는 주식이다.

정답찾기 ④ 정기 예금은 만기가 존재하고, 소유자에게 주주로서의 지위를 부여하는 주식은 만기가 존재하지 않는다.

오답피하기 ① 정기 예금의 소유자가 아니라 주식의 소유자가 주주로서의 지위를 가진다.

② 정부는 채권을 발행할 수 있다.

③ 정기 예금은 예금자 보호 제도의 적용을 받는 금융 상품에 해당한다.

⑤ 일반적으로 기업 입장에서 채권은 부채에 해당하고, 주식은 자기자본에 해당한다.

실전 모의고사 5회

본문 116~120쪽

1 ②	2 ④	3 ④	4 ⑤	5 ②
6 ③	7 ①	8 ②	9 ③	10 ①
11 ②	12 ③	13 ②	14 ④	15 ④
16 ④	17 ②	18 ③	19 ③	20 ⑤

1 민간 경제의 순환 이해

문제분석 (나) 시장에서 B로 이동하는 실물이 생산 요소인 '토지, 노동, 자본'이라는 점에서 (나) 시장은 생산 요소 시장, B는 기업임을 알 수 있다. 따라서 A는 가계, (가) 시장은 생산물 시장이다.

정답찾기 ② 기업은 이윤의 극대화를 추구한다.

오답피하기 ① A는 가계이다. 가계는 생산물 시장의 수요자이자 생산 요소 시장의 공급자이다.
③ ㉠은 재화와 서비스 제공의 대가인 소비 지출이다.
④ (가) 시장은 생산물 시장이다.
⑤ 생산물의 가격과 거래량이 결정되는 시장은 생산물 시장이다.

2 경제 체제의 이해

문제분석 경제 활동에 대한 정부의 통제를 중시하는 경제 체제는 계획 경제 체제이다. 따라서 A는 계획 경제 체제, B는 시장 경제 체제이다.

정답찾기 ④ 시장 경제 체제에서는 계획 경제 체제와 달리 민간 경제 주체의 이윤 추구 활동이 보장된다.

오답피하기 ① 시장 경제 체제에서는 계획 경제 체제와 달리 '보이지 않는 손'의 기능을 강조한다.
② 계획 경제 체제에서는 시장 경제 체제와 달리 원칙적으로 생산 수단의 사적 소유를 인정하지 않는다.
③ 시장을 통해 기본적 경제 문제가 해결되는 시장 경제 체제에서는 계획 경제 체제에 비해 경제적 유인을 강조한다.
⑤ 자원의 희소성으로 인한 경제 문제는 시장 경제 체제와 계획 경제 체제 모두에서 발생한다.

3 경제재와 무상재의 이해

문제분석 대가를 지불해야 소비할 수 있는 A재는 경제재이고, 대가를 지불하지 않고도 소비할 수 있는 B재는 무상재이다.

정답찾기 ④ 희소성이 있어 대가를 지불해야 소비할 수 있는 경제재의 사례에는 시장에서 거래되는 자동차와 같은 사적 재화가 있다.

오답피하기 ① A재는 경제재이다.
② 경제재는 무상재와 달리 희소성이 있다.
③ 경제재는 무상재와 달리 인간의 욕구보다 적게 존재한다.
⑤ 가로등과 같은 공공재는 희소성이 있는 경제재이다.

4 가격 규제 정책의 이해

문제분석 빵 가격이 급등하자 빵 가격 안정을 위해 가격 규제 정책을 실시하였다는 점에서 갑국 정부가 실시한 가격 규제 정책은 가격 상한제에 해당한다.

정답찾기 ⑤ 가격 상한제 시행으로 인해 공급량은 감소한 반면, 수요량은 증가하여 초과 수요가 발생하게 된다.

오답피하기 ① P_2를 상한으로 하는 가격 규제 정책이 효과가 있다는 점에서 P_2는 P_1보다 낮다.
② 가격 상한제는 소비자 보호를 목적으로 한다.
③ 갑국 정부의 가격 규제 정책은 최고 가격제에 해당한다.
④ 가격 규제 정책 시행 이후 공급량이 감소함에 따라 시장 거래량은 이전보다 감소하게 된다.

5 기회비용의 이해

문제분석 갑은 영화 관람과 노래방 이용을 두고 고민하였으며, 노래방 이용을 선택하였다. 이를 통해 영화 관람보다 노래방 이용의 순편익이 크다는 것을 알 수 있다.

정답찾기 ㄱ. 선택지가 두 가지인 경우 한 가지를 선택하게 되면 선택한 경우의 순편익은 양(+)의 값이고, 선택하지 않은 경우의 순편익은 음(−)의 값이다.
ㄷ. 갑은 남은 시간 동안 노래를 부르는 경우와 남은 시간을 포기하고 식사를 하러 가는 경우 중에서 고민하고 있다. 남은 시간 동안 노래를 부르는 경우에 소요되는 명시적 비용은 0이다. 따라서 식사를 하러 가는 경우의 암묵적 비용은 남은 시간 동안 노래를 부름으로써 얻게 되는 편익이다.

오답피하기 ㄴ. 영화 관람의 편익을 a, 노래방 이용의 편익을 b라고 한다면, 노래방 이용 선택의 암묵적 비용은 'a−8,000원'이다. 갑은 노래방 이용을 선택했으므로 b는 명시적 비용 10,000원과 암묵적 비용 'a−8,000원'의 합보다 크다. 이를 정리하면 'b>a+2,000'이므로 노래방 이용 선택의 편익은 영화 관람 선택의 편익보다 크다.
ㄹ. 노래방 이용 비용은 환불이 되지 않으므로 매몰 비용이다. 따라서 식사 선택의 기회비용에 포함되지 않는다.

6 비용과 이윤의 이해

문제분석 X재 1개의 가격을 a라고 할 경우 갑 기업의 X재 생산에 따른 수입, 비용, 이윤을 나타내면 다음과 같다.

생산량	1	2	3	4	5	6
총수입	a	2a	3a	4a	5a	6a
평균 수입	a	a	a	a	a	a
총비용	7	10	12	20	32	48
평균 비용	7	5	4	5	6.4	8
이윤	a−7	2a−10	3a−12	4a−20	5a−32	6a−48

생산량이 4개일 때 이윤이 20만 원이므로 X재 1개의 가격은 10만 원이다.

정답찾기 ③ 평균 비용이 최소가 되는 생산량은 3개이다. 이때의 이윤은 18만 원이다.

오답피하기 ① (가)는 '10'이다.
② 생산량이 5개일 때 총수입은 50만 원, 총비용은 32만 원이다.
④ 생산량이 1개씩 증가할 때마다 추가적으로 얻게 되는 수입은 10만 원으로 일정하다.

⑤ 생산량이 1개씩 증가할 때마다 추가적으로 발생하는 비용은 감소하다가 다시 증가하는 추이를 보인다.

7 고용 지표의 이해

문제분석 2022년의 취업자 수를 a, 실업자 수를 b, 비경제 활동 인구를 c라고 할 경우 'a/(a+b)=9/10'이고, 'a/(a+b+c)×100=45'이다. 이를 정리하면 a=9b, c=10b이고, 15세 이상 인구는 20b이다. 2023년의 취업자 수를 d, 실업자 수를 e, 비경제 활동 인구를 f라고 할 경우 'd/(d+e)=10/11'이고, 'd/(d+e+f)×100=50'이다. 이를 정리하면 d=10e, f=9e이고, 15세 이상 인구는 20e이다. 2022년과 2023년의 15세 이상 인구가 일정하므로 b=e이며, 갑국의 각 연도별 고용 관련 지표를 정리하면 다음과 같다.

구분	취업자 수	실업자 수	경제 활동 인구	비경제 활동 인구
2022년	9b	b	10b	10b
2023년	10b	b	11b	9b

정답찾기 ㄱ. 실업자 수는 같지만 경제 활동 인구가 2023년이 2022년보다 많으므로 실업률은 하락하였다.
ㄴ. 15세 이상 인구는 같지만 경제 활동 인구가 증가하였으므로 경제 활동 참가율은 상승하였다.
오답피하기 ㄷ. 비경제 활동 인구는 2023년이 2022년보다 적다.
ㄹ. 취업자 수는 증가하였고, 실업자 수는 변화가 없다.

8 금융 상품의 이해

문제분석 A는 기업이 자금 조달을 위해 회사 소유권의 일부를 투자자에게 주는 증서이므로 주식이며, B는 정부나 기업이 돈을 빌리면서 상환 기간, 이자 지급에 대해 약속하는 증서이므로 채권이다.
정답찾기 ② 채권은 발행자가 원금과 이자를 상환해야 하기 때문에 발행자 입장에서 부채에 해당한다.
오답피하기 ① 채권은 주식에 비해 일반적으로 안전성이 높다.
③ (가)에는 주식에만 해당하는 특징이 들어갈 수 있다. 이자 수익을 기대할 수 있는 것은 채권에만 해당하는 특징이다.
④ (나)에는 주식과 채권에 공통적으로 해당하는 특징이 들어갈 수 있다. 배당 수익을 기대할 수 있는 것은 주식에만 해당하는 특징이다.
⑤ (다)에는 채권에만 해당하는 특징이 들어갈 수 있다. 시세 차익을 기대할 수 있는 것은 주식과 채권에 공통적으로 해당하는 특징이다.

9 무역 정책의 이해

문제분석 제시된 자료를 바탕으로 t기와 t+1기의 X재 국내 거래량, 수입량, 국내 생산량, 국내 가격을 나타내면 다음과 같다.

구분	t기	t+1기	
		관세 부과	보조금 지급
국내 거래량	Q_4	Q_3	Q_4
수입량	Q_1Q_4	Q_2Q_3	Q_2Q_4
국내 생산량	Q_1	Q_2	Q_2
국내 가격	P_1	P_2	P_1

정답찾기 ③ 보조금을 지급할 경우 X재의 국내 생산량은 Q_2가 되며, 보조금 지급 이전에 비해 Q_1Q_2만큼 국내 생산량이 증가한다.
오답피하기 ① t기의 X재 수입량은 Q_1Q_4이다.
② 관세를 부과할 경우 X재의 국내 생산량은 Q_2이다.
④ X재의 국내 가격은 관세를 부과하는 경우가 보조금을 지급하는 경우보다 높다.
⑤ X재의 국내 소비량은 보조금을 지급하는 경우가 관세를 부과하는 경우보다 많다.

10 경상 수지의 이해

문제분석 2022년에 갑국의 경상 수지는 180억 달러 흑자이며, 을국의 경상 수지는 180억 달러 적자이다. 2022년 대비 2023년에 을국의 경상 수지 적자 규모가 20억 달러 증가하였으므로 2023년에 갑국의 경상 수지는 200억 달러 흑자이다.
정답찾기 ① 2023년에 (가)와 이전 소득 수지가 모두 균형이고, 갑국의 경상 수지가 200억 달러 흑자이므로 ㉠은 '−20'이다.
오답피하기 ② (가)는 본원 소득 수지이다. 해외 지식 재산권 사용료로 지급한 비용은 서비스 수지에 포함된다.
③ 무상 원조를 포함하는 항목은 이전 소득 수지이다. 2023년에 갑국의 이전 소득 수지는 균형이다.
④ 을국의 상품 수지는 2022년 대비 2023년에 적자 규모가 20억 달러 증가하였다. 그러나 상품 수입액의 증가 또는 감소 여부와 그 액수는 제시된 자료로 알 수 없다.
⑤ 해외 투자에 따른 배당금이 포함되는 항목은 본원 소득 수지이다. 을국의 본원 소득 수지는 2022년 5억 달러 적자에서 2023년 균형으로 개선되었다.

11 외부 효과의 이해

문제분석 X재 시장에서는 소비 측면의 외부 경제가, Y재 시장에서는 생산 측면의 외부 불경제가 나타나고 있다.
정답찾기 ② 소비 측면의 외부 경제가 발생하는 경우 소비에 따른 사회적 편익이 사적 편익보다 크다.
오답피하기 ① X재 시장에서는 긍정적 외부 효과가 발생하고 있다.
③ Y재 시장에서는 생산 측면에서 외부 효과가 발생하고 있다.
④ 생산에 보조금을 지급할 경우 부정적 외부 효과가 더 악화될 수 있다.
⑤ X재 시장에서는 과소 소비의 문제, Y재 시장에서는 과다 생산의 문제가 발생하고 있다.

12 실업 유형의 이해

문제분석 채점 결과가 2점이다. 따라서 두 개의 답안 모두 옳은 내용이다. '이직 과정에서 일시적으로 발생하는 실업입니까?'라는 질문으로 A와 C를 구분할 수 없으므로 B는 마찰적 실업이다. '계절적 변화가 주요 요인으로 작용합니까?'가 A와 B를 구분할 수 있는 질문이므로 A는 계절적 실업, C는 경기적 실업이다.
정답찾기 ㄴ. 마찰적 실업은 자발적 실업에 해당한다.
ㄷ. 경기적 실업에 대한 대책으로는 경기 부양 정책을 들 수 있다.

오답피하기 ㄱ. A는 계절적 실업이다.
ㄹ. 마찰적 실업은 경기 호황기에도 발생할 수 있다.

13 경제 안정화 정책의 이해

문제분석 갑국은 목표치보다 물가 상승률과 경제 성장률이 모두 높은 상황이므로 총수요를 감소시키는 경제 안정화 정책이 요구되고 있다.

정답찾기 ② 국공채 매각은 총수요 감소 요인이다.

오답피하기 ① 소득세율 인하는 총수요 증가 요인이다.
③ 경제 안정화를 위해 정부와 중앙은행은 총수요를 감소시키는 재정 정책 및 통화 정책을 시행할 것이다.
④ 경제 성장률이 목표치보다 높게 나타나고 있으므로 경기 침체 상황으로 보기 어렵다.
⑤ 물가 상승률이 양(+)의 값이므로 전년 대비 2023년에 화폐 구매력은 하락하였다.

14 정부의 시장 개입 분석

문제분석 정부의 시장 개입 전 X재 시장의 균형 가격은 4만 원, 균형 거래량은 1,000개이다. 정부의 시장 개입으로 이후 균형 가격은 3만 원, 균형 거래량은 1,100개가 되었으며, 이를 통해 정부가 생산자에게 X재 1개당 2만 원의 보조금을 지급하였음을 알 수 있다.

정답찾기 ㄴ. 정부는 X재 1개당 2만 원의 보조금을 지급하였으며, 보조금 지급 이후 균형 거래량이 1,100개가 되었으므로 정부가 지급한 보조금 총액은 2,200만 원이다.
ㄹ. 정부 개입 이전 X재의 소비 지출액은 4,000만 원이고, 정부 개입 이후 X재의 소비 지출액은 3,300만 원이다.

오답피하기 ㄱ. ㉠은 2만 원이다.
ㄷ. 균형 가격이 하락하고, 균형 거래량이 증가함에 따라 소비자 잉여는 증가하였다.

15 무역 원리의 이해

문제분석 교역 이후 을국의 X재 1개 소비의 기회비용이 증가하였다는 점에서 을국은 X재 생산에 비교 우위를 가지고 있음을 알 수 있다.

정답찾기 ㄱ. X재 1개 생산의 기회비용이 (가)의 경우 Y재 1개, (나)의 경우 Y재 1/2개이다. 기회비용이 작은 (나)가 X재 생산에 비교 우위를 가지므로 (가)는 갑국의 생산 가능 곡선, (나)는 을국의 생산 가능 곡선이다.
ㄴ. 갑국은 Y재 생산에 비교 우위를 가진다. 따라서 Y재 1개 생산의 기회비용은 갑국이 을국보다 작다.

오답피하기 ㄷ. 교역을 하게 될 경우 갑국은 Y재 100개, 을국은 X재 80개를 특화하여 생산하게 되며, 을국이 A점에서 소비하기 위해서는 양국은 X재 30개와 Y재 20개를 교환해야 한다. 즉, X재와 Y재의 교환 비율은 3 : 2이다.

16 외환 시장의 이해

문제분석 원/달러 환율은 상승하였고, 엔/달러 환율은 하락하였다. 즉, 달러화 대비 원화 가치는 하락하였고, 달러화 대비 엔화 가치는 상승하였다. 따라서 엔화 대비 원화 가치는 하락하였다.

정답찾기 ④ 엔화 대비 원화 가치가 하락할 경우 자녀를 한국으로 유학 보낸 일본 학부모의 학비 부담은 감소하게 된다.

오답피하기 ① 달러화 대비 엔화 가치 상승으로 일본 기업의 미국산 원자재 수입 부담이 감소한다.
② 달러화 대비 원화 가치 하락으로 한국으로 여행오는 미국인의 경비 부담이 감소한다.
③ 달러화 대비 엔화 가치 상승으로 일본 기업의 달러화 표시 외채 상환 부담이 감소한다.
⑤ 달러화 대비 엔화 가치는 상승한 반면, 원화 가치는 하락하였으므로 미국 시장에서 일본 기업과 경쟁하는 한국 기업의 수출품 가격 경쟁력은 상승한다.

17 GDP 디플레이터의 이해

문제분석 GDP 디플레이터는 '(명목 GDP/실질 GDP)×100'으로, 이를 통해 명목 GDP와 실질 GDP의 관계를 추론할 수 있다.

정답찾기 ㄱ. 물가 상승률은 GDP 디플레이터의 변동률이다. 2020년 물가 상승률은 '(2/98)×100'이고, 2021년 물가 상승률은 '(2/100)×100'이므로 전년 대비 물가 상승률은 2020년이 2021년보다 높다.
ㄷ. GDP 디플레이터는 2019년보다 2020년이 크다. 따라서 명목 GDP가 같다면, 실질 GDP는 2020년이 2019년보다 작다.

오답피하기 ㄴ. 2021년은 전년 대비 GDP 디플레이터가 증가하였으나, 2023년은 전년 대비 GDP 디플레이터가 감소하였다. 따라서 전년 대비 2023년에 물가 상승률은 음(−)의 값이다.
ㄹ. 2022년 대비 2023년에 GDP 디플레이터는 감소하였다. 2023년 경제 성장률이 음(−)의 값이라면, 2022년 대비 2023년에 실질 GDP는 감소하였다. 따라서 명목 GDP는 2023년이 2022년보다 작다.

18 가계 소득과 지출의 분석

문제분석 소득은 경상 소득과 비경상 소득으로, 경상 소득은 근로 소득, 재산 소득, 사업 소득, 이전 소득으로 구분되며, 지출은 소비 지출과 비소비 지출로 구분된다.

정답찾기 ③ 저축은 소득에서 소비 지출과 비소비 지출을 뺀 값이다. 소득은 1,800만 원이고, 소비 지출은 400만 원, 비소비 지출은 100만 원이다. 따라서 저축액은 1,300만 원이다. 소득 중 근로 소득은 급여와 상여금의 합인 900만 원이다.

오답피하기 ① 결혼식 축의금은 비경상 소득에 해당한다.
② 세금은 비소비 지출로, 세금의 증가는 처분 가능 소득의 감소 요인이다.
④ 경상 소득은 1,000만 원, 비경상 소득은 800만 원이다.
⑤ 재산 소득은 주식 배당금 100만 원이고, 비소비 지출은 세금, 대출 이자, 사회 보험료의 합인 100만 원이다.

19 국내 총생산의 이해

문제분석 국내 총생산은 일정 기간 동안 한 나라 안에서 생산된 모든 최종 생산물의 시장 가치의 합 또는 각 생산 단계에서 창출된 부가 가치의 합으로 계산할 수 있다.

정답찾기 ③ 갑국에서 창출된 부가 가치는 A 기업이 200만 달러, B 기업이 150만 달러, C 기업이 100만 달러로, 부가 가치의 총합은 450만 달러이다. 갑국의 국내 총생산은 450만 달러이다.

오답피하기 ① 소비자에게 판매된 최종 생산물은 국내 총생산에 포함된다.

② 갑국에서 생산하여 을국에 수출한 재화는 갑국의 국내 총생산에 포함된다.

④ 갑국에서 중간재는 A 기업이 B 기업에 판매한 밀가루 150만 달러어치, B 기업이 C 기업에 판매한 빵 200만 달러어치이다.

⑤ A~C 기업 중 A 기업이 창출한 부가 가치가 200만 달러로 가장 크다.

20 경제 지표의 분석

문제분석 기준 연도가 2021년이므로 2021년의 명목 GDP와 실질 GDP는 같다. 이를 활용하여 시기별 경제 지표를 정리하면 다음과 같다.

구분	2021년	2022년	2023년
명목 GDP(억 달러)	100	120	130
실질 GDP(억 달러)	100	110	99
GDP 디플레이터	100	약 109	약 131

정답찾기 ⑤ GDP 디플레이터는 2023년이 2022년보다 크다. 따라서 물가 수준은 2023년이 2022년보다 높다.

오답피하기 ① 2021년 대비 2022년에 실질 GDP는 증가하였고 물가는 상승하였다. 따라서 (가)에는 총수요 증가 요인이 들어갈 수 있다. 기업 투자 감소는 총수요 감소 요인이다.

② 2022년 대비 2023년에 실질 GDP는 감소하였고 물가는 상승하였다. 따라서 (나)에는 총공급 감소 요인이 들어갈 수 있다. 생산 기술 향상은 총공급 증가 요인이다.

③ 2022년에는 전년 대비 실질 GDP가 증가하였으므로 스태그플레이션이 발생하였다고 보기 어렵다.

④ 실질 GDP는 2021년이 2023년보다 크다.

고2~N수 수능 집중 로드맵

수능 입문 → 기출 / 연습 → 연계+연계 보완 → 심화 / 발전 → 모의고사

수능 입문
- 윤혜정의 개념/패턴의 나비효과
- 하루 6개 1등급 영어독해
- 수능 감(感)잡기
- 수능특강 Light

강의노트 수능개념

기출 / 연습
- 윤혜정의 기출의 나비효과
- 수능 기출의 미래
- 수능 기출의 미래 미니모의고사
- 수능특강Q 미니모의고사

연계+연계 보완
- 수능연계교재의 VOCA 1800
- 수능연계 기출 Vaccine VOCA 2200
- 연계: 수능특강, 수능완성
- 수능특강 사용설명서
- 수능특강 연계 기출
- 수능 영어 간접연계 서치라이트
- 수능완성 사용설명서

심화 / 발전
- 수능연계완성 3주 특강
- 박봄의 사회 · 문화 표 분석의 패턴

모의고사
- FINAL 실전모의고사
- 만점마무리 봉투모의고사
- 만점마무리 봉투모의고사 시즌2
- 만점마무리 봉투모의고사 BLACK Edition
- 수능 직전보강 클리어 봉투모의고사

구분	시리즈명	특징	수준	영역
수능 입문	윤혜정의 개념/패턴의 나비효과	윤혜정 선생님과 함께하는 수능 국어 개념/패턴 학습	●	국어
	하루 6개 1등급 영어독해	매일 꾸준한 기출문제 학습으로 완성하는 1등급 영어 독해	●	영어
	수능 감(感) 잡기	동일 소재 · 유형의 내신과 수능 문항 비교로 수능 입문	●	국/수/영
	수능특강 Light	수능 연계교재 학습 전 연계교재 입문서	●	영어
	수능개념	EBSi 대표 강사들과 함께하는 수능 개념 다지기	●	전 영역
기출/연습	윤혜정의 기출의 나비효과	윤혜정 선생님과 함께하는 까다로운 국어 기출 완전 정복	●	국어
	수능 기출의 미래	올해 수능에 딱 필요한 문제만 선별한 기출문제집	●	전 영역
	수능 기출의 미래 미니모의고사	부담없는 실전 훈련, 고품질 기출 미니모의고사	●	국/수/영
	수능특강Q 미니모의고사	매일 15분으로 연습하는 고품격 미니모의고사	●	전 영역
연계 + 연계 보완	수능특강	최신 수능 경향과 기출 유형을 분석한 종합 개념서	●	전 영역
	수능특강 사용설명서	수능 연계교재 수능특강의 지문 · 자료 · 문항 분석	●	국/영
	수능특강 연계 기출	수능특강 수록 작품 · 지문과 연결된 기출문제 학습	●	국어
	수능완성	유형 분석과 실전모의고사로 단련하는 문항 연습	●	전 영역
	수능완성 사용설명서	수능 연계교재 수능완성의 국어 · 영어 지문 분석	●	국/영
	수능 영어 간접연계 서치라이트	출제 가능성이 높은 핵심만 모아 구성한 간접연계 대비 교재	●	영어
	수능연계교재의 VOCA 1800	수능특강과 수능완성의 필수 중요 어휘 1800개 수록	●	영어
	수능연계 기출 Vaccine VOCA 2200	수능-EBS 연계 및 평가원 최다 빈출 어휘 선별 수록	●	영어
심화/발전	수능연계완성 3주 특강	단기간에 끝내는 수능 1등급 변별 문항 대비서	●	국/수/영
	박봄의 사회 · 문화 표 분석의 패턴	박봄 선생님과 사회 · 문화 표 분석 문항의 패턴 연습	●	사회탐구
모의고사	FINAL 실전모의고사	EBS 모의고사 중 최다 분량, 최다 과목 모의고사	●	전 영역
	만점마무리 봉투모의고사	실제 시험지 형태와 OMR 카드로 실전 훈련 모의고사	●	전 영역
	만점마무리 봉투모의고사 시즌2	수능 직전 실전 훈련 봉투모의고사	●	국/수/영
	만점마무리 봉투모의고사 BLACK Edition	수능 직전 최종 마무리용 실전 훈련 봉투모의고사	●	국·수·영
	수능 직전보강 클리어 봉투모의고사	수능 직전(D-60) 보강 학습용 실전 훈련 봉투모의고사	●	전 영역

대구경북 빅3 전국 빅7
(2023년 대학알리미 정보공시기준, 사립대학 학생정원 순위)

2025 대구대학교 Check Check

① 모집인원 총 4,310명

전형명		모집인원	반영비율	수능최저	면접/실기
학생부 교과	일반전형	2,053명	출결 30% 학생부 100% 교과성적 70%	△ (일부 적용)	×
	지역인재전형	540명			
	특성화교과전형	85명		×	×
	기회균형 I 전형	41명		×	×
	농어촌학생 특별전형(정원외)	154명	학생부 100%	×	×
	기회균형 II 전형(정원외)	57명	교과성적 70% + 출결 30%	×	×
학생부 종합	서류전형	622명	서류평가 100%	×	×
	지역기회균형전형	3명		×	×
	특수창의 융합인재전형	30명		×	×
	평생학습자전형	50명		×	×
	특성화고졸재직자특별전형(정원외)	121명	서류평가 100%	×	×
	장애인등대상자특별전형(정원외)	142명	서류평가 80% + 면접 20%	×	○
실기/실적	예체능실기전형	269명	실기 80% + 학생부 20%	×	○
	포트폴리오전형	10명		×	○
	경기실적우수자전형	32명	입상실적 70% + 학생부 30%	×	×
	체육특기자전형	18명		×	×

※ 수능최저학력기준 적용 모집단위 : 특수교육과, 초등특수교육과, 물리치료학과, 간호학과(2개 영역 등급 합이 8등급 이내/한국사 포함)

② 신입생 전원 장학혜택 연간 약 672억 장학금 지급

(2022.10. 재학생 수 및 2022학년도 지급액 기준)
장학금 수혜율 99%
1인당 평균 442만원

구분	등급	대상	선발기준	혜택
입학 성적 우수	A	수시/정시 최초 합격자	모집시기별, 모집단위별, 전형유형별 상위 10% 이내	첫학기 수업료 70% (최대 307만원)
	B		모집시기별, 모집단위별, 전형유형별 상위 30% 이내	첫학기 수업료 50% (최대 219만원)
	C		모집시기별, 모집단위별, 전형유형별 상위 50% 이내	첫학기 수업료 30% (최대 131만원)
	장려		모집시기별, 모집단위별, 전형유형별 상위 50% 초과	첫학기 수업료 20% (최대 88만원)
기숙사 지원장학		수시, 정시모집 충원합격자 전체		기숙사비(50만원) 지원 ※ 호실별 차액은 본인부담
DU-care 장학금		정시 충원합격자 * 일부 모집단위 및 기숙사 지원 장학금 수혜자 제외		50만원 지급
DU(두)손 잡고 장학금		신입학 지원자 상호간 추천하여 모두 등록시 장학금 지급(추첨) * 일부 모집단위 제외		1인당 30만원 지급

※ 2024학년도 신입생 장학제도 기준

③ 수시 합격자 전원 기숙사 입사 가능

④ 전 단과대학 라운지 설치

사회과학대학

IT·공과대학

⑤ 캠퍼스 속 편의시설

⑥ DU만의 탄탄한 취업역량

대구 경북 졸업생 3,000명 이상
대형 4년제 대학 취업률
(2022. 12. 공시)

⑦ 통학이 더 여유로운 DU

2024년 대구도시철도 1호선
연장 개통 예정